Scarlet

스칼렛

Scarlet

스칼렛

선본 남자

단영 장편 소설

선본남자

3

Scarlet
스칼렛

CONTENTS

11.

무인도에 사는 여자 (하)

"천천히 드세요."

"어우, 형님 이거 너무 맛있어요. 무슨 닭고기가 냄새도 하나도 안 나고 이렇게 부드럽대요?"

"그쵸? 나도 아까부터 그 비법이 궁금했어요. 가르쳐 주세요, 언니. 네?"

"네, 가르쳐 드릴게요. 다 가르쳐 드릴게요."

호들갑을 떠는 동서와 아가씨에게 슬쩍 웃어 주고 나는 고사장 앞으로 부추 그릇을 밀어 주었다.

"고기랑 같이 드세요."

"음."

"서방님도 부추 더 드릴까요?"

"네."

서슴없이 고개를 끄덕이며 서방님이 부추 그릇을 내밀었다.

문득 많이 발전했다는 생각이 들었다. 처음 같이 밥을 먹을 땐 어색해하더니 지금은 당연히 그러는 줄 알고 반응을 보이는 것을 보면 말이다. 직접 무친 부추를 듬뿍 얹어 준 다음 이번엔 동서 앞으로 따로 끓인 백숙 그릇을 놓아 주었다.

"어머, 이걸 따로 하셨어요?"

"네, 좋아하신다고 해서요."

"아이, 그러실 필요 없는데. 자꾸 그러시면 제가 너무 죄송해요, 형님."

"괜찮아요. 좋아서 하는 일인 걸요."

가족에게 음식을 챙겨 먹이는 일이 내게 어떤 의미인지 동서는 모를 것이다.

내가 해 줄 수 있는 일이 이것뿐이라서 미안한 마음을 그녀는 짐작도 못하겠지? 다른 걸 더해 주고 싶어도 해 줄 수 없는 마음이 얼마나 아픈지 정말로 모를 거다. 끝까지 남겨 두고 떠날 수 있는 것이 아무것도 없다는 사실이 사람을 얼마나 슬프게 하는지도.

"언니, 그만하고 얼른 와서 드세요."

"그래요. 얼른 오세요, 형님."

"네."

아가씨와 동서의 성화에 나는 국물이랑 죽만 조금 퍼 가지고 자리에 앉았다. 스치듯 내 그릇을 본 서방님의 눈썹이 슬찍 꿈틀거리는 것이 보였다. 마음에 안 든다는 뜻이었다. 그에 나는 황급히 변명을 덧붙였다.

"전 고기보다 국물이 더 좋아서요. 그래서 건더기보다 국물을 더 많이 먹어요."

"그래도 그렇지 겨우 그것만 먹고 살이 붙겠습니까?"

"그래요, 언니. 그릇 주세요. 제가 고기 좀 담아 드릴게요."

"아, 아니에요. 전 정말 이거면 돼요."

모두 한마디씩 했지만 나는 극구 사양했다.

내가 지금 웃는 게 웃는 게 아니었다. 속이 타는 듯한 아픔에 지금은 아무리 맛난 것이 있어도 넘어가지 않을 것 같았다. 그런 사실을 알게 하고 싶지 않았다.

툭!

수저 위에 큼직한 고기가 올라왔다.

놀라서 보니 고 사장이 고기를 찢어 올려 주고 있었다. 그리고 언젠가 그랬듯이 다시 깍두기도 하나 올려놓았다. 갑자기 속이 뜨거워지면서 눈물이 왈칵 쏟아질 것만 같았다. 우리는 전에도 이렇게 마주 앉아 삼계탕을 먹은 적이 있었다.

그때도 나는 그에게 고기를 한가득 퍼 주었고 그는 내 수저 위에 고기와 깍두기를 얹어 주었었다. 굶주린 사람들처럼 우리는 말 한마디 없이 배가 부르도록 먹어 댔다. 다 먹고 나서 그는 나에게 청혼을 했다. 아니, 거래를 제안했다. 오래된 꿈처럼 까마득한데 겨우 일 년 전의 일이었다.

"그렇게 먹어야 더 맛있어."

"네."

"많이 먹어."

"……네."

고 사장도 그때 일을 떠올리고 있었나 보다.

슬쩍 다가오는 은밀한 눈웃음이 얄밉지가 않았다. 그래서 나도 그를 보며 가만히 웃어 주었다.

"어우, 뜨거워. 누가 신혼 아니랄까 봐."

눈을 동그랗게 뜨고 지켜보던 아가씨가 문득 음흉하게 웃더니 마치 놀리듯이 한마디 했다.

"나는 설마 큰오빠가 이럴 줄은 몰랐어요. 어쩜 이 닭고기보다 더 살살 녹을 수 있어요? 언니가 그렇게 좋아요?"

"아가씨도 참. 말해 뭘 해요. 분위기 보면 딱 견적이 나오는 거죠. 저는 아까부터 괜히 막 덥더라고요."

"그쵸, 그쵸? 이러다 올해 안에 새 조카 소식이 들리는 것 아니에요?"

"두말하면 잔소리죠."

두 여인네가 까르르 웃음을 터뜨렸다.

서방님도 피식 웃고 고 사장은 그답게 얼굴색 하나 안 변했다. 고개를 푹 숙이고 나는 고 사장이 놓아준 고기를 꿀꺽 삼켰다. 꿈보다 해몽이 좋다더니 지금이 딱 그런 상황이었다.

실타래처럼 뒤엉키기만 하다 풀어 보지도 못하고 결국 시커멓게 타 버린 내 속을 알고도 과연 웃음이 나올까 싶었다. 그래도 모두가 웃고 떠드는 지금이 가장 좋았다. 나는 언젠가 홀로 앉아 이 순간을 몹시도 그리워하게 될 테니까 말이다.

"오늘밤에도 많이 바쁠 예정인가?"

시끌벅적한 저녁 식사가 끝나고 모두가 돌아간 뒤.

잰걸음으로 거실을 오가며 약간의 뒷정리를 하고 있는 내게 고 사장이 물었다.

"아니요. 오늘은 피곤해서 일찍 자려고요."

아무 생각 없이 대답하다 나도 모르게 움찔 어깨를 떨었다. 낮에 받은, 계속 잊고 있었던 그의 메시지가 그제야 떠오른 것이다.

'오늘밤. 기대해도 되나?'

야시시한 잠옷과 함께 그런 메모를 받았었다.

대답을 해 놓고 뒤늦게 놀라 조심스럽게 돌아보자 아니다 다를까 고 사장이 어느새 눈을 빛내며 바짝 다가와 있었다. 허리에 팔을 감으며 귓가에 입술을 대고 달콤하게 속삭였다.

"같이 씻을까?"

돼, 됐소이다.

대체 무슨 상상을 하고 있기에 그런 음란한 제안을 하는 것이오, 고 사장. 그 많이 비어 보이는 검은 헝겊때기는 또 어디에서 샀소? 혹시 직접 산 거 아니오? 안 그러던 사람이 갑자기 야해져서 내가 요즘 얼마나 부끄러운지 아시오?

하룻밤의 실수가 이런 결과를 불러올 줄은 내가 정말 몰랐었다.

안 그래도 심란해서 울고만 싶은데 그런 것도 모르고 바보 같은 고 사장은 살살 꼬리나 치고 틈만 나면 스킨십을 시도한다. 내가 돈을 떼먹고 도망을 가도 이렇게 나오는지 두고 볼 일이었다.

"머, 먼저 씻으세요."

"음!"

어라, 이게 아닌데.

희색이 만연해서 돌아서는 그를 보고 나는 조금 당황했다. 내가 지금 무슨 말을 한 것인가. 먼저 씻으세요? 그럼 나는 뒤에 씻겠다는 소리인데 씻고 나서 뭘 하려고? '먼저 씻고 자라' 는 말이 '씻고 나서 봅시다' 라는 뜻으로 잘못 전해지는 순간이었다. 이래서 한국말은 끝까지 들어 봐야 한다는 거다.

"하아, 미숙아 끝까지 왜 이러니? 뭐가 되려고 이래? 응?"

영은이의 집에서 돌아온 이후 하루 종일 내 머릿속을 점령한 것은 단 한 가지였다.

이제 나는 어떻게 해야 하나.

좋은 방을 구해 동생들과 함께 살겠다는 꿈은 날아갔다. 고 사장에게 돈을 갚고 내 마음을 고백해 보겠다는 생각도 더 이상은 할 수 없다. 그렇다면 남은 것은 단 한 가지 길뿐이었다.

짐을 꾸려 가지고 조용히 시골로 내려가는 것.

아버지에게 맡겨 둔 돈이라도 받아다 고 사장에게 준 다음 나는 일자리를 구해야 했다. 부지런히 일을 해 가능한 한 빨리 모자란 돈을 채워 넣어야 한다. 아무리 머리를 굴려 봐도 그보다 더 나은 방법이 떠오르지 않았다. 그래서 내일은 짐을 꾸려 시골로 가기로 마음을 먹고 있었다.

영은이를 찾는 일은 하지 않기로 결심했다.

당장은 미워 죽을 것 같지만 그녀를 찾아도 돈을 되찾을 수 없다는 사실을 알고 있으니까. 처음부터 그녀가 말하던 대박이니 어쩌니 하는 건 없었다는 사실을 이제는 알 것 같았다. 애초부터 그런 일을 기대한 내가 바보였다는 사실도. 마음이 급하다는 이유로 앞뒤 생각도 못하고 그녀를 찾아간 내가 바보였다. 어쩌면 나는 진즉부터 이런 결과를 미리 예상하고 있었던 것인지도 몰랐다.

"말을 해야겠지?"

떠날 땐 떠나더라도 앞뒤 사정은 말을 하고 가야 했다.

적어도 고 사장에게는 앞으로의 거처와 일자리 문제에 대해서도 알려 주어야 한다. 그래야 믿고 보내 줄 것이 아닌가.

"아가씨가 많이 서운해할까? 아기도 곧 나올 텐데. 동서한테 김치도 미리 보내 놓아야지. 텃밭은 어떻게 할까?"

풀이야 그냥 놓아두어도 잘 자란다.

가을이 오고 겨울이 오면 시들겠지만 그전까지는 딱히 손을 더 대지 않아도 될 것이다. 그리고 고 사장도 잘 살겠지. 나를 내보내기로 결심한 걸 보면 그에게도 다른 계획이 있는 것일 테다. 뭔지는 모르겠지만 분명한 건 나하고는 전혀 관계가 없을 거라는 점이었다. 그러니 이제 와 고백 따위를 해 그의 앞길을 방해해서는 안 되는 거다.

"난 왜 이렇게 미련하지."

그를 떠난다는 생각만 해도 눈물이 날 것 같았다.

전엔 안 그랬는데 서울에 온 이후 내가 은근히 눈물도 늘었다. 평생 안 겪어 본 왕따도 당하고 패싸움도 하고 보니 어떤 때엔 시골에 있을 때보다 더 사람들의 시선이 무서워질 때도 있었다.

"역시 난 시골 체질인가 봐."

그래도 그곳에선 큰소리쳐 가며 겁 없이 살아왔다는 생각에 쓴웃음이 다 났다. 오죽하면 양 사장에게도 그렇게 대들었을까. 나중에라도 아버지가 그 소릴 들었다면 어이없다고 무릎을 치셨을 것이다. 그래 봐야 이미 지난 일이라 아무 소용이 없지만.

대강 정리를 마치고 나는 주방 옆의 작은 방으로 돌아왔다.

내일 시골로 내려가려면 미리 짐을 싸 두어야 했다. 짐을 싸는 일이야 뭐가 그리 어려울까. 어차피 1년 전 올라올 때나 지금이나 별로 달라진 것도 없고 딱히 늘어난 짐도 없어서 그냥 그 가방에 도로 챙겨 넣기만 하면 끝나는 일이었다.

덕분에 짐 꾸리기는 정말 어이없을 정도로 간단하게 끝나 버렸다.

달라진 것도 없었다. 모든 것이 그때보다 조금 더 낡거나 후줄근해진 것 말고는 말이다. 결혼 직전에 새로 사 입은 추리닝이 지금은 무릎이 툭 튀어나와 볼썽사납게 변한 것처럼 내 가방도 나도 딱 그랬다. 빵빵하게 부푼 가방을 옷장에 넣어 두고 천천히 샤워를 하기 시작했다.

"어떻게 말을 꺼낼까?"

남은 문제가 나를 골치 아프게 만들고 있었다.

당장 시골에 다녀오는 문제만 해도 고 사장에게 미리 자초지종을 설명해야 했는데 그게 그리 쉽지가 않았다. 가뜩이나 쳐 놓은 사고도 많은 판에 이젠 돈도 제대로 못 갚게 되었다는 소리를 어떻게 쉽게 꺼낼 수 있으랴. 나가는 문제는 둘째치고 그게 더 덩어리가 커서 속이 무겁게 내려앉았다.

그나저나 돈을 다 갚으려면 얼마나 걸릴까?

5년? 10년? 결코 짧은 시간이 아니었다. 일하는 건 문제도 아니다. 진짜 문제는 그 시간을 그가 허락해 줄 것인지에 대한 것이었다. 그는 과연 기다려 줄 것인가.

"공장에라도 가 볼까?"

요즘 시골엔 작은 공장들이 꽤 많았다.

종류도 다양해서 음식 제조부터 기계 부품까지 천차만별이었다. 더구나 일은 조금 힘들지만 워낙 사람이 없다 보니 이력서만 내면 언제든 일을 할 수 있다는 장점도 있었다. 동생들 볼 낯이 없어 그렇지 가끔은 보너스도 나오는 안정적인 직장이었다.

시골에서 지내는 게 어렵다면 서울에서 지내는 방법도 있었다.

다니면서 보니까 곳곳에 고시원이 꽤 많았었다. 그곳 어디쯤에 작은 방을 빌려 지내면서 식당 일이라도 구하면 된다. 밥하는 건 잘하니까.

"그래, 괜찮아. 이제까지 잘해 왔으니까 이번에도 다 잘 될 거야. 윤미숙은 괜찮다. 진짜 진짜 괜찮다."

하늘이 무너져도 솟아날 구멍이 있다는 생각에 저만치 나갔던 정신이 가까스로 돌아왔다.

언제나 힘들었지만 그래도 여기까지 해 온 것처럼 앞으로도 나는 잘해 나갈 수 있을 것이다. 그렇게 믿고 싶었다. 그렇게 간신히 스스로를 추슬렀을 때였다.

쏟아지는 따뜻한 물에 얼굴을 맡기고 있는데 문득 등 뒤가 서늘해지는 느낌이 들었다. 그러더니 미처 돌아볼 새도 없이 후끈한 몸 하나가 등짝에 착 달라붙는 거다.

"꺄악!"

소스라치게 놀라 나는 비명을 내지르며 거의 펄쩍 뛰었다. 그런 나를 단단한 팔 두 개가 마치 가두듯 꽉 끌어안았다.

"쉬잇, 놀랐나?"

고 사장이었다.

촉촉하게 젖은 고 사장이 홀딱 벗은 몸으로 들어와 나를 뒤에서 안고 있었다.

"왜, 왜, 왜……."

너무 당황해서 말이 안 나왔다.

설마하니 고 사장이 욕실로 난입을 할 거라는 생각은 해 본 적이 없었다. 그 점잖은 얼굴로 '같이 씻을까?' 라는 말을 했을 때조차도 그게 진심이라고는 생각하지 못했던 것처럼 말이다. 그런데 아무래도 진심이었나 보다. 몰래 들어온 주제에 그는 당당하게도 내 몸을 어루만지고 있었다. 눈앞이 캄캄해졌다.

대체 이 사람을 어쩌면 좋단 말인가.

나가라고 했으면서 사람 헷갈리게 왜 자꾸 들이대는 것일까. 눈앞에 있으니 구미가 당기나? 그렇게 생각하는 순간 마음 한쪽이 말도 못하게 욱신거렸다. 나는 좋아하는데, 좋아하는 사람에게 이렇게 가볍게 취급된다는 사실이 너무 고통스러웠다.

물을 타고 기어이 눈물이 쏟아졌다.

하루 종일 겪은 설움이며 앞으로 다가올 고난의 시간들이 눈물이 되어 물을 타고 사라졌다. 소리도 못 내고 질질 우는 것도 모르고 그는 벌써 달아올라 내 목덜미를 애무하고 있었다. 역시 나쁜 남자였다, 고 사장은. 뭐가 어찌 되었든 결국은 하고 싶은 대로 해치우는 사람이다.

그래도 미워할 수가 없었다.

이보다 더한 상황이라고 해도 나는 그를 미워할 수 없었을 것이다. 사랑하니까. 어느새 그렇게 되어 버렸으니까. 그래서 내가 지금 이렇게 울고 있었다.

눈물을 감추듯 나는 몇 번인가 물을 받아 얼굴을 문질렀다.

생각해 보니 어쩌면 이것이 마지막인지도 몰랐다. 오늘 이후로 다시는 그에게 안길 일이 없었다. 그와 함께 잠들거나 마주 앉아 밥을 먹는 일도 없겠지. 무심한 듯 다정한 손길을 느낄 수도 없을 테고 요즘 들어 가끔 보내오곤 하는 눈웃음도 보지 못할 것이다. 그를 많이 그리워하게 될 어느 날을 생각하면 지금 이 순간도 나는 소중히 여겨야 했다.

그의 손이 가슴을 감싸 쥐고 가볍게 매만졌다.

손가락 사이로 오똑 솟은 유두를 끼워 넣고 희롱하면서 그가 귓가에 입술을 대고 속삭였다.

"물소리가 들리니까 갑자기 마음이 급해졌어. 궁금하고 보고 싶고 그러다 기다릴 수가 없어서……."

"앗!"

가슴을 매만지던 한쪽 손이 물을 타고 주욱 미끄러지면서 아랫배를 지나 아래로 내려갔다. 망설임 없이 원하는 곳으로 스며들었다. 다시 겪어도 아직 익숙하지 않은 이물감이 아랫도리를 괴롭히고 있었다. 고개가 돌아갔다.

남은 한 손으로 내 얼굴을 감싸 쥐고 그가 깊이 입 맞추어 왔다.

언제나 느끼는 거지만 그의 키스는 노골적으로 음란하면

서도 잔인한 구석이 있었다. 희미한 감각의 파편까지 확인하고 음미하려는 것처럼 끈질기게 파고들고 자극하고 흔적을 남겼다. 마치 영역표시를 하는 짐승이나 된 듯 애무를 하다가도 어느 한곳을 깨물어 흔적을 남기고는 했다. 특히 그가 좋아하는 곳은 엉덩이와 허벅지 안쪽이었다.

"야해."

물에 젖은 내 뒤태를 음미하며 그가 한숨처럼 말했다.

동시에 몸이 빙글 돌아갔다. 그 상태로 마주 껴안고 그는 잠시 내 머리칼에 코를 박았다. 깊이 들이쉬는 숨결 하나에 맞닿은 가슴이 빠르게 뛰고 있었다. 사실은 그가 더 야했다.

안 그래도 선명한 이목구비가 물에 젖기까지 하자 몽환적인 아름다움까지 내뿜고 있었다. 아름답게 음란한 모습이었다. 굵직한 목선을 따라 흘러내리는 물줄기를 보다 나도 모르게 꿀꺽 마른침을 삼켰다. 그 모습을 보았는지 그가 소리 없이 쿡 웃었다. 그러곤 나를 슬쩍 밀어 떼어 놓았다.

떠미는 힘에 밀려 등이 벽에 닿았다.

그 상태로 꼼짝을 않고 있자 그가 천천히 다가와 한 손으로 허벅지를 가만히 쓸어내렸다. 그러다 곧 씩 웃으면서 한쪽 다리를 슬쩍 들어 올렸다. 훤히 드러난 곳으로 그의 남성이 착 달라붙었다. 몇 번 찔러 대다 그것은 곧 입구를 찾아 강한 힘으로 꾹 밀고 들어왔다. 완벽히 흥분한 남성은 벌써 버거울 만큼 커다랗게 부풀어 있었다. 역시 적응이 안 되는 강한 이물감에 얼굴이 저절로 일그러졌다.

"아!"

나도 모르게 엉덩이를 슬쩍 빼자 그가 두 손으로 내 엉덩이를 꽉 잡더니 더 바짝 끌어당겼다. 미약한 반항을 잠재우며 끝까지 들어오는 느낌이 마치 심장을 찔린 것처럼 날카로웠다.

"미안, 오늘은 자제할 수 없을 것 같아."

응? 그럼 언제는 자제한 거였단 말이오?

눈이 동그래져서 바라보았지만 이미 늦었다. 말을 끝내기가 무섭게 그의 허리가 요동을 치기 시작했다. 푹푹 들이치는 섬뜩한 느낌이 당장이라도 몸을 꿰뚫을 듯 거칠게 내달렸다. 친절함 따윈 없었다. 부드러움도 다정함도 없는 정복자의 공격이 숨 막히게 이어질 뿐이었다.

"흑! 아아!"

그에게 매달린 채 숨 죽여 울부짖으면서 나는 서서히 부서져 갔다. 그와 보조를 맞추듯 허리가 어설프게나마 흔들렸다. 그 미약한 반응에도 자극을 받았는지 그의 엉덩이가 꽉 조여들면서 갑자기 속도를 높였다. 그때마다 물이 튀고 거친 숨소리와 찰박거리는 낮은 소리가 욕실 가득 울려 퍼졌다. 현기증이 났다.

"좋아?"

간신히 욕실을 빠져나와 거실 소파 위에 눕혀졌을 때였다.

허벅지 사이에 얼굴을 박은 채 그가 물었다. 신비한 지구를 탐험하는 것도 아닐진대 벌어진 다리 사이에서 그는 혀로 탐험을 벌이며 대화까지 유도하고 있었다. 너무 가까이에서 빤히 들여다보는 바람에 나는 민망해서 거의 죽고 싶을 지경인데 말이다.

제발, 그런 질문은 다 끝나고 나서나 했으면 좋겠소, 고 사장. 아니면 그대의 얼굴이 다른 부위에 있을 때라거나.

"제발……."

"제발."

"제발 그만…… 흐읍!"

깊게 핥아지는 느낌에 전율하며 나는 개구리처럼 다리를 펄떡이고 두 손으로는 소파를 잡아 뜯었다. 제발 좀 그만했으면 좋겠다. 그만둘게 아니라면 얼른 어떻게든 해 주던지. 나쁜 고 사장, 잘 나가다가 왜 갑자기 이렇게 잔인하게 구는 건가.

"하악, 하악."

폐가 뻐근하도록 거친 숨이 터져 나왔다.

숨을 돌리 새도 없이 그의 남성이 다시 깊이 들어오고 있었다. 꽉 차오르는 뻐근한 느낌이 폐에서 아래로 이동했다. 반사적으로 아랫도리가 무섭게 조여들었다.

"음."

살짝 일그러진 얼굴로 그가 신음을 토해 냈다.

그 소리에 쾌감마저 느끼며 허리를 비틀자 순간 눈을 번쩍 뜨면서 그가 맛깔스럽게 혀로 입술을 핥는 거다. 그리고 문득 스쳐 가는 것은 흥분으로 떨리는 만족스러운 미소.

"좋아."

"으읏!"

그의 엉덩이가 커다란 원을 그리며 빙글 돌았다. 그러자 눈앞이 까맣게 물들면서 저절로 입이 벌어지고 숨이 꺽꺽 막혀 오기 시작했다. 이미 흠뻑 젖은 아래가 더 축축하게 젖어 들더니 이내 발작 같은 떨림이 찾아왔다.

"아직."

"아아!"

거침없이 밀려왔다 쑥 빠져나가는 잔인한 정복자의 행위가 나를 점점 더 구석으로 몰아댔다. 달아날 수도 없고 피할 수도 없었다. 그는 나를 완벽하게 가둔 채 내 모든 것을 요구하고 있었다. 덕분에 단 한 번의 상승도 없이 나는 바닥의 바닥으로 끝없이 추락하는 아찔한 경험을 하고 말았다. 그리고 마침내 그의 품 안에서 폭발해 버렸다.

"아아아!"

그의 등을 할퀴며 무섭게 몸을 경직시키는 나를 그는 냉정한 이성으로 끝까지 지켜보았다. 마지막 순간까지도 나를 지켜보는 그의 집요한 시선을 느낄 수가 있었다. 그런 뒤에야 이성을 풀어놓고 다시 허리를 움직이는 그의 뜨거운 몸을 놓치지 않았다. 그제야 나는 깨달았다. 그는 아직 단 한 번도 자신을 풀어놓지 않고 있었다는 사실을. 밤이 길어질 것 같았다.

아무도 깨지 않은 새벽에 조용히 집을 나서는 상상을 했었다.

어디에서 본 게 있어서는 아니고 떠나는 거라면 역시 그러는 게 좋은 거라고 생각했으니까. 그런데 현실은 늘 상상했던 것과 다른 모습으로 다가왔다.

"후우, 아무도 없네."

눈을 떴을 땐 이미 한낮이었다.

당연히 고 사장이 출근하고 없을 시간이다. 안성댁 아주머니는 내가 깨는 모습을 보자마자 시장에 간다며 사라졌고. 그런 이유로 텅 빈 집에 나는 혼자 남겨져 있었다. 쨍쨍한 햇볕이 쏟아지는 한낮의 집 안은 무서울 정도로 고요했다. 조용한 것까지는 같았지만 분위기는 기대했던 것과 하늘과 땅처럼 달랐다.

덕분에 애써 발소리를 죽일 필요도 없이, 그야말로 긴장감 하나 없는 태도로 집을 나서게 된 것이다. 가방 하나 덜렁 들고 집 밖에 선 탓인지 아니면 떠난다는 사실 때문인지 일 년이나 살아온 집 주변이 유독 낯설었다. 하늘은 똑같이 맑은데 내가 선 자리만 구름이 낀 듯 컴컴한 기분마저 들었다.

"전화를 해야겠지?"

지하철을 타고 역으로 가면서 나는 계속 핸드폰을 바라보고 있었다.

고 사장을 보지 못하는 바람에 미처 얘기도 하지 못하고 떠나온 것이 마음에 걸렸다. 어차피 반지를 발견하면 내가 떠났다는 사실을 알게 될 테지만 그래도 얘기는 하고 왔어야 했다. 하다못해 간단한 메모라도 남겨 두는 것이 좋았을 것이다.

"없다고 좀 허전하네."

반지가 사라진 자리를 보며 나는 긴 한숨을 내쉬었다.

처음부터 내 것이 아니었으니 당연히 돌려주어야 했다. 웨딩드레스부터 피로연 드레스까지, 고 사장에게 받은 것은 모두 다 돌려주었다. 반지는 물론이고 통장도 카드도 다 두고 왔다. 내가 받은 것은 그것이 전부였다.

반지를 돌려놓기 위해 한 번도 앉아 본 적이 없는 화려한 화장대의 서랍을 열자 세트로 장만한 것처럼 보이는 보석들이 빼곡히 자리를 잡고 있었더랬다. 진주라거나 루비 같은, 내가 평생 가져 본 적 없는 값비싼 것들이 꽤 많았다. 그걸 보고서야 그곳의 주인이 내가 아님을 다시 한 번 깨달았다. 그걸 주고 싶은 다른 누군가가 있을지도 모른다는 사실도 인정했다.

"누군지 참 좋겠다."

가슴 한쪽이 싸하게 아파 왔지만 나는 애써 웃었다.

다른 누군가가 있는 거라면, 혹은 그럴 예정이라면 다행이었다. 그는 적어도 외롭지 않을 테니까. 목마른 시선이 후줄근한 신발로 향했다. 결혼하는 날 신고 올라온 신발이었다.

돌아가신 할머님은 다시 제자리로 돌아오라며 신발을 사 주셨지만 그건 내가 싸우다가 무기로 사용하는 바람에 다 떨어져 버렸고, 그 뒤엔 고 사장이 비싼 신발을 사 주었지만 그건 그냥 두고 왔다. 시골길에 비싼 신발은 어울리지 않는다. 보나마나 금방 더럽혀지고 망가질 것이다.

색이 바래고 조금 헐렁하기도 하지만 역시 내겐 이 정도가 좋았다. 적어도 발은 편하니까. 그러고 보니 도시 생활을 한답시고 하얘진 피부 말고는 일 년 전과 그리 달라진 것이 없었다. 차림도 형편도 그때 그대로였다.

"머리가 많이 길었구나."

어깨 아래까지 닿던 머리가 어느새 등을 온통 덮고 있었다. 어쩐지 올 여름이 더 덥더라니. 아무래도 내려가자마자 머리부터 잘라 내야겠다.

"전화하면 무슨 말을 할까?"

다시 전화기를 들여다보면서 나는 조그맣게 중얼거렸다.

전화를 하기는 해야 하는데 이상하게 자꾸만 망설여졌다. 그냥 시골에 잠깐 다녀온다고, 다녀와서 자세히 설명하겠다고 말하면 될 텐데 뭐가 문제인지 쉽사리 손이 가지 않았다. 혹시 이런 게 바로 돈 떼어먹고 도망가는 사람의 심리인 것일까?

'아닌데, 난 떼어먹고 도망가는 거 절대 아닌데!'

다시 말하지만 아버지에게 맡겨 둔 돈만 받아서 바로 올라올 예정이었다. 그걸 고 사장에게 전해 주고 난 다음 일자리를 찾아볼 생각을 하고 있었다. 무슨 일이든 열심히 할 각오까지 했다.

"그런데 왜 이렇게 무섭지?"

평소에는 잘만 했으면서 오늘은 왜 이렇게 떨리고 무서운지 손은 안 가고 자꾸 목만 탔다. 뭐라고 이야기를 시작해야 할지도 모르겠고 그가 어떤 반응을 보일지 몰라 두렵기도 했다. 그리고 무엇보다 구차한 변명을 늘어놓아야 한다는 사실이 부끄러웠다.

"저, 전화를 하겠지?"

이번엔 그가 전화를 해 온다는 쪽으로 생각이 기울었다.

별다른 용건이 없어도 하루에 한 번은 통화를 하곤 했으니까 내가 하지 않으면 그가 전화를 해 올 가능성이 컸다. 그러니 굳이 지금 전화를 하지 않아도 되는 것이다.

"후우, 기다려 보자."

스스로를 설득한 끝에 나는 도로 핸드폰을 넣어 버렸다. 그러곤 사람들에게 휩쓸려 역에 도착하기가 무섭게 가장 빨리 출발하는 기차를 잡아탔다. 그렇게 한참을 달려 거의 고향에 다다랐을 때에야 나는 고 사장의 가족들 중 누구에게도 작별 인사를 하지 않았다는 사실을 깨달았다.

"인사를 하고 올 걸 그랬나?"

아무래도 마음에 걸려 전화로라도 이별을 전할까 하다가 그만두었다. 고 사장에게 끝내 전화를 하지 못한 것과 같은 이유로 차마 버튼을 누를 수가 없었다. 그동안 감쪽같이 속았다는 사실을 알면 모르긴 해도 나를 많이 원망할 텐데 그 원망을 다 어떻게 받아 내야 할지 가늠이 되지 않아서.

특히, 동서나 서방님은 몰라도 아가씨는 많이 서운해할 터였다. 정에 굶주려서 나를 엄마 보듯 한다고 했었는데……. 속인 것으로도 모자라 이렇게 중간에 말도 없이 달아나기까지 했으니 모든 사실을 알고 나면 얼마나 속상해할까. 애심씨가 곁에서 많이 위로해 주었으면 좋겠다. 그리고 그 사람에게도.

"후우, 언젠가 다시 볼 기회가 오겠지."

언젠가 빚을 다 갚는 날, 떳떳한 얼굴로 마주하는 상상을 하며 나는 그렇게 스스로를 위로했다. 비록 이전과 같은 관계는 아니겠지만, 그저 보는 것만으로도 나는 좋을 것 같았다. 그리고 그때가 되면 할머님 산소에도 찾아뵙고 진심으로 사죄를 하고 싶었다. 속여서 죄송하다고, 사실은 진짜 당신의 손자며느리가 되고 싶었다고 고백하리라.

"아, 덥다."

어느새 벌겋게 달아오르는 눈가를 감추기 위해 부러 팔랑팔랑 손부채질을 하면서 역을 나섰다.

일 년 만에 밟아 보는 시골 역은 전과 별로 달라진 구석이 없어 보였다. 오래된 건물들과 낯익은 거리가 마치 흑백사진 속에 박제된 풍경처럼 그 자리에 그대로 서 있었다. 그 사실에 묘한 안도감을 느끼며 나는 예정대로 미용실로 향했다. 그리고 모진 마음을 먹고 아주 짧게 잘라 달라고 주문했다. 혹시 실연당했냐고 묻는 말은 농담을 들은 것처럼 그냥 깔깔 웃어넘겼다. 단 몇 분 만에 등을 덮던 머리칼이 몽땅 잘려 나갔다.

목덜미 부근에서 찰랑이는 짧은 머리칼을 어색하게 매만지며 내가 그다음으로 간 곳은 전에 일하던 마을금고였다. 집으로 들어가는 버스 시간까지는 아직 시간이 남아서 딱히 할 일이 없기도 했지만 후배 자연이와 연락이 닿아 모처럼 만나 보기로 한 것이다. 다행히 퇴근 시간이라 몇 분 기다리지 않아도 되었다.

"세상에, 진짜 왔구나!"

언제나 보던 모습 그대로 자연이가 호들갑을 떨면서 달려왔다.

"언니, 대체 그동안 어디에서 뭘 하고 지내느라 연락도 한 번 없었던 거유?"

"나? 난 서울에서 지내고 있어."

"서울? 아, 미주가 서울에 있는 대학에 갔다더니 같이 지내고 있는 거구나?"

"응? 으응, 그렇지 뭐."

결혼한다는 소리도 못하고 떠났지만 그래도 소문은 났을 거라고 생각했는데 아니었나 보다. 하긴, 누구 덕분으로 갑자기 잘리는 바람에 소식이고 뭐고 전할 겨를이 없긴 했었다.

"아직 만나는 사람도 없고?"

"쿨룩. 마, 만나긴 누굴 만나."

"왜, 그때 그 선본 남자 괜찮던데 잘 좀 해 보지 그랬어."

"그야, 그러고 싶었는데…… 잘 안 되더라."

잘 안 되었을 뿐만 아니라 빚만 잔뜩 져 놓고 도망 와서 안 그래도 내가 지금 걱정이 많단다, 후배야.

속에 든 걱정이 얼굴에 그대로 드러났는지 자연이 덩달아 한숨을 내쉬었다.

"휴우, 하기는 엄청 잘나긴 했었지. 아! 근데 언니야, 혹시 양재호 씨 소식 들었어?"

자주 가던 분식집에서 떡볶이를 놓고 마주 앉았을 때였다.

갑자기 까맣게 잊고 살던 양재호의 이야기가 튀어나왔다. 어이가 없었다. 아니, 고향에 내려오자마자 내가 왜 그 인간의 소식을 들어야 하는 건가. 나한테 '후회할 거라고오오.' 라는 긴 저주까지 남긴 인간인데 말이다.

"말도 마. 작년 가을인가? 서울 술집에서 텐프로인지 뭔지 하는 여자랑 놀다가 그 여자가 애를 배 가지고 내려와서 눌러앉는 바람에 한바탕 난리가 났었대. 애를 뗐다는 둥 유전자 검사를 한다는 둥 소문이 짜하게 돌았었지."

"아아."

그러면 그렇지. 제 버릇 개 주는 것 봤나. 그 인간이라면 내 언젠가 사고를 크게 칠 줄 알아봤다.

"근데 결국은 애를 낳았나 봐."

"저런! 그럼 결혼한 거야?"

"아니, 술집 여자랑은 절대 결혼 못한다고 난리를 쳐서 양사장님이 가서 애만 데려왔대. 요즘은 선보고 다닌다더라."

"쯧쯧, 하여간에 별짓을 다한다."

그래도 철이 조금 들었을지도 모른다고 생각했던 일이 무색하게 양재호도 여전한 모양이었다.

하긴 그렇게 쉽게 고쳐질 버릇 같으면 세 살 버릇 여든까지 간다는 말도 없었을 것이다. 역시 그때 양재호를 걷어차길 정말 잘했다는 생각이 들었다. 윤미숙이 바보이긴 하지만 덕분에 가장 큰 구멍은 피해 낸 셈이 아닌가 말이다.

한바탕 수다를 떨다 우리는 사이좋게 각자의 버스에 올라탔다.

오랜만에 타는 버스라 터덜터덜 굴러가는 것조차도 정겹고 반가웠다. 비로소 고향에 돌아왔다는 생각과 함께 마음이 푸근하게 풀어졌다. 내내 긴장하고 살긴 했는지 벌써부터 온몸이 노곤해지고 스쳐 가는 경치만 봐도 기분이 즐거웠다. 물론 집으로 가고 있다는 사실이 가장 좋았다.

"아부지!"

해가 서쪽으로 넘어가는 초저녁이었다.

대문으로 들어서면서 나는 크게 소리부터 질렀다. 어떻게 된 일인지 우리 집이 말끔하게 단장이 되어 있었다. 허물어져 가던 담도 깨끗하게 새로 쌓았고 대문은 깔끔한 철문으로 바뀌었다. 거기에 집도 거의 새로 지은 것처럼 한참이나 달라져 있는 거다. 너무 달라져서 우리 집이 아닌 것 같았다.

"응? 미숙이냐?"

"예, 아부지. 세상에, 이게 다 뭐예요?"

"뭐기는. 그 뭐시냐…… 리, 리모델한 거잖여. 그나저나 연락도 없이 갑자기 웬일이여?"

"그냥요."

얼버무리며 집 안으로 들어섰다.

안 그래도 휘둥그레져 있던 눈이 더 커졌다. 예상한 일이지만 외양 못지않게 안도 확 달라졌다. 깔끔하게 도배 된 집에 장판이며 싱크대까지 죄다 새 물건이었다. 밖에 있던 화장실도 안으로 들어와 있었다.

"돈이 어디 있다고 이렇게 큰 공사를 하셨어요?"

잰걸음으로 집 안을 한 바퀴 둘러본 다음 아버지와 마주 앉으면서 내가 물었다.

"지난해에 사과가 좋은 값에 팔렸나 봐요?"

"응? 그거야 뭐 몇 푼 되간디."

"그럼요?"

"아, 니가 맡겨 두고 간 돈 있잖여. 그것으로 했지. 밭 사고 쪼매 남더라고. 그래서 한 겨."

쿵!

갑자기 현기증이 났다. 불시에 기습을 당해도 이보다 더 황당할까. 둔기로 뒤통수를 맞은 것처럼 정신이 멍했다. 내가 지금 무슨 소리를 들은 건지 알 수가 없었다. 넋이 반쯤은 나간 얼굴로 나는 아버지를 바라보았다. 멍하니 물었다.

"뭐, 뭘 사요?"

"사과밭 말이여. 그거 팔아 묵고 속이 쓰렸는디 작년에 도로 사 왔다. 그 참에 집도 고치고.”

“아부지, 설마 그 돈 다 쓰신 거예요?”

“응? 그랬지. 쪼매 모자라서 우리 사위가 보내 준 돈도 보태고 그랬다잉.”

태연스러운 고백에 속이 울렁거리고 머리가 아파 왔다.

아버지에게 맡겨 둔 돈만 생각하고 있었는데 그새 그 큰돈을 다 썼단다. 그걸로 모자라 고 사장에게 돈까지 받아썼다는 말엔 화가 나는 대신 헛웃음이 터졌다. 몰랐는데 돈 새는 구멍이 바로 여기에 있었다.

“우리 사위가 배포가 크긴 큰겨. 용돈이라고 때마다 큰돈을 턱 보내 주고 필요하다는 돈도 군말 없이 보내 주는디 덕분에 내가 호강한다.”

“그, 그래서 좋으세요?”

“좋지, 좋고말고.”

자포자기의 심정으로 허허롭게 묻자 아버지는 또 좋다고 고개를 끄덕이셨다. 눈앞이 캄캄했다. 머릿속은 더 캄캄했다. 이제 나는 어쩌면 좋을까. 눈가가 화끈거리면서 눈물이 고여 들었다. 사정을 모르는 아버지는 마냥 좋다고 웃는데 나는 통곡을 하고 싶은 심정이었다.

당장 갚을 돈만 생각한 나를 비웃듯 아버지는 그사이 빚을 더 늘리고 있었다. 얼마인지도 알 수 없는 빚과 가뜩이나 민폐만 끼쳐서 이젠 미안하다는 말을 하기도 벅찬 고 사장을 생각하자 위가 통째로 뒤집어졌다.

"우욱!"

입을 막고 화장실로 달려갔다.

쓴물과 함께 금방 먹고 온 떡볶이가 그대로 넘어왔다. 눈물, 콧물이 한꺼번에 다 쏟아졌다. 속에 든 것을 다 토해 내고 그러고도 한참이나 주저앉아 나는 엉엉 울었다. 죽을 듯이 우는 나를 보고 아버지는 또 엉뚱한 말을 했다.

"혹시 애 들어선 거 아녀?"

"……차라리. 흐끅, 차라리 이대로 죽었으면 좋겠어요, 아부지."

"뭐, 뭔 소리여?"

"아부지 때문에 화가 나서 죽을 것 같단 말이에요! 그 돈이 어떤 돈인데! 내가 어떻게 살았는데! 도대체 무슨 염치로 그 사람한테 돈을 받아썼느냔 말이에요! 어허허헝!"

기가 막히고 코가 막혔다.

속이 상해서 미칠 것 같았다. 그냥 콱 죽어 버리고 싶을 만큼 속이 무너져 내리고 있었다. 도대체 내가 전생에 무슨 죄를 지었기에 이렇게 팔자가 꼬이는 거란 말인가. 초상이라도 난 것처럼 엉엉 울어 대자 아버지는 영문을 몰라 하면서도 되레 역정을 내셨다. 그러더니 방문을 쾅 닫고 들어가 버렸다.

그때까지도 속이 터져라 울다 나는 엉금엉금 기어 도로 가방을 찾아 들었다. 간다는 말도 없이 그냥 집을 나왔다. 고향은 그대로인데 집은 그렇지 않았다. 1년 사이 아주 낯선 곳으로 변해 버렸다. 여기엔 더 이상 내가 있을 곳이 없었다. 미주 방엔 사과 박스가 쌓여 있었고 내 방이 있던 자리엔 화장실이 만들어져 있었다.

"엄마아."

화가 난 마음에 뛰쳐나오긴 했지만 마땅히 갈 곳이 없었다. 8시면 막차가 끊기고 인적도 드물어지는 곳이었다. 다들 일찍 자고 일찍 일어나는 곳이다 보니 늦게까지 돌아다닐 수도 없고 남의 집에서 신세를 질 수도 없었다.

그래서 나는 미친 척하고 엄마의 산소를 찾았다. 또 숨도 못 쉬게 엉엉 울었다. 간이 콩알만 한 내가 이 밤중에 산을 찾아왔는데도 멀쩡한 걸 보면 정말 미쳐도 단단히 미친 게 틀림없었다. 어차피 눈에 보이는 게 없으니 귀신이 나타나도 알아보기는 다 틀렸다.

"엄마, 내가 진짜 미칠 것 같아. 아부지는 도대체 왜 그래? 내가 얼마나 더해야 염치라는 걸 좀 알겠느냐고."

아버지가 미워 죽을 것 같았다.

그러면 안 된다는 걸 알지만 이제는 정말 한계에 부딪친 느낌이었다. 엄마가 돌아가시기가 무섭게 나는 살림이며 밭일을 떠맡았다. 고등학교를 졸업하기도 전부터 빚 독촉에 시달리다 졸업식도 하기 전에 마을금고 취직해 일을 시작했다.

그렇게 되기까지 아버지는 손 놓고 앉아 한숨을 쉬는 것 말고는 아무것도 한 게 없었다. 사과 농사를 짓기는 했지만 그걸 바라보는 것 말고 다른 무언가를 더할 생각도 하지 않았고 미준이 등록금이 모자라 내가 밤잠도 못 자고 전전긍긍할 때도 그저 팔자 좋게 '어디서 돈 좀 얻어 오라'는 말만 하고 말았다.

아버지가 일손을 구해 쓰면 내가 돈을 줘야 했고 아버지가 대출을 받아도 내가 갚아야 했다. 나한테 말만 하면 돈이 그냥 나오는 줄 알고 아버지는 때마다 일을 만들고 뒷수습에는 전혀 신경을 쓰지 않고 살았다. 같잖은 오토바이 하나조차도 아버지는 말도 없이 사다 놓고 나더러 돈을 가져다주라고 했을 정도였다.

"더는 못해. 이렇게 살기 싫어. 나도 인당수에 몸을 던지고 싶은 심정이라고."

빈손으로 시집을 보내 놓고도 모자라 아버지는 나 몰래 고 사장에게 손을 벌렸다. 양심이 있다면, 돈에 팔려 가게 했으면 그러지 말았어야 했는데, 때마다 용돈에 집 꾸밀 돈까지 받아쓰고도 그게 빚이라는 생각은 절대 하지 않고 계셨다. 농협 빚이 그랬던 것처럼 결국 내가 벌어 갚아야 한다는 생각 같은 건 하지 않는 것처럼 보여서 나는 화가 났다.

"고 사장도 그래. 달란다고 돈을 왜 줘? 어떻게 받으려고 막 줬대? 나 데려다 팔아도 그 돈은 안 나올 텐데."

고 사장이 아직 한 번도 돈을 떼여 보지 않은 게 틀림없었다. 그러니 달란다고 막 퍼 주고 담보도 없이 그 큰돈을 내준 거다. 가난뱅이 윤미숙한테 2억이나 던져 줬을 때부터 그가 사실은 바보라는 걸 알아챘어야 했다.

"차라리 내가 죽을까? 지긋지긋해. 평생 빚만 갚으면서 살아야 한다는 생각만 하면 숨이 막히는 것 같아. 이제 그 사람 얼굴을 어떻게 봐야 하는지도 모르겠어."

절반만이라도 들고 가 사정을 해 보려던 계획은 모두 물거품이 되고 말았다. 그를 다시 볼 용기조차 나지 않을 정도로 나는 절망스러웠다. 무일푼에 지낼 곳이 없고 일자리도 없다는 사실보다 그 사람 앞에서 당당하지 못하게 되었다는 사실이 더 마음 아팠다. 나는 아니라고 생각했지만 결국은 돈 떼어먹고 도망 온 신세나 다름없다는 사실이 나를 울게 만들었다.

도대체 영은이랑 내가 다른 게 뭐냔 말이다.

"힘들다. 너무 힘들다, 엄마."

세상이 떠나가라 한바탕 울었더니 목소리가 거칠게 갈라졌다.

속이 휑하고 토하고 우느라 지친 몸엔 기운 한 점 돌지 않았다. 속도 비고 머리도 비었다. 마음도 텅 비어 버렸으면 좋겠는데 아무리 애써도 그건 뜻대로 되지 않았다. 그 상태로 쪼그려 앉아 나는 뜬눈으로 밤을 지새웠다.

한 여름이라 밤은 짧고 다행히 아침은 금방 찾아왔다.

기분만으로 보면 새로운 아침 따윈 영영 찾아오지 않을 것 같았지만 언제나 그렇듯 세상이 내 기분을 알아준 적은 없었다. 허탈한 마음으로 산을 내려와 나는 새벽 첫차를 탔다. 갈 곳이 없어서 읍내 찜질방을 찾아가 목욕을 하고 잠깐 잠도 잤다. 그것만으로도 반나절이 후딱 지나갔다.

"서울로 가야겠지?"

찜질방을 나서면서 나는 긴 한숨을 토해 냈다.

다른 방법이 없으니 일단은 올라가서 일자리부터 찾는 게 좋을 것 같았다. 빚을 갚기 위해서라도 그러는 게 옳았다. 발을 질질 끌면서 나는 역으로 향했다. 그러다 문득 낯익은 간판 아래를 지나고 있다는 사실을 깨달았다.

복다방.

망할 복다방. 그 사람이랑 내가 선을 본 곳이었다. 촌스럽게 다방에서 설탕 커피를 앞에 놓고 우리는 선을 봤었다. 요즘 세상에 다방에서 선 본 사람 있으면 나와 보라고 해라. 왈칵 눈물이 쏟아질 것 같아 나는 애꿎은 입술만 깨물었다.

정애 할머니가 그랬었다.

여기에서 선 본 사람들은 다들 잘 산다고. 이혼이고 뭐고 없이 애 낳고 잘만 산다더라고. 그 말이 사실이라면 이제 내가 복다방 역사에 커다란 오점을 남기게 생겼다. 서울에 올라가는 대로 나는 그가 내미는 이혼 서류에 도장을 찍어 주어야 하니까 말이다. 뿐만 아니라 빚도 갚아야 하고 말없이 떠나온 일에 대해 무릎 꿇고 사과도 해야 한다.

"팔자도 참……."

터가 좋다는 남의 집 역사에도 오점을 남기는 팔자라니.

뭐 이런 쓸쓸한 인생이 다 있나. 그래도 복다방은 죄가 없었다. 윤미숙 인생에서 가장 운이 좋았던 순간은 바로 이곳에서 고 사장을 만난 바로 그때이니까. 덕분에 나는 결혼도 해봤고 사랑도 해 봤다. 아니, 하고 있었다. 그러니 후회는 없었다. 더 많이 사랑하지 못해서 마음이 아플 뿐 후회는 아니었다.

약간의 감회에 사로잡혀 나는 복다방 앞에 멍하니 서서 잠시 시간을 보냈다. 그때였다. 빵빵 거리는 요란한 소음에 고개를 돌렸더니 어디에서 많이 본 차가 곁으로 다가와 멈춰서고 있었다. 뚜껑이 없는, 고추장 물을 입은 것처럼 새빨간 차였다.

"거기 혹시 미숙 씨?"

양재호였다.

빤질빤질한 얼굴에 전보다 살이 조금 더 붙은 양재호가 고개를 길게 내밀고 눈을 끔뻑이고 있었다. 나 혹시 올해 삼재가 들었나? 오다가다 만날 사람이 따로 있지 하필 여기서 또 양재호랑 마주칠 건 뭐란 말인가. 아무리 좁은 동네라도 그렇지 만나자는 약속을 한 것도 아닌데 어쩌면 이렇게 딱 마주쳤는지 기분이 아주 더러웠다.

"사람 잘못 보셨어요."

"에이, 맞구만 뭘. 언제 내려왔습니까?"

"……."

"혼자 온 겁니까? 설마 이혼당하고 온 건가?"

아예 이혼을 하라고 고사를 지내라, 새꺄.

애써 모른 척해 준 정성도 몰라주고 멀쩡히 잘 서 있는 사람에게 웬 참견이냐.

"안 그래도 소식 들었어요."

도끼눈을 홱 뜨고 나는 그에게 한마디 질러 주었다.

"애는 잘 크죠?"

"크흠."

그래, 할 말이 없을 것이다. 할 말 없어진 김에 그냥 가던 길이나 가라. 내가 너 보려고 내려온 게 절대 아니란다. 이 깨끗한 공기를 나누어 마시는 것조차도 아깝다.

"칫! 여전히 사납기는. 그러지 말고 오랜만인데 어디 가서 차나 한잔합시다."

"됐습니다, 됐고요. 또 저주받을까 봐 무서우니까 차는 혼자서 드세요. 전 다시 올라가 봐야 해서, 이만."

나는 가차 없이 돌아섰다.

하여간에 엮이기만 하면 되는 일이 없는 사람이라 웬만하면 우연으로라도 안 보고 싶었다.

빵빵!

근데 이 자식이!

몇 걸음 더 걷기도 전에 등 뒤에서 다시 소름끼치는 경적 소리가 울렸다. 이가 뿌드득 갈렸다. 눈을 부릅뜨고 홱 돌아보자 그가 갑자기 억울하다는 표정을 짓더니 뒤를 가리켰다. 언제 나타난 건지 육중한 무게감을 가진 까만색 차가 고추장 물먹은 양재호의 차 바로 뒤에 붙어 있었다. 그것도 어디서 많이 본 차였다.

감전된 듯 한참을 멍하니 바라만 보자 차의 뒷문이 열리면서 누군가가 우뚝 내려섰다. 고 사장이었다. 여길 어떻게! 발견한 순간 뒷머리가 쭈뼛 곤두서는 충격이 찾아왔다. 아직 마음의 준비가 안 되었는데 이렇게 빨리 그를 보게 될 줄은 몰랐다. 갑작스러운 조우에 두려움이 먼저 앞섰다.

제 발로 찾아갈 생각을 하고 있었으면서도 본능적으로 달아나고 싶은 마음이 불쑥 튀어나와 하마터면 뒷걸음질을 칠 뻔했다. 그러지 않기 위해 나는 초인적인 인내심을 발휘하고 있었다. 차에서 내린 고 사장이 뚜벅뚜벅 걸어왔다. 햇볕 때문에 표정을 확인할 수는 없었지만 묵직한 발소리에서 느껴지는 분위기만으로도 이미 확인한 것이나 진배없었다.

그가 한 발 한 발 점점 더 가까워질 때마다 움찔 간이 떨렸다.

역시 단단히 화가 난 게 틀림없었다. 그가 내뿜는 살기로 인해 주변의 공기가 벌써부터 싸늘하게 식어 내리고 있었다. 오죽하면 방정맞은 양재호조차도 가만히 입을 다물고 있겠는가.

'난 이제 죽었음이야.'

눈이 질끈 감겼다.

무서워서 죽을 것 같았다. 대체 그에게 뭐라고 변명하면 좋단 말인가. 말도 없이 사라진 일에 대해 그가 어떻게 여기고 있을지 생각하느라 머리가 땡땡 울렸다. 변명의 여지가 없다는 걸 잘 알고 있지만 그래도 무슨 말이든 할 수 있었으면 좋겠다.

묵직하게 이어지던 발소리가 뚝 끊겼다.

한참이나 소리가 없어서 조심스럽게 눈을 뜨자 바로 코앞에 단정한 구두 한 쌍이 보였다. 꿀꺽. 공포와 긴장으로 손끝이 떨렸다. 숨을 몰아쉬면서 나는 가만히 고개를 들었다. 고사장이 표정 없는 얼굴로 나를 내려다보고 있었다.

무심하고 냉정하게 가라앉은 눈동자 깊은 곳에서 짧은 순간 날카로운 빛이 번뜩였다 사라졌다.

이런 얼굴을 한 고 사장을 나는 전에도 본 적이 있는 것 같았다. 그때도 우리는 이렇게 마주보고 서 있었다. 양재호가 '후회할 거라고오오.' 라는 저주를 남기고 사라지자마자 마치 낯선 사람처럼 돌변하던 그를 기억한다. 내 손에 반지를 남기고 사라지던, 그때의 차가운 등을 가진 남자가 눈앞에 선 그의 모습과 교차했다.

"윤미숙."

낮게 갈라지는 목소리.

"차에 타."

"그, 그게……."

"가. 가서 얘기해."

꾹꾹 억누른 분노의 기운이 목소리에서부터 뚝뚝 떨어졌다.

그에 아무 말도 못하고 나는 그가 시키는 대로 얌전히 차에 올라탔다. 운전석에서 김재인 씨가 나를 슬쩍 돌아보며 고개를 끄덕이고 있었다. 그리고 곧 고 사장이 타고 문이 닫혔다. 창밖에선 양재호가 뻣뻣하게 굳은 채 이쪽을 보고 있었다. 그러거나 말거나 차는 소리 없이 움직여 그 자리를 벗어나 버렸다.

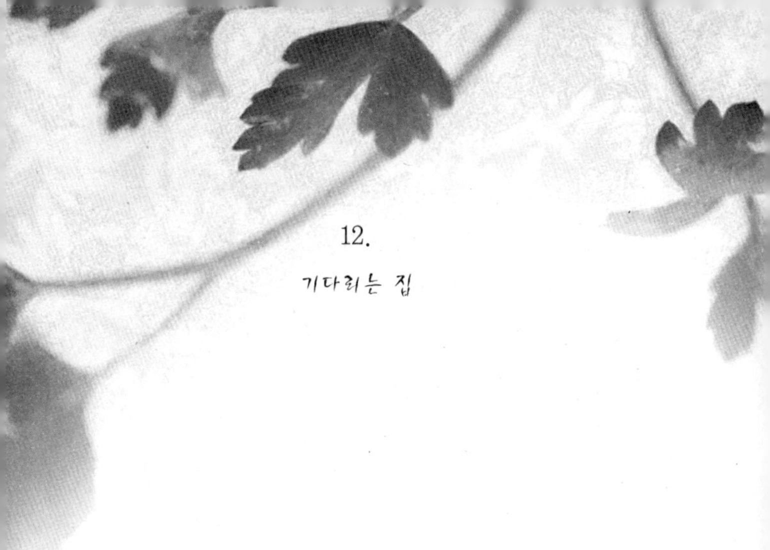

12.

기다리는 집

도망갈 때가 아니었다. 지금 도망가면 전부 없었던 걸로 되어 버린다.

—허니와 클로버(2006) 中—

탁!

얼음물을 말끔하게 비워 낸 고 사장이 마치 던지듯 유리잔을 내려놓았다.

움찔.

꼼짝도 못하고 서서 나는 죽어라 그의 눈치만 살피고 있었다. 작은 소음 하나에도 어깨가 떨릴 정도로 잔뜩 긴장한 상태였다. 차를 타고 두 시간이 넘게 달려오면서도 그는 내내 말 한마디 하지 않았었다. 그래서 더 무서웠다. 당장 어떤 말부터 나올지 상상도 할 수 없었기 때문에.

잠시 긴 한숨 소리가 이어졌다.

당장 고함이 터질지도 모른다고 생각했는데 그는 마치 꾹꾹 참았던 숨통을 틔우 듯 긴 한숨만 내쉬었다. 나를 보고 한숨을 쉬고 도로 입을 꾹 다물었다. 그러고도 모자라 주먹 쥐듯 손을 두어 번쯤 움켜쥐었다 펴더니 갑자기 방으로 사라졌다.

설마 이게 끝인가 싶어 돌아보자 숨을 두 번 내쉬기도 전에 그가 다시 방에서 나왔다. 큰 걸음으로 척척 걸어와 죄인처럼 잔뜩 웅크리고 선 내 앞으로 우뚝 섰다. 그리고 탁자 위에 무언가를 내려놓았다. 반지였다.

"말해."

간결하게 떨어지는 싸늘한 한마디가 마치 사형선고처럼 섬뜩하게 귀를 찔렀다. 무슨 말을 하라는 것인지 잘 모르겠다. 아니, 할 말은 분명히 있는데 그건 반지와는 아무 관련이 없는 말이어서 해야 할지 말아야 할지 구분이 가지 않았다. 어쩔 줄 몰라 하다가 나는 슬그머니 그의 눈치를 살폈다.

"이건 무슨 뜻이지?"

"……?"

"이번에도 잃어버릴까 봐 빼놓았다고 말할 텐가?"

그게 아니었다.

반지는 처음부터 내 것이 아니었으니까 돌려주는 게 당연하다고 생각했을 뿐이다. 가져다 팔면 집 한 채 값도 더 나올 텐데 내가 무슨 강심장이라고 그런 걸 가지고 튀겠나. 안 그래도 짊어지고 있는 빚 때문에 죽을 지경인데 말이다.

"전화는 왜 하지 않았지?"

무서웠다.

빚은 그대로 있는데 해 준 것도 없이 폐만 잔뜩 끼친 주제에 그냥 떠난다고 하면 화를 낼 것 같았다. 아버지에게서 돈을 받아 금방 돌아올 생각이었다. 돌아와서 자초지종을 설명해도 된다고 생각했던 것도 같다. 아니다. 차라리 그가 전화를 했으면 했다. 처음엔 분명히 그랬었다.

아버지가 돈을 다 써 버렸다는 사실을 알기 전까지는 그랬었는데 그 뒤엔 차라리 연락하지 않기를 바라게 되었다. 그에게 너무 면목이 없어서였다. 정말로 돈 떼어먹고 도망친 꼴이 되었다는 사실을 알았기 때문에 미안하고 또 무서웠다. 돌덩이 매달고 동해 바다로 던져지는 것보다 차가운 그의 시선을 받아야 하는 일이 더 무서웠었다.

"왜 말없이 떠난 거야?"

무슨 말을 해야 할지 알 수 없었다.

당장 빚을 갚을 길은 요원했고 그런 사정을 설명하는 일은 수치스러웠다. 나의 바보 같은 행동과 그 결과에 대해 그가 알게 되기를 바라지 않았다. 무슨 말을 해도 변명이 되어 버리는 상황이 나를 그렇게 몰아간 것인지도 모르지만 쉽게 말할 수 있는 내용이 아니었던 것만은 분명했다.

"……그 남자를 만나러 간 거였던가?"

벌컥!

아래로만 수그러들던 고개가 나도 모르게 발딱 올라갔다. 차마 믿어지지 않는다는 시선으로 나는 그를 바라보았다. 의심과 분노와 상처 입은 자존심으로 뒤범벅된 복잡한 시선이 한꺼번에 빨려 들어왔다. 기가 막혔다.

이럴 수는 없었다. 그러니까 내가, 윤미숙이 지금 양재호랑 바람이 나서 가출을 했다가 잡혀왔다는 소린가? 이 사람은 내내 그런 의심을 하고 있었다는 말인가? 너무 억울해서 눈에 힘이 들어가고 이가 악물렸다.

오다가다 우연히 마주친 것만으로도 재수 없어 죽겠는데 지금 누굴 누구에게 가져다 붙이나. 엮이기만 하면 되는 일이 없는 놈이라고 했더니 결국은 이런 오해까지 불러왔다. 그놈은 원래 그런 놈이니까 그러려니 하자. 하지만 고 사장은 뭔가. 대체 나를 어떻게 생각했기에……. 설마, 아직도 내가 돈 때문에 애인을 버리고 그와의 결혼을 선택했다고 믿고 있는 것일까?

"그, 그런 거…… 아니에요."

부들부들 떨면서 나는 소리쳤다.

"그런 거 아니라고요!"

"……."

"집에 갔었어요. 아부지를 보러. 맡겨둔 돈을 받아올 생각이었는데 아부지가 다 써 버렸데요. 그래서 그냥 돌아오던 길이었어요. 일자리를 구하면 바로 연락할 생각이었어요. 꼭

다 갚을 생각이었다고요."

순간, 그의 얼굴에 희미한 의문의 빛이 떠올랐다.

그걸 보면서 나는 미친 척 소리쳤다.

"잘해 보려고 했는데 그게 잘 안 됐어요. 영은이는 사라졌고 나는 빈털터리가 되어 버렸으니까. 그래서 그게 꼭 필요했는데 아버지가 그 돈으로 사과밭을 샀대요. 나는 모르고 있었어요."

"……."

"죽어 버리고 싶을 만큼 화가 났지만 할 수 있는 일이 아무것도 없었어요. 정말로 아무것도 못했다고요."

꾹 참고 있던 눈물이 기어이 뺨을 타고 흘러내렸다.

말도 없이 고 사장에게 돈을 받아쓴 아버지 때문에 나는 아직도 속이 상했다. 그걸 갚을 생각만 해도 두통이 몰려올 정도였다. 이제껏 집안 살림엔 전혀 관심도 없었으면 왜 갑자기 집을 고치고 싶어진 거냐고 묻고 싶었지만 어쩐지 대답을 알 것 같아서 그만두었다. 그게 다였다.

"땅문서 가져다 드릴게요."

소매로 눈물을 훔쳐내면서 나는 힘없이 덧붙였다.

"나머지는 제가 일을 해서 갚을 수 있어요. 떼어먹고 도망치려던 거 아니었어요. 사실은, 다 갚아 드리고 나가려고 한 거였어요. 꼭 다 갚을 거예요."

"지금…… 무슨 소리를 하는 거지?"

"네?"

갑작스러운 물음에 울음이 쏙 들어갔다.

내 설명이 부족했던 건가 싶어 다시 올려다보자 그는 차마 믿어지지 않는다는 시선으로 나를 보고 반지를 보더니 곧 눈에 살기를 담았다. 오싹 소름이 돋을 만큼 강한 분노가 느껴지면서 곧 살벌한 기세가 똑바로 덮쳐왔다.

"무슨 소리를 하고 있는 거냐고 물었어."

"그, 그게……."

"뭘 갚는다는 거지?"

이상하다.

나야 말로 그가 무슨 소리를 하고 있는 건지 모르겠다. 뭘 갚다니? 지금 그걸 몰라서 묻는단 말인가.

"겨, 결혼식 전에 빌려 주신 돈이요."

공포로 바짝 졸아서 나는 더듬더듬 사실을 고백했다.

"말씀하시기 전에 진즉에 떠났어야 했는데 그거 다 갚고 가려고……. 계속 폐를 끼치는 것도 죄송하고 그래서……."

"뭐?"

"절대로 떼어먹고 도망가려는 거 아니었어요. 계속 일자리를 구하고 있었어요. 진짜예요. 꼭…… 갚아드릴게요. 시간이 좀 걸리겠지만 열심히 일하면……."

주절주절 이야기하다 나는 퍼뜩 입을 다물었다.

고 사장의 얼굴에서 어느새 표정이 사라져 있었다. 이를 악문 채 나를 노려보았다. 눈가가 붉게 물들면서 부들부들 떨리는 것이 보였다. 분노인지 배신감인지 알 수 없는 감정이 굳게 다물린 단단한 입매를 타고 흘렀다.

마치 내가 엄청난 실수를 한 기분이었다.

하지만 아무리 생각해도 모르겠다. 내가 뭘 잘못한 건가. 그는 왜 이렇게 화를 내고 있는 것인가. 풀 수 없는 암호를 앞에 두고 있는 것처럼 그저 한없이 앞이 막막했다.

그의 눈매에서 힘이 빠져나갔다.

무언가를 억누르듯 눈을 질끈 감고 잠시 호흡을 고르는 모습이 안타까울 정도로 힘들어 보였다. 허탈한 듯도 보이고 한편으로는 상처를 입은 것처럼 보이기도 했다. 그러다 문득 그가 이를 악물더니 도로 눈을 부릅떴다. 우두커니 선 나를 죽일 듯이 노려보다 그는 홱 돌아서서 조금 빠른 걸음으로 방으로 사라졌다.

"으아아아아!"

와장창창!

"아악!"

성난 짐승의 그것 같은 고함 소리와 무언가가 산산이 부서지고 깨지는 소리가 활짝 열린 방문 사이로 쉴 새 없이 터져 나왔다. 그 소리가 너무 무서워서 나도 모르게 비명을 지르며 두 손으로 귀를 막고 몸을 움츠렸다. 손이 부들부들 떨렸다. 너무 무서워서 차마 방 가까이 다가갈 수가 없었다.

나는 그저 죽어라 귀를 막고 눈을 감은 채 바들바들 떨기만 했다.

이렇게 화가 난 고 사장은 본 적이 없었다. 한 발이라도 움직이기만 하면 정말로 맞아죽을 것만 같았다. 와장창 소리를 내면서 깨져 나가는 것들처럼 나도 그렇게 될지도 몰랐다. 지금 고 사장이 깨뜨리고 싶은 건 다른 게 아니라 바로 나라는 사실을 본능적으로 깨달았기 때문이다.

"후욱, 후욱."

한참만에야 소리가 멎었다. 그리고 뒤이어 새어나오는 것은 그의 거친 숨소리뿐이었다.

"큭, 크크…… 크하하하하하하!"

때아닌 웃음소리가 거실까지 쏟아져 나왔다. 그런데 이상하게도 내 귀엔 그 소리가 마치 통곡 소리처럼 들리는 거다. 가슴이 철렁 내려앉았다. 고함 소리보다 무언가가 깨져 나가는 소리보다, 마치 실성 한 듯 이어지는 웃음소리가 나를 더 두려움에 빠지게 만들고 있었다.

울고 있는 것일까?

갑자기 그의 얼굴을 보아야 한다는 생각이 들었다.

아니, 아니다. 보고 싶지 않았다. 만에 하나라도 내 예감이 맞으면 그땐 어쩐단 말인가. 그 충격을 나는 감당할 자신이 없었다. 다행히 웃음소리는 금방 그쳤다. 그에 조금은 안심을 하려는데 곧 발소리가 이어지더니 그가 불쑥 걸어 나왔다.

헝클어진 머리에 얼굴은 조금 창백했다.

여전히 표정은 없었지만 분노로 가득했던 눈동자엔 또 다른 감정이 그득하게 들어차 넘칠 듯 출렁이고 있는 것처럼 보였다. 그 한없이 지친 모습으로 그는 떨고 있는 나를 가만히 바라보았다. 그리고 아무 말 없이 돌아서서는 그대로 문 밖으로 사라져 버렸다. 어디로 가는지, 언제 돌아오는지 묻고 싶었지만 그는 이미 사라진 후였다.

거실 한복판에 멍하니 서서 나는 한참이나 문만 바라보고 있었다.

그가 곧 다시 돌아올지도 모르니까. 그러나 문은 계속 굳게 닫혀 있었고 인기척도 느껴지지 않았다. 망설이다 나는 방 쪽을 바라보았다. 깨지는 소리가 요란했으니 보나마나 난장판이 되어 있을 거였다.

그는 대체 뭘 깨부순 것일까.

걱정 반 호기심 반.

주춤거리다 나는 결국 방으로 향했다. 생각보다 침실은 멀쩡했다. 언제나 그랬듯 막 정리가 끝난 방처럼 단정하고 깔끔해 보였다. 그런데 파우더룸으로 향하는 복도가 온통 난장판이 되어 있었다. 조금 빠른 걸음으로 달려가 나는 목을 길게 빼고 그 안을 들여다보았다.

화장대가 온통 뒤집어져 나뒹굴고 있었다.

거울은 산산이 깨졌고 그득하던 화장품들도 내던져져 깨지고 쏟아졌다. 보기 좋았던 몇몇 장식은 물론이고 내가 부러워해마지 않았던 화려한 보석들조차도 마치 아무 가치 없는 구슬처럼 바닥에 버려져 나뒹굴고 있었다.

그걸 보자 아무 이유 없이 가슴이 아파 오기 시작했다.

이상한 일이었다.

그는 왜 다른 것 다 놔두고 이 화장대를 부수어 놓은 것일까. 이걸 부수어 놓고 왜 그렇게 비통한 웃음을 터뜨렸던 것일까. 그에게 이것이 어떤 의미였기에?

"왜 그런 얼굴로 나를 바라본 거예요?"

분노와 배신감으로 떨리던 눈동자가 아직도 생생했다.

당장이라도 무어라 소리칠 듯한 기세였는데 끝내 터뜨리지 못하고 그는 속으로 삼켜 버렸다. 이까지 악물고 기어이 참아 내고는 이 방에 들어와 화장대를 부수어 놓았다. 거미줄 문양을 그리며 깨진 거울과 비참하게 흩어진 화장품들을 보다 나는 그 자리에 천천히 주저앉았다.

멍하니 앉아 깨진 조각들을 줍고 흩어진 보석들을 제자리에 채워 넣었다. 못 쓰게 된 것들과 아직 쓸 만해 보이는 것들을 구분하고 어지럽혀진 바닥을 닦아 냈다. 툭! 눈물이 쏟아졌다. 쓸고 닦고 정리를 했는데도 화장대는 원래대로 돌아오지 않았다.

유리가 다 깨져 버려서 내 얼굴 하나조차 비추어 내지 못하고 화장품의 절반은 못 쓰게 되어 군데군데 빈자리가 생겼다. 다리가 부러져서 기우뚱하게 서 있는 의자까지 가져다 놓자 더 기가 막혔다. 망가지고 상처 입은 것이 마치 폭풍이 지나간 뒤의 모습처럼 보였다. 전쟁 뒤의 폐허 같았다.

처음 이 집에 온 날, 나는 이 화장대를 발견하고 얼마나 부러워했었는지 모른다.

아름다운 화장대에 없는 게 없는 화장품. 그리고 거울 뒤로 슬쩍 보이는 침실의 모습까지. 모든 여자들이 한 번쯤 꿈꾸어 보았을 법한 곳이었다. 그래서 나는 남몰래 이 화려한 화장대의 주인을 부러워했었다. 부럽고 가끔은 질투도 나고 그랬었다.

그러면서도 단 한 번도 거울 앞에 앉아 보지 못한 것은 이 자리에 들어간 정성 때문이었다. 막눈인 내가 보아도 화장대는 엄청 귀해 보였다. 화장대 자체도 귀해 보였고, 화장품은 화장품대로 비싸 보였고, 들어간 장식은 장식대로 훌륭했다. 하지만 더 중요한 것은 바로 화장대가 놓여있는 자리였다.

그의 침대에 누우면 맞은편에 걸려 있는 거울을 통해 이 화장대가 보였다. 이 화장대 앞에 의자를 놓고 앉으면 침실에 걸려 있는 거울을 통해 그의 침대가 보인다. 이 자리에 화장대를 놓고 그의 침실에 거울을 걸어둔 마음이 너무 아름다워 나는 그 사이에 감히 끼어들 수가 없었다. 그래서 실수로라도 그 앞에 앉는 법이 없었는데 그런 화장대가 망가져 버린 것이다.

그 사실이 이상하게 마음을 찢어 놓고 있었다.

분노로 이성을 잃은 상황에서도 나를 향해 단 한 번도 목소리를 높이지 않은 그인데 왜 화장대는 온통 부수어 놓은 것일까. 정말로 부수고 싶었던 것은 화장대가 아니라 혹시 나였던 것은 아닐까. 그런 것이라면, 혹시라도 그런 것이었다면…….

"내…… 자리였나요?"

숨이 막혔다.

이제껏 감히 꿈도 꾸어 보지 못했던 가능성 하나가 갑자기 살아나 나를 온통 후려치고 있었다. 두 눈 가득 눈물이 차올랐다. 가슴이 아프다 못해 미어진다. 망가져서 못 쓰게 된 물건들을 앞에 쌓아 두고 앉아 나는 소리 내어 엉엉 울었다.

이제 나는 어쩌면 좋을까.

틱! 희미하게 울리는 소리에 나는 반사적으로 뒤를 돌아보았다.

시계가 이제 막 2시를 가리키고 있었다. 시간을 확인한 후 다시 현관을 바라보았지만 굳게 닫힌 문은 아직도 움직일 기미를 보이지 않았다. 딥답한 마음에 어기적거리고 움직여 현관문 앞에 다리를 모으고 주저앉았다.

고 사장이 아직도 돌아오지 않고 있었다.

다 큰 어른이 밤나들이 좀 한다고 뭐가 문제일까 마는 상황도 상황 나름이었다. 이성을 잃고 몸부림치다 홀연히 사라진 그가 걱정되어 나는 거의 죽을 것만 같았다. 전화를 해 볼까 했지만 염치가 없었고 재인 씨나 김 실장님한테 연락을 해 볼까 하다가도 시간이 너무 늦어 차마 수화기를 들지 못했다. 그렇다고 사정을 모르는 서방님이나 아가씨에게 전화를 할 수도 없는 노릇이었고.

"후우, 어디에서 뭘 하고 있는 거지?"

땅이 꺼져라 한숨을 내쉬며 나는 중얼거렸다.

고 사장보다 더했으면 더했지 결코 덜하지 않은 짓을 해 놓은 사람으로서 할 말은 아니지만 이만하고 그만 돌아왔으면 좋겠다. 그는 나를 찾아낼 수 있어도 나는 이렇게 기다리는 것 말고 그를 찾아낼 방법이 없으니까.

그런데 혹시 다시 안 돌아오면 어떻게 하지?

나에게 정나미가 떨어져서 다시는 안 돌아오기로 작심하고 떠나간 것이라면 그땐 어찌해야 할까. 소름이 돋았다. 상상만으로도 눈앞이 까맣게 어두워졌다. 나는 이제야 그의 마음을 알았는데 그는 지쳐 포기하기로 결심했을까 봐 겁이 났다. 이대로 다시는 못 보게 될까 봐 두려웠다.

벌떡 자리에서 일어났다.

빠른 걸음으로 오락가락하며 나는 가슴을 쥐어뜯었다. 생각해 보니 내가 이러고 앉아 있을 때가 아니었다. 당장 그를 찾아나서야 한다. 염치 따위는 문제가 아니다. 서방님에게도 연락하고 김 실장님에게도 도움을 청해야 했다.

"아가씨한테 가서 얘기해 볼까?"

그래도 그 사람 아가씨한테는 많이 끔찍하니까 어쩌면 아가씨 말은 들어 줄지도 모른다. 당장 나를 버리기로 결심했다고 해도 한 번쯤은 만나 줄 것이다.

발만 동동 구르다 나는 황급히 화장실로 달려갔다.

계속 그를 기다리면서 울었더니 얼굴이 말이 아니었다. 얼른 씻고 나가서 아가씨에게도 가 보고 고 사장도 찾아볼 생각이었다.

그때였다.

우당탕탕…… 쾅!

현관 쪽에서부터 요란한 소음이 터져 나왔다.

인기척 치고는 너무 거창하고 당당해서 도저히 도둑이라고는 생각할 수 없었다. 깨닫기가 무섭게 나는 물기를 닦는 둥 마는 둥 하고 재빨리 튀어나갔다.

"꺄악!"

현관 앞에 고 사장이 길게 자빠져 있었다.

어디에서 뒹굴고 왔는지 머리는 온통 헝클어져 이마를 가렸고 걸치고 있는 셔츠는 흙투성이가 되어 너덜거렸다. 그 몰골을 하고도 그는 주저앉아 신발을 가지런히 벗어 놓더니 갑자기 벌떡 일어나 어딘지 모를 방향을 향해 휘청휘청 움직였다.

방도 아니고 화장실도 아니고 거실 쪽도 아니었다.

그는 제자리에서 빙빙 돌고 있었다. 스스로도 어디로 가야 하는지를 모르는 것처럼 혹은 어느 쪽으로 갈지 아직 결정을 내리지 못한 사람처럼 발길이 갈팡질팡했다. 거기에 풀풀 풍기는 술 냄새는 또 얼마나 지독한지 코가 떨어져 나갈 것 같았다.

아직 가까이 다가가지도 않았는데 독한 술 냄새에 벌써부터 취기가 올라왔다. 술독에 빠졌다 나와도 이보다는 덜할 거라고 생각될 정도였다. 한참이나 제자리에서 빙빙 맴돌던 걸음이 문득 주방 쪽으로 향했다. 모퉁이에 숨어 가만히 지켜보다 나는 발꿈치를 들고 그를 따랐다.

따라가서 시원한 물이라도 찾아 줘야겠다는 생각을 하고 있었다. 그런데 당연히 주방으로 갈 줄 알았던 그가 그 앞을 그냥 지나치는 것이다. 물을 찾는 게 아니었나? 의아해서 보니 그는 비틀거리면서도 내가 지내던 주방 옆의 작은 방을 찾아냈다. 그러곤 방문에 달라붙어 주먹으로 쿵쿵 문을 두드리기 시작했다.

"나와, 당장 나와!"

"……."

"윤미숙!"

"네, 네!"

나도 모르게 대답해 놓고 화들짝 놀라 입을 다물었다.

거의 동시에 그가 홱 돌아보았다. 어이없는 고 사장. 분명히 몰골은 형편없는데 그럼에도 불구하고 술에 취한 사람답지 않게 얼굴만은 붉은 기 하나 없이 아주 말짱했다. 술 냄새가 진동을 하지 않았다면 얼굴만 보고는 취한 줄도 몰랐을 거였다.

착 가라앉은 시선이 이리저리 헤매다 얼굴에 착 달라붙었다.

움찔. 두려움에 어깨가 떨렸다. 그래도 도망치지 않고 물러서지도 않고 나는 잘 견뎌 냈다. 비록 조금 떨긴 했지만 눈을 똑바로 뜨고 나는 그의 시선을 받아 내는데 성공했다. 그 모습이 의외였는지 문득 그가 '풋' 하고 웃었다.

가소롭다는 투였다.

하긴, 만날 눈도 못 마주치고 도망만 다니던 애가 딴에는 용기를 냈답시고 발발 떨면서 오도카니 서 있는 모습이 우습기도 하겠다. 내가 생각해도 내 꼴이 우스웠다. 현관 앞에서 다정히 맞아 주고 싶었는데 그것도 안 되어서 속상했다. 나는 때마다 왜 이렇게 바보처럼 굴게 되는지 모르겠다.

"도망친 게 아니었나?"

꿀꺽.

사실대로 말하자면 도망치고 싶었다. 내내 기다리면서도 나는 그가 돌아오기 전에 달아나고 싶은 충동에 시달렸다. 하지만 그럴 수가 없었다. 더 늦어 버리기 전에 한 가지 확인하고 싶은 일이 있었기 때문이다.

"벌써 달아난 줄 알았는데 웬일이지?"

"……."

"차라리 달아나 버리지. 그랬다면…… 아무 미련 없이 죽여 버릴 수 있었을 텐데."

그는 나를 죽이고 싶은 것일까?

그렇다고 해도 이해할 수 있었다. 나의 말도 안 되는 억측으로 인해 그동안 그가 겪었을 고통을 생각하면 그저 내가 죽어도 싸다는 생각밖에 들지 않았다.

취기 하나 없는 담담한 시선이 내 얼굴을 샅샅이 훑었다.

방금 전까지 무섭게 휘청거리던 사람이라고는 생각할 수

없을 만큼 멀쩡한 걸음으로 그가 성큼 다가왔다. 그러곤 분노인지 쓸쓸함인지 알 수 없는 시선으로 가만히 바라보더니 곧 한쪽 손을 뻗어 훌쩍 짧아진 내 머리칼을 툭 쳤다. 마음에 안 든다는 투였다. 갑자기 억센 힘으로 내 팔뚝을 잡아챘다.

"악! 왜, 왜 이러세요?"

반항을 거부하며 그가 무섭게 방으로 끌고 들어갔다.

질질 끌려가면서 나는 비명처럼 소리쳤다. 한 번도 이런 적이 없었는데 그는 다시 이성을 잃었는지 발에 힘을 주고 버티는 나를 강제로 끌고 가 짐짝처럼 침대 위에 내동댕이쳤다. 충격으로 정신이 다 나갈 지경이었다.

"네 기분 따위 이젠 나도 알 바 아니야."

흐트러진 셔츠를 찢듯이 벗어던지면서 그가 소리쳤다.

왜 이러는지 모르겠다. 뭘 하려는 건지도 모르겠다. 불현듯 불길한 예감이 밀려와 나는 앞섶을 쥔 채 고개를 저으며 엉덩이로 뒷걸음질을 치기 시작했다. 순식간에 알몸이 된 그가 빠르게 다가오고 있었다.

"이리 와."

"악!"

"얌전히 있어."

"하, 하지 말아요. 이러지 마세요."

찌익!

그의 손짓 한 번에 블라우스가 힘없이 찢겨 나갔다. 무서웠다. 너무 무서워서 숨이 멎을 것 같았다. 발버둥치는 나를 거친 힘으로 찍어 누르며 그가 아랫도리를 더듬고 있었다. 평소의 다정한 구석이라고는 단 한 곳도 없었다. 오직 거칠고 잔인하기만 했다. 그는 더 이상 내가 아는 고 사장이 아니었다. 순식간에 허벅지까지 끌어내려진 팬티를 잡고 나는 마구 소리를 질렀다.

"제가 잘못했어요. 잘못했어요. 그러니까 제발, 이러지 말아요."

"닥쳐!"

"아, 안 돼요. 하지 마세요. 싫단 말이야!"

발버둥을 치고 두 손으로 가슴을 때려 봐도 그는 꿈쩍을 하지 않았다. 오히려 더 강한 힘으로 깔아뭉개며 한 손으로 내 두 손을 모아 잡고 머리 위로 잔뜩 치켜올렸다. 공포가 몰려왔다. 그가 좋지만, 그를 사랑하지만 그래도 이건 아니었다. 이렇게는 죽어도 싫었다.

"날 기만하지 말라고 말했어."

붉게 가라앉은, 살기가 가득한 눈으로 노려보며 그가 말했다.

한 마디 한 마디 토해 놓을 때마다 광기와도 같은 거친 분노가 뚝뚝 떨어졌다.

"날 속이고 기만하는 날에는 절대 용서하지 않을 거라고도 했어. 거부해도 소용없어. 이대로 널 가질 거야. 부서져 버리든 죽어 버리든 상관하지 않겠어."

"제발."

"늦었어. 그딴 말은 반지를 빼기 전에 했어야지. 달아나기 전에 했어야지! 너 같은 건, 너 따위는…… 차라리 이대로 죽어."

"아악!"

치마가 뒤집어지고 팬티가 찢겨 나갔다.

그의 아래에 깔린 채 나는 미친 듯이 고개를 젓고 발버둥을 쳐 봤지만 소용이 없었다. 펄떡이는 다리를 밀치고 그의 허리가 다리 사이로 들어왔다. 벌써 단단해진 그의 남성이 예민한 곳을 꾹 누르는 것이 느껴지자 눈앞이 같이 어두워지면서 절망이 밀려왔다. 절망 뒤에 포기와 체념이 이어졌다.

무섭지만, 무서워 죽을 것 같지만 다 괜찮을 것이다. 이 순간만 지나면 다시 괜찮아질 것이다. 현실에서 달아나고 싶은 마음에 나는 스스로에게 최면을 걸었다. 더 이상 소리도 내지 못하고 공포로 덜덜 떨면서 그를 올려다보았다.

분노로 새카맣게 어두워진 시선이 눈동자 가득 맺혔다.

그 시선 어디에도 흥분 따위는 없었다. 보이는 것은 냉정한 분노와 끝이 보이지 않는 깊은 절망뿐. 나를 향한 분노와 절망이 아픈 눈물이 되어 맺히고 있었다. 그것을 본 순간 갑자기 정신이 멍해졌다.

그 고통스러운 눈물 끝에 내가 있었다. 그리고 나는 깨달았다. 그가 부수려는 것은 내가 아니라 바로 그 자신임을. 스스로를 죽이고 싶을 만큼 그가 깊이 절망하고 있다는 사실을. 그만큼 아파하고 있다는 사실을 깨닫고 말았다.

싫었다. 그래서는 안 되었다. 어떤 일이 있어도 그가 부서지는 모습을 나는 보고 싶지 않았다. 그는 그래서는 안 되는 사람이었다. 다리에 다시 힘이 들어갔다. 모든 것을 포기하고 그냥 그를 받아들이려던 생각은 저만치로 치워 버렸다. 나는 죽을 각오로 몸부림을 쳐 대기 시작했다. 있는 힘을 다해 소리쳤다.

"하지 마! 싫어, 싫어어!"

"움직이지 마."

"싫어어어!"

"이런 멍청이!"

미친 듯이 몸부림치는 나를 그가 홱 떼어 냈다.

억센 힘에 밀려 나는 두 바퀴나 데굴데굴 굴러갔다. 간신히 놓여났다는 생각에 황급히 몸을 가리면서 그에게서 멀찍이 떨어졌다. 처음의 그 자리에 그는 꼼짝도 않고 엎드려 있었다. 반듯하게 엎드린 채 슬쩍 상채만 들고 나를 바라보았다.

"다, 다가오지 말아요."

"젠장! 바보 같으니. 움직이지 말라고 했잖아. 너 다칠 뻔했어. 그렇게 움직이면 더 흥분만 시킨다는 걸 몰라?"

"모, 몰라요. 난 그런 거 몰라요."

두려움과 알 수 없는 의무감에 사로잡혀 나는 빽 소리쳤다. 그러자 찢어 죽일 듯 나를 보던 그가 문득 실성한 사람처럼 웃더니 허탈한 한숨을 내쉬었다. 흡사 원망하듯 말했다.

"그래, 넌 모르지."

무슨 뜻일까.

뜬금없는 말에 이젠 내가 헷갈리기 시작했다. 흔들리는 그의 시선이 뜻 모를 말에 갈팡질팡하고 있는 나를 다시 눈에 담았다. 눈빛이 더 깊게 가라앉았다.

"넌 아무것도 몰라, 아무것도. 언제나 그랬지. 너를 어떻게 하면 좋을까."

내가 묻고 싶은 말이었다.

나를 어떻게 하고 싶은 가요, 고 사장. 이제 어떻게 할 생각이었죠? 이대로 떠나보낼 건가요? 버릴 거예요? 아니면 정말로 죽일 건가요? 말을 해 주세요.

"원하는 대로 떠나보낼까. 원망 따위 모른 척하고 그냥 곁에 둘까. 아니 아니! 차라리 죽여 버릴까. 그러면 편해질까?"

고통으로 얼룩진 시선 앞에서 눈가가 화끈하게 달아올랐다.

슬픔이 뚝뚝 떨어지는 비통한 목소리에 가슴이 온통 쓰라렸다. 비겁하게 울지 않기 위해 나는 입술을 깨물었다. 그런 나를 유심히 살피면서 그가 마치 꿈을 꾸듯이 말했다.

"아직 아기인 줄 알았어. 사슴 같은 눈동자도 분홍빛 입술도 솜털이 보송한 목덜미도 너무 여리기만 해서 아직 한참은 더 자라야 하는 아기인 줄 알았어. 너, 그날 많이 예뻤어. 하지만 그뿐이었지."

"……."

"그런데 이 겁 많은 여자가 나한테 감히 잔소리를 하는 거야. 반찬을 밀어 주고 먹으라 마라 간섭하고 밥 먹는 내내 온갖 이야기를 해 댔지."

끄덕끄덕.

나는 말없이 고개를 끄덕였다. 나도 안다. 내가 정말 그랬었다. 뭘 모르면 무서운 것도 모른다더니 내가 고 사장 앞에서 갈비를 굽고 밥을 볶고 밥풀이 튀도록 내내 수다를 떨었다. 그런데도 그는 아무런 불만 없이 내가 권하는 음식을 먹고 내 이야기를 끝까지 들어 주었었다.

"처음이었어."

"뭐, 뭐가요?"

"할머님께 인사하러 온 날 은수가 밥 먹다가 운 것 기억해? 그 녀석, 제 밥 위에 생선 좀 올려 줬다고 엉엉 울었었지. ……처음이었어. 누군가가 밥 위에 반찬을 올려 주고 다정히 챙겨 주고 이야기를 들려 준 것은. 그만큼 가까이 다가와 내게 먼저 손을 내민 사람은 네가 처음이야."

마음이 아팠다.

나는 그런 줄 몰랐었다. 항상 가족들을 챙겨 버릇했기 때문에 나는 아무 생각 없이 습관대로 행동한 것뿐이었다. 그 행동 하나가 그에게 남다른 의미가 될 줄은 정말 몰랐다.

"그때 깨달았어. 사실은 내가 외로웠구나. 뼛속까지 시리다는 게 바로 이런 것이었구나."

많이 외로웠나요, 당신? 나 같은 여자를 눈에 담을 만큼 외로웠던 건가요?

그의 고통이 그대로 느껴지는 것만 같아 나는 가슴을 쥐어뜯었다. 눈물이 볼을 타고 흘러내렸다. 울지 않기 위해 참은 보람도 없이 눈물은 금방 흘러넘쳐 뺨을 적시고 있었다.

"그러다 생각했지. 이 여자라면, 이 여자라면 나를 혼자 두지 않을 것이다. 외롭게 만들지 않을 것이다. 어쩌면 끝까지 곁에 있어 줄지도 모른다."

"흐윽!"

"그런데…… 이상하지? 곁에 데려다 놓았는데 나는 점점 더 외로워지고 있었어. 전엔 몰랐던 고독이 뼛속까지 엄습해 왔어. 날이면 날마다 더 고통스러워지기만 했어. 그런데도 이상하게 손을 놓을 수가 없었지. 그럴 수가 없어서 괴로울 정도로."

멍청한 나 때문이다.

스스로의 감정도 모르고 그의 마음도 몰라서 먼 곳을 헤맨 나 때문에 그가 고통스러워하고 있었다. 흐느껴 울면서 나는 엉금엉금 기어가 아무렇게나 내던져져 있는 그의 손을 붙잡았다.

"쥐면 죽을 것 같고 놓으면 날아갈 것 같았어. 손에 쥐고도 어쩔 줄 몰라서 내내 안절부절 못했었지. 그러다 마치 기적처럼 네가 내게로 온 거야. 내게로 왔다고 생각했어. 적어도 네가 날 버리기 전까지는 그런 거라고 믿고 있었지."

아니, 아니에요. 그런 게 아니에요.

그의 손을 잡고 나는 고개를 저으면서 엉엉 울었다. 버린 것이 아니었다. 절대로 그런 게 아니었다.

"그동안 날 가지고 노는 게 재미있었나?"

내게 잡힌 손을 뿌리치고 그가 소리쳤다.

"네 손짓 하나에 오락가락하는 내 모습이 보기 좋던가?"

"으흐흑."

"미쳐 버릴 것 같아. 널 어떻게 하면 좋을까? 바라는 대로 그냥 보내 줄까? 보내고 내가 죽어도 그렇게 할까? 아니면 다리를 분질러서라도 곁에 두어야 할까? 그렇게 같이 말라죽을까?"

"제발……."

"차라리 널 죽여 버릴 수 있었으면 좋을 텐데. 정말 그랬으면 좋겠어."

반듯하게 등을 대고 돌아누워 그는 절망적으로 중얼거렸다.

원망도 분노도 아닌 그냥 절망이었다. 그 모습이 가슴 시리게 안타까워 나는 한걸음에 달려가 그의 품에 얼굴을 박았다. 그러나 내가 닿기가 무섭게 그는 이미 잠든 듯 힘없이 고개를 떨어뜨릴 뿐이었다.

"아니에요. 그런 게 아니에요."

취해 잠든 그를 붙잡고 나는 필사적으로 말했다.

"가지고 논 것 아니에요."

맹세하건대, 단 한 번도 그런 생각은 해 본 적이 없었다.

천하의 고 사장을 누가 감히 가지고 놀 수 있단 말인가. 나는 그저 그가 무서웠을 뿐이다. 처음엔 무서웠는데 어느새 그 무서움조차 사랑하게 되었다. 너무 사랑해서 무서워진 거였다.

"버린 것 아니에요."

버림받을까 봐 두려웠던 건 오히려 나였다.

쫓겨날까 봐, 그의 곁에 더 머물지 못하게 될까 봐 나는 그렇게도 그가 무서웠던 거였다.

사람들이 하는 말이 진실인 줄 알았다. 그가 할머님 때문에 억지로 결혼을 했다고 생각했다. 할머님께 보여 줄 생각으로 내게 돈을 주고 거래를 제안했다고 멋대로 믿어 버렸다.

그래도 잘하고 싶었다. 내게 맞지 않는 곳에 떨어지고 나를 싫어하는 사람들에게 둘러싸였지만 그래도 잘하고 싶었다. 잘해서 그에게 인정받고 싶은 마음뿐이었다. 그것이 큰 욕심이라고 생각하면서 지내온 나였다.

"나를 가두어도 좋아요. 죽여도 좋아요. 하지만 나를 떠나보내지는 말아 주세요."

엉엉 울면서 나는 이미 잠든 그에게 애원했다.

내가 떠나면 많이 외로워질 이 사람이 가엾어서라도 나는 갈 수가 없었다. 그가 허락한다면 계속 곁에 있고 싶었다. 그가 허락한다면. 그의 곁에 웅크리고 누워 품에 얼굴을 박았다. 꼭 확인하고 싶은 것이 있었다.

"내가 옆에 있었으면 좋겠어요? 그걸 원해요?"

나는 바보라서 마지막까지 그에게 확인받고 싶었다.

때려죽이고 싶을 만큼 미워도, 그래도 아주 털끝만큼이라도 나를 원한다면 내가 곁에 머무는 걸 허락해 주었으면 좋겠다.

"그렇게 말해 주었으면 좋겠어요. 당신이 나를 잡아 주었으면 좋겠어요."

이제는 나도 안다, 내가 그동안 얼마나 바보 같은 생각을 하고 있었는지를.

고 사장 같은 남자가 선을 보러 나올 리가 없다고 생각했었다. 그처럼 대단한 남자가 뭐 하나 내세울 것 없는, 나 같은 시골 여자를 진심으로 원할 리 없다고 믿었다. 사랑받고 싶어 하면서도 나는 내내 그가 나를 사랑할 리가 없다고 믿고 있었다. 내 깊은 자격지심 때문에 기적처럼 내게 다가온 사랑을 끝까지 눈치채지 못했던 것이다.

"사랑해요. 이제는 나도 알아요."

그를 사랑하는 나를 이제는 나도 알고 있다.

그가 내게 얼마나 소중한 존재인지도 알았다. 그를 다시 볼 수 없다는 생각만으로도 살점이 떨어져나가는 듯한 고통이 찾아왔다. 그의 곁에서 나는 가만히 눈을 감았다. 그리고 생각했다. 그의 곁에 있을 수만 있다면 이제 나는 어떻게 되어도 좋을 것 같다고.

나는 그를 지켜 주고 싶었다.

더 이상은 외롭지 않게. 많이 잘못했지만, 실수도 했지만 그가 내게 그럴 기회를 주었으면 좋겠다. 그렇게만 해 준다면 나는 이번에야말로 절대로 그를 혼자 두지 않을 것이다.

아침부터 볕이 좋았다.

"내가 어쩌다 여기까지 왔지?"

길게 이어지는 줄을 보면서 나는 한숨을 내쉬었다.

이른 아침인데도 불구하고 마트 안은 붐비고 있었다. 24시간 영업하는 곳답게 아래위층 할 것 없이 사람들이 꽉꽉 들어찬 것 같았다. 1층에서 한참을 헤매다 나는 지하식품 매장으로 향했다. 꿀을 사러 나온 길이었다.

새벽부터 온 집안을 돌아다니며 구석구석 청소를 하고 모처럼 해장국까지 끓여 두었는데 막상 꿀물을 만들려고 보니 꿀이 없었다. 그리고 뒤늦게야 깨달았다. 내가 이제까지 고 사장을 위해 꿀물을 만들어 본 적이 없다는 사실을 말이다.

술을 자주 마시는 일도 없고 어제처럼 잔뜩 취하는 일도 없는 그였기에 딱히 그럴 만한 기회가 없었던 것이다. 더구나 고 사장은 단 것을 별로 좋아하지도 않아서 어쩌다 한 잔씩 마시는 날에도 꿀물 대신 그냥 얼음물을 선택하고는 했다. 하지만 그것도 다 적당히 마셨을 때나 통하는 방법이었다.

"사람이 술을 마신 게 아니라 술이 사람을 마신 거지."

정말 죽도록 마셔 대긴 했는지 그는 일어날 시간이 훨씬

지났음에도 불구하고 아직도 정신을 차리지 못하고 있었다. 설령 일어난다고 해도 보나마나 상태가 젬병일 게 분명했다. 의사를 불러야 하는지에 대해 심각하게 고민을 했을 정도였다. 그래서 내가 열 일을 제쳐 두고 꿀부터 사러 나온 거다. 이왕이면 좋은 꿀을 사기 위해 부러 집에서 꽤 먼 대형 마트까지 왔다.

"종류가 많기는 한데 이거 진짜 100% 꿀 맞나?"

꿀이 놓여 있는 진열대를 빙빙 돌면서 나는 진지하게 고민을 했다.

다들 겉은 그럴 듯하게 생겼지만 하도 험한 세상이다 보니 내용물에 대해서는 그리 신뢰가 가지 않았다. 수입산도 많고 무엇보다 종류가 하도 다양해서 뭘 집어야 잘 집었다고 소문이 날지 알 수 없었다.

"음, 이걸로 하자."

한참을 고민하다 나는 '진짜 100% 자연산 꿀' 이라고 써 있는 아카시아 꿀을 집어 들었다. 진짜 100%인지 아니면 98%라거나 80%인지는 알 수 없었지만 적어도 아카시아 꿀인 것만은 틀림없기를 바라면서.

"아니, 이게 누구야?"

꿀만 달랑 집어 들고 계산을 하기 위해 적당한 줄을 찾으려는 때였다.

반찬 코너에서 주위를 두리번거리며 호객을 하던 아주머니가 마침 지나가는 나를 발견하고 갑자기 눈을 빛내더니 누가 말릴 새도 없이 반색을 하면서 다가왔다.

"새댁 아니야?"

"어? 아주머니는?"

이제 보니 우리 집에서 일했었던 도우미 아주머니였다. 나랑 대판 싸웠다가 우리 서방님한테 왕창 혼나고 쫓겨난 그 강씨 아주머니 말이다.

"잘 지내지?"

"네? 네에, 뭐 그럭저럭이요."

"그래? 다행이네. 근데 아침부터 여긴 어쩐 일이야?"

대답 대신 나는 두 손에 고이 들고 있는 꿀단지를 슬쩍 보여 주었다.

"아아, 꿀 사러 온 거야?"

"네."

마지막 기억이 워낙 안 좋은 탓인가?

생글생글 웃으면서 오늘따라 유난히 친절하게 구는 그녀가 나는 너무 어색하게 느껴졌다. 함께 일하는 동안에도 전혀 본 적 없는 모습인데다 역시 과하기도 해서 공연히 불편하고 한편으로는 의심스러운 마음이 들기도 했다. 그녀가 원래 아무 이유 없이 친절하게 구는 사람이 아닌데 말이다.

그간 보인 모습이며 내게 한 행동으로 보아 그녀는 강한 사람에겐 약하고 약한 사람에겐 강한, 지극히 전형적인 소인배 타입이었다. 그래서 유독 내게 강짜를 부리면서 지냈었다.

나는 돈 보고 고 사장이랑 결혼을 했지만 고 사장은 할머님을 위해 희생을 한 거라는 말도 했고 자기가 더 오래 일했으니 정도 더 들었다거나 집안을 위해 알아서 나가야 한다는 말도 했었다. 그 말이 얼마나 서러웠는지 다시 생각해도 치가 떨렸다. 그러니 이제 와 얼굴 마주 보고 웃고 싶은 기분이 들겠나?

솔직히 말하면 그때의 억울했던 마음이 울컥 올라오는 것 같아서 한 대 쳐 주고 싶은 심정이었다. 서방님이 호되게 나무랐다고는 하지만 내가 못 보았는데 그게 다 무슨 소용인가. 아무튼 적어도 웃을 기분은 아니었다. 그녀도 똑같은 기분일 줄 알았는데 아니었던가?

"사장님도 잘 지내시지?"

"그럼요. 그런데 여긴 어쩐 일이세요?"

"응? 으응, 그게…… 후우, 아르바이트."

부끄러움이 가득 배인 풀죽은 목소리가 조그맣게 흘러나왔다.

하얀 유니폼이랑 앞치마가 그제야 눈에 들어왔다. 반찬 코너에서 일을 하고 있는 모양이었다.

"오전에민 잠깐씩 일하고 있어. 그 동네도 경쟁이 심해서 새로 일자리 구하기도 쉽지 않고 그래서."

"네에."

나는 무심히 고개를 끄덕였다.

대놓고 말은 하지 않았지만 '너 때문에 그 집에서 내쫓기는 바람에 내가 이런 고생을 하고 있다.' 라는 뜻이 역력했다. 그래도 이상하게 안쓰럽다거나 사과하고 싶은 마음이 전혀 들지 않았다. 사정은 딱하고 안타깝지만 그렇다고 그녀 대신 내가 고 사장을 버리고 그 집을 나올 수는 없는 일이 아닌가.

전이었다면 정말 그런 시도를 했을지도 모르겠지만 지금은 절대로 아니었다. 나는 고 사장 곁에서 떠날 수도 없거니와 더 이상 그녀 앞에서 약자가 되고 싶지도 않았다. 그럴 이유가 없었다. 아무리 오래 일했어도 그녀가 고 사장의 마누라가 아닌 이상 내게 이래라 저래라 할 권리가 없는 거다.

뿐만 아니라, 그녀는 우리 집 일을 시시콜콜 밖으로 퍼 나르기까지 해서 서방님은 물론이고 고 사장까지 단단히 기분이 상했었다. 그런 사실을 주변에서도 다 알고 있기 때문에 다른 집에서 일을 하기도 어려울 거라고 했을 정도였다. 서방님이 굳이 손을 쓰지 않아도 자연스럽게 그렇게 될 수밖에 없었던 일이라는 거다.

"전 이만 가 봐야겠어요. 그럼 수고하세요."

"저, 저기!"

"네? 왜요? 뭐, 더하실 말씀이라도 있으세요?"

금방 돌아갈 생각으로 나왔단 말입니다.

고 사장이 깨기 전에 얼른 가지 않으면 또 난리가 날지도 모른다. 아무래도 생각보다 시간이 더 걸린 것 같아 계산대 쪽을 흘깃 보며 이만 돌아서려는데 그녀가 다급한 태도로 나를 붙잡았다.

"저, 저기이."

"무슨 일이신데요?"

"그게에……."

"죄송한데 저 빨리 가 봐야 해요. 우리 그이가 일어나면 찾을지도 몰라서요."

아아, 고 사장이 언제부터 '우리 그이'였다고 이렇게 자연스럽게 나오나.

'그이'라는 말이 주는 친밀감과 스스로의 언어 선택에 감동하며 살짝 재촉하자 그녀는 조금 울상을 지었다. 그러더니 조금 더 망설이다가 마지못한 듯 어물어물 말했다.

"사실은, 그동안 많이 미안했어, 새댁."

"……!"

"공연한 참견인지도 모르고 이러쿵저러쿵 떠들고 다녀서 정말 미안해. 처음부터 그럴 생각은 아니었는데 새댁이 너무 답답하게 구니까, 아니 순진하게 구니까 우리까지 무시당하는 것 같고 그래서 화가 좀 났었던 것 같아."

"그, 그러셨어요?"

"으응, 한동안 소문이 요란하긴 했잖아."

우울하지만 그건 맞는 말이었다.

고 사장이 결혼한다는 소리를 입 밖으로 꺼내놓은 그 순간부터 이 동네엔 나에 대한 온갖 추측과 소문이 짜하게 퍼졌더랬다. 맹세코, 나는 떠벌리고 다닌 기억이 없는데 다들 나에 대해 어떻게 그렇게 잘 알아낸 건지 여기저기에서 나도 모르는 내 이야기가 마치 전염병처럼 떠돌아다녔다.

쥐뿔 없는 시골 과수원집 맏딸에 고등학교밖에 못 나온 무식한 여자라는 사실부터 임신했다고 속여서 결혼에 성공한 거라는 근거 없는 루머까지 생산되어 돌아다니는 바람에 나는 가는 곳마다 '운 좋은 신데렐라', '고 사장을 등쳐먹고 있는 꽃뱀', '어리바리한 촌것' 이라고 불려야 했다.

그렇게 된 데에는—물론, 내 어중간한 태도가 가장 큰 빌미를 주었겠지만—나를 자신들의 일원 중 하나로 받아들이고 싶지 않다는 그들만의 오만과 질투에 그 원인이 있었다. 당할 땐 몰랐는데 이제 와 생각해 보니 그랬다. 그 사실을 깨닫자 고 사장이 이제껏 나를 지켜 주기 위해 얼마나 애썼는지도 알 것 같았다.

그냥 받아 줄 리 없는 그 대단한 파티에 초대를 받고 각종 모임의 회원이 되어 때마다 참석할 수 있었던 것도 그렇고, 기죽지 않게 예약하고 석 달이나 기다려야 한다는 식당의 자리를 빼 준 것 하며, 패싸움을 벌였는데도 가능한 한 나쁜 소문이 돌지 않게 뒤처리도 해 주었다.

생각할수록 멋진 남자가 아닌가.

정성도 그런 정성이 없었다. 그 사실에 새삼 감동해 나는 마치 고사장을 끌어안듯 꿀단지를 가슴에 꼭 끌어안았다. 심장이 콩닥콩닥 뛰고 있었다. 빨리 집에 가서 그 사람을 보고 싶었다. 나는 생글생글 웃으면서 말했다.

"소문 같은 건, 저도 다 아는 이야기라 이젠 그러려니 하고 있지만 그런 일이 있으셨다니 저도 죄송하네요."

"아니, 사과받자고 한 소리가 아니야. 오해하지 마. 그때는 뭐에 씌어서 그랬는지 당연히 그래야 하는 줄 알았어. 사장님이랑 집안을 위해서라도 우리가 나서야 한다고 생각한 거야. 실장님 말씀처럼 주제넘은 참견이었지만."

"……."

"우리, 실장님께 크게 혼난 건 알지?"

"네, 들었어요. 심한 소리 들으셨다고. 그건 제가 정말 죄송해요. 서방님이 원래 화가 나면 말버릇이 더 고약해지시잖아요. 그래도 뒤끝은 없으니까 너그럽게 이해해 주세요."

"아이고! 뒤끝이 없긴 왜 없어? 있어! 있어도 많이 있어!"

"네, 네? 이, 있어요?"

"그렇다니까!"

데면데면 이야기하던 그녀가 갑자기 내 팔을 붙잡고 매달렸다. 그러더니 마치 하소연 하듯이 말했다.

"말도 마. 그날만 해도 사람을 패 죽일 듯이 길길이 날뛰더니 그다음 날엔 직접 전화까지 해서 새댁이 나 때문에 쓰러졌다고 다시는 주변에 얼씬도 말라면서 경고까지 했어. 한 번 더 눈에 띄는 날엔 우리 바깥양반도 무사하지 못할 줄 알라면서."

"바깥분이요?"

"으응. 사실, 우리 집 양반이 그 회사 계열사에 물건 대는 하청업체에서 일하고 있거든."

황당해서 말이 안 나왔다.

아니, 뭐 그런 용감한 서방님이 다 있나. 아주머니가 실수를 한 만큼 집에서 내보내는 거야 어쩔 수 없다지만 요즘 시대에 감히 그런 말도 안 되는 협박까지 했다니. 미친 거 아닌가? 다른 일자리를 구해 주어도 시원치 않을 판에 자체적으로 접근 금지까지 시켰다는 말에 나는 기가 막혀 거의 죽을 것 같았다. 이 서방님을 대체 어쩌면 좋은가. 혹시, 그 일 고사장도 알고 있을까?

"죄송하지만, 저는 그런 줄은 몰랐어요. 그냥 그만두셨다고만 들었기 때문에."

언제 당당하게 대했었냐는 듯 나는 슬그머니 꼬리를 내렸다.

서방님 때문에 쪽팔려서 죽을 것 같았다. 그렇지만 이 자리에서 그녀와 함께 서방님의 욕을 할 생각은 추호도 없었다. 내가 지켜 주어야 할 사람은 서방님이지 그녀가 아니었기 때문이다. 팔이 안으로 굽지, 밖으로 굽는 것 봤나?

"그런데 저희 서방님 그렇게 모진 분 아니세요. 말씀은 그렇게 하셨지만 심하게는 하시지 않겠죠."

"글쎄, 그건 새댁이 몰라서 하는 소리라니까. 그 양반이 원래 한다면 하는 양반이라고. 두바이까지 쫓아가서 은수 아가씨 울린 놈을 사막에다가 묻어 놓고 왔다는 얘기 못 들었어? 그 사람, 죽다가 살아와서 회사도 사흘 만에 그만두고 지금은 시골에서 엄마랑 식당 한다는 소문은 나도 다 들었어."

새, 생각해 보니 그런 일도 있었다.

서방님이 고 사장에게 엉덩이가 터져 나가도록 맞을 때 지나가는 말로 그런 일이 있었다는 소리는 들었지만 그 뒤에 어찌 되었는지까지는 알지 못했는데 결국은 그렇게 되었단다. 아가씨도 그 일 알고 있을까?

"새댁, 우리 애들 이제 고등학생이야. 나 하나로 모자라서 우리 남편까지 잘리면 우리 다 죽어야 돼. 제발, 죽어 가는 사람 살린다 생각하고 새댁이 내 사정 좀 봐줘. 응?"

"네, 네!"

"지금도 사정이 그리 좋은 건 아니지만 그건 내가 잘못한 일이니까 감수할 수 있어. 그렇지만 우리 남편은……."

말을 채 잇지도 못하고 그녀가 울먹이기 시작했다.

그에 더 놀란 나는 조금 안절부절 못하면서 냉큼 덧붙였다.

"제, 제가 서방님께 잘 말씀드려 볼게요. 아직 화가 많이 나 있지만 그래도 잘 설득하면 들어줄지도 몰라요."

"정말이지? 정말 잘 말해 줄 거지?"

"네, 그럴게요."

"그래, 난 새댁만 믿어. 다른 사람은 몰라도 실장님이 새댁한테는 끔찍하시잖아. 사장님도 그렇고 아가씨도 그렇고, 그날 새댁한테 매달려서 얼마나 지극정성이었는지 몰라. 그러니까 제발 잘 부탁해, 새댁. 아니, 사모님. 응?"

이건 숫제 애원이었다.

대체 뭘 어떻게 했기에 사람이 이 지경이 된 건가. 혹시 서방님 손에 한 대 맞은 건 아닌가 싶어 유심히 보았지만 다행히 그런 건 아닌 듯했다. 그에 안도의 한숨을 내쉬면서 그녀를 떼어 내고 나는 도망치듯 마트를 벗어났다.

"어라? 아줌마가 이 시간에 왜 거기서 나와요?"

나 정말 올해 삼재가 든 거 아닌가?

마트를 벗어나기가 무섭게 이번엔 애심 씨와 딱 마주쳤다. 화장기 없는 얼굴에 마트에서 주는 커다란 비닐봉지를 든 그녀가 조금 졸린 눈을 하고 서서 나를 보고 있었다. 그 모습을 보는 순간 나는 잠시 잊고 있던 사실 하나를 기억해 내고 말았다.

애심 마트.

내가 막 박차고 나온 대형마트의 이름이었다. 애심 씨는 그 애심 마트를 운영하는 사장님의 외동딸이었다. 하필이면 그 사실을 까맣게 잊고 여기까지 왔다니. 내가 고 사장 때문에 정신이 나가긴 나갔었던 모양이다.

"필요한 게 있어서요."

애써 웃으면서 나는 또 꿀단지를 들어 보였다.

"웬 꿀이에요?"

"고 사장, 아니 그이가 술을 좀 해서요."

"꿀물 만들려고요? 은후 오빠는 단거 싫어하는데 모르고 있었어요?"

"알아요. 근데 이번엔 싫어도 마셔야 해요."

그녀와 어깨를 나란히 하고 걸으면서 나는 조금 고집스럽게 말했다. 그러자 그녀의 얼굴에 어처구니없다는 표정이 떠오르더니 곧 쌀쌀맞은 한마디가 쏟아졌다.

"어째 강제로 먹이기라도 하겠다는 소리처럼 들리네요?"

"네."

"기가 막혀서. 은후 오빠는 하기 싫은 건 때려죽여도 안 하는 사람이에요. 바보도 아니고. 그러면 오빠가 '알겠습니다.' 하고 마실 것 같아요?"

"글쎄요, 마시지 말라고 해도 죽기 싫으면 자기가 알아서 마시겠죠 뭐."

"네에?"

그녀의 눈동자가 동그래졌다. 그 모습이 조금 귀여워서 나는 피식 웃었다. 그리고 말했다.

"사람이 술을 마신 게 아니에요. 술이 사람을 마셨다고요. 완전히 절어서 술독에 빠졌다 나온 사람 같아요."

"그, 그럴 리가. 은후 오빠는 원래 그렇게 무식하게 술을 마시는 사람이 아니에요."

"안 믿어지면 같이 가서 보시던가요. 지금 우리 아가씨한테 가는 길이죠?"

걷는 방향이 같은 걸 보고 나는 딱 감을 잡았다.

그녀가 이 시간에 깨어 있는 건 비행 때문에 아직 시차 적응을 못한 탓이고 나랑 같은 방향으로 가는 건 우리 옆집에 사는 아가씨한테 놀러가기 위함이라는 사실을 말이다. 그리고 손에 들고 있는 비닐봉지 안에 든 건 그녀가 오늘 하루 동안 일용할 양식들일 것이다.

마트 집 딸답게 그녀는 어딜 가든 자신이 먹을 음식 재료나 간식 따위를 바리바리 다 싸가지고 다녔다. 그래서 우리 집에 놀러올 때도 항상 과일이나 고기 따위를 싸 가지고 오는 게 일이었다. 물론 죄다 고 사장이 좋아하는 것들로만 골라서.

“아가씨 불러 우리 집에서 같이 아침밥 먹을래요?”

“……됐어요. 화장도 안 했는데.”

“화장 안 한 얼굴도 예쁘니까 괜찮아요.”

“그래도 싫어요. 무릎 나온 추리닝 입었다고요.”

혹시라도 고 사장 눈에 밉보일까 봐 그녀는 어지간히도 신경을 썼다. 짝사랑도 10년이면 지칠 법한데 그런 것 따위는 모른다는 듯 여전히 열성이었다. 내가 다 애틋한 마음이 들 정도였다. 하지만 거기까지였다. 전처럼 더 이상 양보하고 싶은 생각은 들지 않았다. 양보하고 싶지 않다.

나는 오늘부터 내 감정에 솔직해지기로 결심한 상태였다.

그녀에게 고 사장을 주기 싫다. 그녀뿐만 아니라 다른 누구에게도 마찬가지였다.

“있잖아요. 나, 애심 씨한테 지지 않을래요.”

“에? 무슨 소리예요, 그게?”

“그냥 그런 게 있어요.”

"……?"

멍한 표정을 짓는 그녀를 두고 나는 걸음을 조금 더 빨리 했다.

언제 만났는지, 얼마나 오래 사랑했는지. 그런 건 사실 별로 중요한 문제가 아니었다. 사랑은 그런 것으로 시작되는 것이 아니니까. 남들 눈에 어울려 보이는지 아닌지도 중요한 것은 아니다. 서로가 서로에게 소중하기만 하면 그만이니까.

지금이라면 나도 자신할 수 있었다.

애심 씨보다 늦게 만났지만, 시작한 지 얼마 되지도 않았지만 지금 그 사람을 사랑하는 마음만큼은 세상 어느 누구에게도 지지 않을 자신이 있었다. 그래서 나는 이제 그녀 앞에서도 당당할 수 있는 것이다.

"마음 바뀌면 언제라도 오세요."

멍하니 서 있는 그녀를 향해 나는 환하게 웃으면서 소리쳤다.

"아, 우리 아가씨도 잊지 말고 같이 데려오세요."

"안 간다니까요!"

빽 소리치는 말이 들렸지만 그래도 나는 손을 팔랑팔랑 저어 주면서 웃었다. 그러곤 신나게 집으로 돌아왔다.

쾅!

현관문으로 들어서기가 무섭게 나는 돌이 되어 굳었다.

언제 깬 건지 머리가 잔뜩 헝클어진 고 사장이 파자마 바람으로 집 안을 뛰어다니고 있었다. 하얗다 못해 창백하게 질린 얼굴을 하고 성급한 걸음으로 주방 옆의 작은 방을 열어 보고 화장실 문을 두드리고 신발도 신지 않은 채 텃밭으로 달려 나갔다가 다시 미친 듯이 거실로 달려 들어왔다.

차마 부르지도 못하고 나는 돌처럼 서서 눈으로만 그의 모습을 좇았다. 갑작스러운 공황에 빠진 사람처럼 한참을 헤매던 고 사장이 마침내 현관 앞에 우두커니 서 있는 나를 발견하고 멈추어 섰다. 거친 숨을 몰아쉬면서 그는 한동안 나를 가만히 바라보고 있었다.

눈을 깜빡이고 가끔 머리를 저어 대는 모습이 마치 환영이라도 보고 있는 사람처럼 보였다. 모습으로만 보면 아직 술이 덜 깬 것도 같다. 그런 상태로 저 사람이 나를 찾아 헤맸다.

"뭐 찾으시는 거 있으세요?"

목이 메어 와 나는 조그맣게 물었다.

"……아니."

"네에."

애써 담담한 척 대답해 주고 꿀단지를 안은 채 평소처럼 주방으로 들어섰다. 어미를 쫓는 병아리처럼 고 사장이 졸졸 따라왔다. 알면서도 못 본 척 냉수를 꺼내 꿀물을 만들었다. 꿀물을 만드는 동안 그는 내 뒤에 서서 말없이 내가 하는 양을 바라보기만 했다.

"드세요."

다 만들어진 꿀물을 내밀자 그는 흠칫 놀라며 내 시선을 피하더니 황급히 꿀물을 받아 들이켰다.

"크읍!"

"달죠?"

"……음."

"해장국 끓였어요. 얼른 가서 씻고 오세요."

머리털이 곤두설 정도로 달디단 꿀물을 마시고도 그는 멍하니 서서 내가 하는 양만 바라보고 있었다. 진저리를 칠 줄 알았는데 이제 보니 자기가 마신 게 무엇인지 제대로 느끼지도 못하고 있는 것 같았다. 그런 그를 그냥 두고 나는 부지런히 움직여 침실을 정리하고 상을 차리고 텃밭에도 다녀왔다. 그때까지도 그는 마치 홀린 사람처럼 내 뒤꽁무니만 졸졸 따라다녔다.

"뭐 필요한 거 있으세요?"

"아니."

"그럼 얼른 씻으세요. 출근하셔야 하잖아요."

"음."

대답을 하면서도 그는 여전히 내 발끝만 보고 있었다.

부엌에서 나갈 생각도 않고 또다시 내 뒤만 졸졸 따라다닐 기세였다. 푹 한숨이 새어 나왔다. 각오를 하고 있었지만 설마하니 이런 모습을 보일 줄은 몰랐다. 지난밤처럼 화를 낸다고 해도 견뎌 낼 자신이 있었다. 소리치고 때린다고 해도 다 받아 줄 각오도 했다. 심지어는 그의 다리에 매달려 빌어 볼 생각도 했었다. 그런데 오늘 아침의 그는 내 예상과 아주 달랐다.

온통 불안한 눈을 하고 그는 반쯤 넋을 빼놓은 채 내 뒤만 졸졸 따라다녔다. 그냥 내버려두면 하루 종일이라도 그렇게 할 것처럼 굴었다. 나한테 데여서 저러는 것이려니 생각하자 속이 상하고 미안해서 돌아 버릴 것 같았다. 그래서 무슨 말을, 어떻게 시작해야 하는지조차 감을 잡을 수가 없었다.

와락!

켜켜이 쌓이는 한숨을 푹 내쉬면서 돌아섰을 때였다.

우두커니 서서 눈으로만 나를 좇던 그가 튕겨진 듯 돌연 한걸음에 달려오더니 등 뒤에서부터 나를 왈칵 끌어안았다. 두 팔로 단단히 끌어안고 허겁지겁 머리에 얼굴을 묻었다. 등을 타고 희미한 떨림이 전해져 오고 있었다. 그의 불안함을 직접 확인한 것만 같아 울컥 눈물이 날 것 같았다. 그래도 내색하지 않고 나는 가만히 서서 기다렸다.

"잘못……했어."

한참 만에 그가 입을 열었다.

그 소리에 울음이 터질 것 같아 나는 입술을 질끈 깨물었다. 바보 같은 사람이었다. 뭘 잘못했다고 그런 말을 한단 말인가. 눈치보고 두려워하는 모습도 어울리지도 않는다. 고사장은 곧 죽어도 그냥 도도한 게 더 어울리는 사람이란 말이다.

"다시는 안 그래."

"……."

"그러니까…… 떠나지 마. 나, 버리지 마."

"흐윽!"

꾹 눌러 참고 있던 눈물이 기어이 터져 버리고 말았다.

잘못을 빌어야 하는 사람은 그가 아니라 바로 나였다. 바보 같은 고 사장. 잘못한 건 난데 왜 자기가 사과를 한단 말인가. 눈물이 뺨을 타고 흘러내렸다. 흐느껴 울면서 나는 천천히 돌아섰다. 불안하게 떨리는 그의 시선이 바쁘게 내 얼굴 위를 방황하고 있었다. 그 모습에 나는 거의 통곡하고 싶은 기분마저 느꼈다.

윤미숙은 나쁜 여자다.

이 대단한 남자에게 나는 대체 무슨 짓을 한 것인가. 내가 준 상처 때문에 천하의 고 사장이 불안에 떨고 있었다. 그 사실이 나를 아프게 한다. 가슴이 온통 미어져 숨이 멎을 것만 같았다. 엉엉 울면서 나는 손을 들어 그의 얼굴을 가만히 쓰다듬었다.

다급한 기색마저 느껴지는 그의 커다란 손이 그런 내 손을 꼭 감싸 쥐었다. 조금은 불안하게, 보채듯 열렬하게 다가오는 시선을 받으며 나는 고백했다.

"사랑해요."

"……!"

"사랑해요."

"거짓말."

그의 눈동자가 흠칫 커지더니 이내 불안하게 흔들렸다. 그에 나는 다시 또박또박 말했다.

"사랑해요. 계속 그 말을 하고 싶었어요. 당신이 나를 사랑하지 않는 줄 알았어요. 사람들의 말처럼 할머님 때문에 억지로 결혼했다고 생각했어요."

"그럴 리가 없잖아."

"내겐 너무 과분한 사람이었어요. 아무리 노력해도 닿을 수 없다는 생각 때문에 많이 괴로웠어요. 사랑하는데 당신에게 아무것도 해 줄 수 없어서 슬펐어요."

켜켜이 쌓여 있던 속마음이 파도처럼 한꺼번에 밀려나왔다.

눈물이 뚝뚝 떨어져 옷자락을 적셨다.

"다른 여자가 있는 거라고도 생각했어요. 아무리 생각해도 여기는 내 자리가 아닌 것 같았어요. 당신을 원망하기도 했어요. 나는 힘들어 죽겠는데 몰라주는 것 같았어요."

"날 원망해도 돼."

"아니에요, 그런 게 아니에요. 사랑해요. 그 말을 꼭 해 주고 싶었어요. 돈을 다 갚으면 그 말을 할 수 있을 줄 알았어요. 그래서 나는…… 흡!"

미처 말을 맺기도 전에 달콤한 입술이 먼저 덮쳐 왔다.

꿀물처럼 달디단 입술이 다가와 내 입술을 함빡 삼키고 깊은 곳까지 스며들어 한껏 음미하고 있었다. 두 손으로 내 얼굴을 소중하게 보듬어 안고 그는 깊은 곳까지 찾아와 나를 한껏 마셨다.

아무 말 없이 그의 목에 팔을 감고 매달렸다.

뺨을 적시며 흘러내린 눈물을 그가 받아 마시는 것이 느껴졌다. 눈가에 입을 맞추고 부드럽게 쓰다듬어 주었다. 위안이고 위로였다. 그동안 스스로 만들고 헤집어 놓은 상처와 나를 고깝지 않게 여기는 사람들에게서 받은 상처가 마치 마법처럼 스르르 풀려나가는 것 같았다.

"정말인가?"

똑바로 눈을 마주하고 그가 물었다.

여전히 불안하게 흔들리는 시선에 목이 메어 나는 머리통이 떨어져라 고개를 끄덕여 주었다. 그러자 그의 시선이 크게 흔들리다 이내 격정적으로 변해 갔다. 눈부신 희열과 그래도 남는 불안이 교차하는 듯 순간순간 변해 가는 시선 끝에서 그가 다시 물었다.

"그 남자는?"

"그 남자? 설마, 양재호 씨를 말하는 거예요?"

"그런 이름이었나?"

질투심을 숨기지도 않은 채 그가 조금 표정을 굳혔다. 눈물이 쏙 들어갔다. 복다방 앞에서 딱 걸린 것이 신경 쓰여 죽겠더니, 이 남자가 결국은 그런 오해를 하고 있었단다. 조금 씩씩거리면서 나는 야무지게 덧붙였다.

"이건 진지하게 말하는 건데요, 내 앞에서 한 번만 더 그 재수 없는 남자 이야기를 꺼내면 나도 가만히 있지 않겠어요."

"음?"

"애인 같은 거 절대 아니었어요. 성희롱범이었다고요! 그 나쁜 놈 때문에 내가 얼마나 고생을 했는지 알아요? 생각할수록 어이없어 죽겠단 말이에요."

뜻밖의 말이었는지 그가 눈을 크게 떴다.

자존심을 되찾으시오, 고 사장. 인간 윤미숙 이래 봬도 눈이 하이 레벨급이요. 눈깔이 하늘에 달려 있어서 당신 같은 사람을 만났는데 양재호가 웬 말이란 말이오.

"나도 이젠 할 말은 하고 살겠어요. 한 번만 더 그 남자한테 가져다 붙이면…… 따로 잘 거예요!"

그 말에 그가 눈을 홱 찌푸렸다.

언제 눈치를 보았었냐는 듯 눈에 힘을 주더니 입을 꾹 다물고 진지하게 노려보았다. 야무지게 살아 보겠다고 큰소리쳐 놓은 주제에 할 말을 아니지만 나는 또 간이 떨렸다. 안 그래도 새벽에 펄펄 날뛰는 모습을 보아 놓아서 그런지 더 무서운 것도 같았다. 슬그머니 꼬리를 말았다.

"마, 말이 그렇다는 거예요."

사실 나도 따로 자고 싶진 않소, 고 사장.

그사이 몇 번 경험해 봤다고 이젠 고 사장이 팔베개해 주는 것도 좋고 잠들고 깰 때마다 입 맞추어 주는 것도 좋았다. 그런 의미에서 슬그머니 뒷수습을 시도했지만 그는 눈 하나 깜짝하지 않았다. 그래서 잠시 눈치를 보다가 말했다.

"사랑해요."

움찔. 눈매가 살짝 떨리는 것이 보였다.

"진짜 진짜 사랑해요."

흔들. 이번엔 입술도 실룩거렸다. 그리하여 다시 한 번 작심하고 용기를 내 조심스럽게 말했다.

"으, 은후 씨이, 사랑해요."

순간, 그의 눈동자가 크게 흔들렸다.

둔한 내 눈에도 불꽃처럼 폭발하는 격한 환희가 보일 정도로 얼굴색이 확 피어났다. 이글이글 눈동자가 타오른다. 와락! 완전히 살아난 그가 흥분을 못 이기고 나를 담뿍 끌어안았다.

"읍!"

후끈 달아오른 뜨거운 숨결과 함께 그의 입술이 비처럼 얼굴 위로 쏟아졌다.

머리부터 이마를 지나 콧등과 뺨을 스치더니 다급하게 입술을 집어삼켰다. 반강제로 입술을 열고 그 사이로 스며든 까칠하고 뜨거운 혀의 감촉이 새삼 반가웠다. 허리를 휘감고 있는 팔뚝의 강한 힘과 등을 쓸어내리는 은근한 손길에 몸이 슬슬 달아오르고 있었다.

내가 원래 이렇게 쉽게 흥분하는 여자가 아니었는데 몇 번의 경험으로 단련이 된 것인지 이젠 아주 자연스럽게 몸이 간질거렸다. 설레발을 치는 심장과 무언가를 기대하듯 벌써부터 바짝 긴장한 아랫배에 슬며시 힘이 들어간다. 그래도 나는 최대한 티를 내지 않으려고 노력했다.

내가 지금 여기에서 좋다고 자지러지면 손길 한 번에 훅 갔다고 고 사장이 기고만장해지지 않겠는가 말이다. 안 그래도 지나치게 욕구가 강한 사람인데 자신감을 가지고 매일 밤마다 덤비면 그땐 어찌해야 하나. 이왕이면 나도 튕길 줄 아는 여자이고 싶었다. 이 와중에도 고 사장의 단단한 가슴팍을 더듬은 건 그래도 엉덩이를 더듬는 것보다는 나아 보였기 때문이다. 그래, 윤미숙은 바보다.

"아!"

목덜미를 타고 내려온 그의 입술이 쇄골을 살짝 깨문 다음 곧 아래로 스며들었다. 부풀어 오른 가슴이 그의 손아래에서 크게 이지러졌다 가볍게 출렁거렸다. 그 흥분한 손길을 느끼며 나는 속으로 작심했다. 오늘부터 마구마구 먹어서라도 반드시 키우고야 말리라.

부드러우면서도 격정적인 손끝이 옷 속으로 숨어들어와 가볍게 맨살을 쓸어내리고 있었다. 다른 손은 벌써 엉덩이에 가 있었다. 바짝 끌어당겨 이미 흥분해서 불쑥 솟아오른 자신의 아랫도리에 대고 비벼 댔다. 고 사장은 확실히 멀티 플레이어였다. 두 손은 물론이고 입술과 아랫도리까지 쉬지 않고 한꺼번에 움직이고 있었다. 그 감동적인 플레이 앞에서 나는 결국 자지러지고 말았다.

"아아, 은후 씨!"

"음!"

그의 손이 치마 속으로 숨어들기도 전에 나는 한껏 달아올라 음란한 신음을 터뜨렸다.

우리는 누가 먼저랄 것도 없이 허겁지겁 서로의 옷을 벗겨 내기 시작했다. 단추를 풀면서 손을 조금 떨긴 했지만 그래도 나는 성공적으로 그의 옷을 벗겨 내는 데 성공했다. 다급하게 그의 파자마 상의를 벗겨 내면서 조금 후회를 하기도 했다. 이럴 줄 알았다면 잠옷 따윈 입혀 놓는 게 아니었는데 하고 말이다.

고 사장이 알몸으로 돌아다닐 때 미친 척하고 열렬하게 호응해 줄 걸 그랬다.

"아아."

가늘게 신음하며 나는 열정적으로 그를 마주 안았다.

나는 이 사람을 원했다. 너무 원해서 미칠 것만 같았다. 뜨거운 그의 몸을 끌어안고 나는 스스로 다리를 열었다. 거칠게 밀쳐져 바닥에 등을 대고 눕자 그가 당장 덮쳐 왔다. 벌어진 다리 사이로 착 달라붙은 그의 남성이 별다른 애무도 없이 밀고 들어왔다.

"아!"

"음."

뻐근한 통증과 함께 짜릿한 감각이 척추를 타고 흘렀다.

완벽하게 채워진 느낌에 전율하며 나는 조금 팔딱였다. 언제나 버겁고 무섭다고만 생각했는데 오늘은 오직 뜨겁기만 했다. 저릿한 아픔도 이제는 기분 좋은 자극으로 여겨졌다. 마주 닿은 채 똑같은 속도로 뛰는 심장의 박동도 사랑스러웠다. 두 다리로 그의 허리를 착 휘감자 열기에 들떠 그가 격정적으로 허리를 흔들기 시작했다.

"아아!"

"후욱, 다시 말해 봐."

"으읏. 뭐, 뭘요?"

"아까 그 말."

그가 마치 명령처럼 속삭였다.

귓가에 와 닿는 숨결이 유독 뜨겁게 느껴지고 있었다. 이제 알았는데 나는 아무래도 귀가 약점인 것 같다. 혀로 귀를 핥으면서 속삭이는 그의 말에 몸이 붕 뜰 정도로 흥분해서 나는 손을 뻗어 손톱을 세우고 그의 등을 꽉 움켜쥐었다. 아래가 빠르게 젖어 드는 느낌에 치를 떨며 비명처럼 소리쳤다.

"사랑해요."

"그리고?"

"사랑해요, 은후 씨. 앗!"

"그래, 나야."

"아아!"

동시에 그의 허리가 크게 꿈틀거렸다.

앞뒤좌우는 물론이고 원도 그려 내는 탁월한 테크닉에 숨이 넘어갈 지경이었다.

대체 언제부터 이런 테크닉을 사용할 줄 알게 된 것이오, 고 사장.

어설프게 박자를 맞추면서 나는 죽어라 그를 끌어안고 헉헉 거렸다. 후끈 달아오른 아랫도리가 제멋대로 춤을 추고 있었다. 온통 뜨겁고 점점 더 강하게 힘이 들어갔다. 머리도 뜨겁고 그가 완벽하게 점령하고 있는 아래도 뜨거웠다.

그때였다.

미칠 듯이 달아올라 이제 곧 고지에 다다를 것이다 여기는 순간, 갑자기 그가 몸을 빼더니 내 다리를 잡았다. 상실감에 순간적으로 배신감마저 느낄 지경이었다.

"왜, 왜요?"

발갛게 익은 얼굴로 나는 그를 보았다. 그러나 대답 대신 그는 씩 웃으며 내 몸을 빙글 뒤집더니 엉덩이를 잡고 뒤에서부터 아랫도리를 밀어붙이는 거다.

"어? 나, 난 이렇게는 못하…… 아앗!"

"으음."

"으, 은후 씨! 어흑!"

내 약점이 귀라고 했던 거 취소다.

평소 그가 엉덩이를 집적일 때는 몰랐는데 엉덩이야 말로 숨은 복병이었다. 엉덩이를 공격하는 움직임을 따라 등에 딱 달라붙은 그의 가슴과 쿵쿵 뛰는 심장 소리가 한꺼번에 나를 찍어 눌러 왔다. 묵직한 무게감 대신 날개라도 돋으려는 듯 등이 마구 간질거렸다. 순식간에 흥분해 버린 나는 어느새 그의 움직임에 맞추어 요란하게 허리를 흔들고 있었다.

"아아! 은후 씨, 제발!"

울음을 터뜨릴 듯 사정하자 호응하듯 그의 허리가 점점 더 빠르게 속도를 타기 시작했다. 미친 듯이 간질거리던 심장이 달아오르면서 척추를 타고 짜릿한 전류가 흘렀다. 그가 한 손을 뻗어 출렁이는 한쪽 가슴을 꽉 움켜쥐었다. 그러자 전류는 마치 폭발하듯 전신으로 확 번져 갔다.

"아악!"

"윽! 윤미숙!"

부들부들 떨면서 아랫도리에 힘을 주자 그가 억눌린 신음을 내뱉으며 몸을 떨었다. 마지막 질주와 함께 곧 내 안에서 화려하게 폭발하는 그가 느껴졌다. 자궁 끝까지 닿는 그와 흠뻑 젖어 드는 느낌에 전율하며 나는 마침내 활처럼 허리를 휘었다. 누군가가 대낮에 별을 본 적이 있느냐고 묻는다면 나는 이제 자신 있게 고개를 끄덕일 수도 있을 것 같았다.

눈앞이 새카맣게 어두워지면서 하늘에 별이 떴다. 그리고 나는 끝을 알 수 없는 무저갱을 향해 한없이 추락해 갔다.

"아아아!"

한껏 경직된 몸에서 스르르 힘이 빠져나갔다.

힘을 잃고 풀썩 쓰러진 내 몸 위로 묵직한 그의 체중이 느껴졌다. 거친 숨을 몰아쉬며 그가 나른한 쾌감을 즐기고 있었다. 아직 가시지 않은 흥분의 여운 때문에 한껏 몽롱한 시선을 한 채 나는 지나치게 섹시한 표정을 짓고 있는 그의 얼굴을 바라보았다. 문득 그가 눈을 뜨고 말했다.

"사랑해."

쾌감에 겨워 갈라진 목소리가 진동을 동반한 채 심장으로 직접 스며들었다. 눈을 동그랗게 뜨고 바라보자 그가 다시 말했다.

"사랑해서 너를 잡았어."

"알아요. 이젠 알아요. 당신을 사랑해요. 당신 곁에 있게 해 주세요."

"응. 응."

감동 어린 얼굴로 그가 고개를 끄덕였다.

우리는 서로를 보며 똑같이 울고 웃다가 계속해서 같은 말을 중얼거렸다. 바보 같은 모습이었지만 그래도 나는 행복했다. 이제부터는 영원히 그와 함께 있을 수 있게 되었으니까. 그것으로 충분했다. 윤미숙이 마침내 그를 가졌다.

번외

그 남자의 사정

남자는 마음속에 있는 것을 말하는 게 아니다.

—대부(The Godfather, 1972) 中—

눈이 마주쳤다.

스치듯 한 번. 걸린 시간은 0.2초. 그리고 다시 시선이 마주친 순간부터는 눈을 뗄 수가 없었다. 그때 깨달았다. 단 한 번의 마주침만으로도 영혼이 사로잡힐 수 있음을.

"사장님!"

"음?"

누군가가 부르는 소리에 놀라 그는 흠칫 고개를 돌렸다.

테 없는 안경을 낀, 조금 서늘한 인상의 남자가 그를 빤히 바라보고 있었다. 우인이었다.

"무슨 일이지?"

"도착했습니다."

"그래."

"어디 불편한 곳이라도 있으십니까?"

"왜?"

"아까부터 계속 그쪽 손만 바라보고 계셨습니다. 저도 줄곧 같이 봤는데 아무 이상이 없었습니다. 그래서 혹시나 불편해서 그러시는 줄 알았습니다. 아프십니까?"

"아니."

아프기는커녕 멀쩡하다. 너무 멀쩡해서 짜증이 날 정도였다. 멍하니 보고 있던 손을 꾹 움켜쥐면서 은후는 인상을 찡그렸다. 잠시 다녀간 작은 손의 온기는 이미 가시고 남은 것이 없는데 마치 희미한 향기 한 줌이 남은 것처럼 손이 온통 간질거렸다. 정확히 어제부터 시작된 이상 증상이었다.

이건 무슨 병일까? 알레르기? 스트레스성 대상포진?

"농담이겠지."

그는 단호하게 고개를 저었다.

'사람이 너무 고독하게 굴어도 안 되는 거여. 숫기 없어 뵌다고 여자들이 막 피해 간다니께.'

'저 망나니 같은 은준이 놈도 장가를 갔는디, 반듯하기만 한 우리 큰손자님은 뭐가 모자라서 여직 혼자인가?'

'할매 소원이여, 제발 나 죽기 전에 너 결혼해서 아들딸 낳

고 알콩달콩 사는 것 좀 봤으면 좋겄어.'

타령처럼 이어지던 할머님의 잔소리가 환청인 듯 다시 귓가에서 쟁쟁거렸다.

동생이 결혼한 그날부터 한동안 시달려서 그런지 지금도 귓전에서 그 목소리가 뱅뱅 맴도는 것만 같다.

'설마…… 안 서는 겨?'

'남들도 다 보는 선이여. 그라고 아가씨가 엄청이 섹시하디야. 할매 말 들어서 손해는 안 볼 테니께 눈 딱 감고 한 번만 내려가 봐라잉. 안 가면 그게 안 서서 장가 못 가는 거라고 너 다니는 은행에다가 확 소문 낼겨.'

할머니, 맙소사다.

그 말까지 듣고 나니 도저히 선을 안 보겠다는 말을 할 수가 없었다. 할머니는 원래 한다면 하는 양반이었다. 애초에 은준이 놈 성격이 딴 데서 나온 게 아니었다. 그리하여 그는 그 자리에서 깔끔하게 항복을 선언하고 그 엄청 섹시하다는 '윤미숙' 이라는 여자의 이름을 받아 든 것이다.

그러고도 한동안 그는 맞선이라는 것에 대해 별 감흥을 느끼지 못했다. 그저 조금 귀찮은 일이 생겼다는 생각이 들었을 뿐, 그 이상도 이하도 아니었다. 하지만 지난 저녁 찾아뵈었을 때 이불 아래로 슬며시 잡아 본, 검버섯이 핀 앙상한 손목 때문에 그는 마음을 고쳐먹었다.

할머니의 손이지만 동시에 어머니의 손이고, 아버지의 손이었다. 그와 동생들을 오늘까지 훌륭하게 지켜 낸 손이다.

그 손을 잡아 볼 수 있는 시간이 얼마 남지 않았다. 아직은 그럭저럭 버티고 있지만 예정된 시간이 한 발 한 발 다가오고 있다는 사실을 그는 잘 알고 있었다. 당장 내일일 수도 혹은 그다음 날일 수도 있는 일이었다.

그 사실이 견딜 수 없이 슬퍼서 그는 오랫동안 할머니의 곁을 떠날 수가 없었다. 그래서 저도 모르게 한참이나 비비고 앉아 있자 할머니는 애타는 손자의 속도 몰라주고 그 마른 손으로 그의 손을 꼭 잡더니 마치 이순신 장군처럼 말했다.

'나 안즉 안 디진다. 아니, 내가 시방 디져도 그 사실을 절대 알리지 말고 너는 내일 꼭 내려가서 선을 보고 와야 혀. 그때까지 나는 눈도 안 감고 있을 테니께.'

그 순간이었다.

불현듯 깨달음이 찾아왔다. 지금 할머니가 가장 바라는 일은, 이렇게 마주 앉아 손을 잡고 있는 것이 아니라 그가 시골에 내려가 그 여자를 만나는 것이었다. 아니, 어디에서 어떤 여자를 만나도 크게 상관은 없을 터였다. 할머니는 그저 그가 더 이상은 혼자가 아니라는 사실을 확인받고 싶은 것뿐이니까. 그래서였다. 그가 어제 두말없이 선을 보러 내려간 것은.

"오늘은 특별히 한정식으로 정했는데 어떻게 입에 맞으려는지 모르겠습니다."

일전의 거래 때문에 특별히 함께 자리를 한 장 사장이 떡

벌어진 상을 앞에 두고 떠들었다.

정신이 다시 붕 뜨는 것 같았다. 수십 가지가 넘는 찬이 나온다는 유명 한식당이었다. 그의 시선이 차례차례 차려지는 화려한 요리 위를 무심히 지나쳤다. 사실, 그는 먹는 일에 대해 별로 관심이 없었다. 시장통 밥집에서 자란 사람답지 않게 그는 요리를 할 줄도 모르고, 먹는 일에도 그리 큰 관심을 두지 않고 살아왔다.

무엇이 되었든 그저 배고프지 않을 만큼 먹을 수 있으면 그만이라는 것이 음식에 대한 그의 입장이었다. 있으면 먹고 없으면 마는 생활. 맛있다는 것과 맛없다는 것의 차이가 무엇인지 솔직히 그는 잘 몰랐다. 맛을 느끼지 못하는 것은 아닌데 음식에 대해 욕심이 없어서인지 무얼 먹어도 그 맛이 다 그 맛 같았다. 적어도 어제까지는 그랬다.

'윤미숙.'

기계적으로 음식을 입에 넣으며 그는 어제 선 자리에서 만난 여자를 생각하고 있었다.

결론부터 말하자면 할머님의 말이 맞았다.

정말이다. 그녀는 섹시했다. 수수한 옷차림이나 화장기 없는 앳된 얼굴만 보고 아직 어린 애기인 줄 알았는데 아니었다. 그것은 얼굴이 예쁘다거나 혹은 몸매가 빼어나다고 하는 것과는 전혀 다른 이야기였다. 물론 그녀는 누가 봐도 예쁘장한 얼굴에 마르지도 뚱뚱하지도 않은 적당한 몸매를 가지고 있었지만 그것만이 전부는 아니었다는 말이다.

모처럼 그를 자극하는 눈빛을 보았다.

처음 그녀를 마주한 순간부터 그는 단박에 알아보았다. 한없이 여리고 겁이 많아 보이긴 했지만 사슴의 그것처럼 맑고 어딘가 조금쯤 슬퍼 보이던 그 눈빛만큼은 절대로 그렇지 않다는 사실을 말이다. 짧은 순간이었지만, 수줍은 듯 망설이면서도 조심스럽게 다가오던 그 눈빛이 얼마나 야했는지 모른다.

겁을 잔뜩 머금었지만 동시에 음란하게 빛나는 시선이 살그머니 다가와 그를 자극하다가 화들짝 놀라 도망치기를 계속 반복했다. 그 눈빛이 때때로 그의 몸을 훑어 내릴 때면 오싹한 쾌감과 함께 소름이 돋고는 했었다. 사람을 그렇게 노골적으로 유혹하는 눈빛이라니. 그러다 흙 묻은 발에 짓밟히면 어쩌려고.

그러고 보면 겁쟁이면서도 그녀에게는 의외로 용감한 구석이 있었다. 아무리 담이 크다는 사람도 그 앞에서는 얼마간 긴장을 해서 때때로 안 하던 실수를 하곤 하는데 그녀에게선 전혀 그런 기색이 느껴지지 않았다. 아니, 오히려 즐기는 듯 말도 편하게 잘하고 오물오물 밥도 잘 먹었다. 게다가 먼저 손도 잡고…….

그 앞에서 그렇게 편하게 구는 여자는 맹세코 그녀가 처음이었다. 그것이 가장 놀라웠다.

다른 사람이 밥 위에 올려 주는 고기 한 점이 그렇게 맛있을 수 있다는 사실도 그때 처음 알았다.

"누군가가 자꾸 생각날 땐 어떻게 해야 할까?"

차를 타고 사무실로 돌아가면서 문득 그가 물었다. 그러자 우인이 노트북에 코를 박은 채 되물었다.

"돈 떼어먹고 도망간 놈입니까?"

"아니."

"그럼 잊으셔도 됩니다."

"그게 안 되어서 묻는 거다."

"여잡니까?"

이번엔 재인이 물었다.

"일단은."

"혹시 어제 선 자리에서 만난 여자분입니까?"

"음."

그는 대수롭지 않게 고개를 끄덕였다.

"어떤 여자였습니까?"

"섹시했다. 그리고……."

왠지 모를 감회에 사로잡힌 채 그는 그녀의 손에 잡혔던 제 왼손을 물끄러미 내려다보았다. 헤어질 때 스치듯 본 그녀의 뽀얀 목덜미가 환영처럼 눈앞을 스쳐 가고 있었다.

"그리고 많이 씩씩하더라. 일단은 그렇다."

그러고 보니 그 여자 딱히 기합을 넣고 있는 모습은 아니었는데 그럼에도 불구하고 온 얼굴에 '힘내자, 힘.'이라고 쓰여 있는 것만 같았더랬다. 무슨 힘쓸 일이 그리도 많기에 얼굴에 온통 결심이 가득했던 것일까. 문득 궁금해지려고 한다.

"섹시하고…… 많이 씩씩했습니까?"

말이 이상했는지 두 눈을 잔뜩 부릅뜨다 못해 아예 입까지 벌리고 우인 형제가 그를 빤히 바라보고 있었다. 그러다 핸들을 잡고 있는 재인이 살짝 공황에 빠진 제 형을 돌아보며 혼잣말처럼 중얼거렸다.

"혹시 멜리나 페레즈 과인가?"

"그게 누군데?"

"WWE 위민즈 챔피언. 섹시하고 파워풀해. 링 밖으로 크로스바디에 탑 로프 블록도 해 준다고."

"……프로레슬링을 하는 여자랍니까?"

격투기가 취미인 제 동생의 말을 지나치게 심각하게 들은 우인이 식겁한 얼굴로 그를 바라보았다. 이럴 땐 뭐라고 대답을 해 줘야 하는 것일까. 재인에게 프로레슬링 그만 보라는 말을 해야 할지 아니면 우인에게 '그건 씩씩한 게 아니다.' 라는 말을 먼저 해 줘야 할지 고민스러울 지경이었다. 그리하여 그는 그냥 입을 다무는 쪽을 선택했다.

"오후 업무 보고나 해."

이게 뭐하는 짓인지.

다시 손으로 시선을 가져가려다 말고 그는 애써 고개를 돌려 버렸다. 그러곤 의식적으로 그녀에 대한 생각을 먼발치로 밀어내기 위해 애썼다.

그런 노력이 있었음에도 불구하고 그는 결국 그 생각에 대한 집착을 떨쳐 내지 못했다.

이후로도 내내 손으로 신경이 쏠리는 것을 막을 수가 없었다. 그녀의 흔적을 찾는 스스로의 그 집요한 행동에 그는 벌써 지쳐 버린 느낌이었다. 정신을 차렸을 땐 직접 운전대를 잡고 시골로 향하고 있었다. 확인이 필요했다.

"혹시 근처로 출장 나왔다 올라가는 길이세요?"

"……."

"피곤하시겠어요. 더운 날에 차 타고 왔다 갔다 하는 것도 보통 일은 아니죠?"

보통 일이 아닌 건 맞는데…….

사심이 없어서 오히려 해맑기까지 한 미숙의 말에 은후는 조금 고민스러워졌다. '설마 일부러 내려오기야 했을까.' 하는 표정이 역력한 얼굴이었다. 그런 그녀에게 사실을 말한다면 어떤 표정을 지을까? 혹은 그녀의 기대처럼 그냥 출장길이었다고 한다면?

어떤 대답을 해도 그녀는 많이 당황할 것처럼 보였다. 한껏 당황해서 얼굴을 붉게 물들이며 어쩔 줄을 몰라 할 것이다. 전에도 그런 것처럼. 윤미숙이라는 여자는 놀랄 만큼 솔직한 표정을 가진 사람이었다.

시시각각 변하는 표정만 봐도 무슨 생각을 하고 있는지 훤히 보인다. 심지어는 눈빛까지도 솔직해서 시선이 마주치기가 무섭게 그가 알고 싶어 하는 모든 이야기들을 한꺼번에 고백해 올 정도였다. 재미있다. 변화무쌍한 것이, 그저 보고 있기만 해도 도무지 지루할 새가 없었다.

정치가들만큼이나 표정 관리를 잘하는 사람들만 보아 온 그에게는 역시나 신선한 경험이었다. 안타까운 점이라면 솔직한 만큼 눈치까지 좋아 보이진 않는다는 것이지만.

어차피 확인은 끝났다.

그녀를 다시 마주한 순간 그는 깨달았다. 어떻게 해도 이 여자를 떨쳐 낼 수 없다는 사실을 말이다. 그렇다면 나머지를 감당하는 것도 그의 몫일 터였다. 그녀의 소심한 마음과 특유의 겁쟁이 기질까지도.

"먼저 이야기했다시피 할 말이 있어서 왔습니다. 조금 빠른 이야기인 것 같지만……."

계피향이 진하게 도는 수정과를 그냥 내려놓고 은후는 나직하게 말문을 열었다.

"언제가 좋겠습니까?"

"네? 뭐, 뭐가요?"

"결혼식."

"……!"

해맑게 하하 웃던 미숙의 얼굴이 충격으로 바짝 굳는 것이 보였지만 그는 무시했다. 이리저리 갈등하는 시선이 그의 얼굴 위를 숨 가쁘게 방황하고 있었다. 달아날 출구를 찾는 생쥐처럼 필사적으로 뒷걸음질 치는 그녀가 느껴졌다. 그러나 이미 늦었다. 그는 결정을 내렸고 안타깝지만 그녀에겐 선택의 여지가 없었다.

'내가 결정했어. 내게로 와.'

겁에 질려 도망쳐 버린 그녀를 순순히 놓아주고 은후는 그날 밤을 시골의 허름한 호텔에서 머물렀다. 재촉하지 않아도 그녀는 곧 스스로 그에게 오게 될 것이다. 고은후라는 남자는 이제껏 단 한 번도 원하는 것을 놓쳐 본 적이 없으니까.

그녀에게 다른 길을 줄 수 없다는 사실이 그는 조금 슬펐다. 폭우가 쏟아지는 시골 읍내의 전경을 지켜보며 그는 진심으로 그녀에게 위로를 보냈다. 그리고 긴 밤을 지새웠다.

"그게 말이 되는 겁니까?"

우인이 불을 토하듯 소리쳤다.

"말이 안 될 건 또 뭐야?"

"넌 입 다물어."

재인의 입을 막아 놓고 그가 다시 말을 이었다.

"만난 지 열흘 만에 결혼을 결정하는 것까지는 좋습니다. 그보다 더 빨리 결정하는 사람도 있는 세상이니까. 그런데 왜 하필이면 빈농 집안 출신에 고등학교밖에 안 나온 여자인 겁니까?"

"질문이 잘못되었어. 그 여자를 선택했는데 그런 조건이었을 뿐이다."

"그럼 다시 다른 여자를 선택하십시오."

그런 여자도 되었는데 다른 여자가 안 될 건 뭐가 있나.

우인은 단순하게 생각했다. 어차피 선보고 결혼할 거라면 적어도 앞길에 방해물이 될 법한 여자 정도는 제외하는 것이 인지상정이었다. 극기 체험을 할 것도 아닌데 굳이 어려운 여자를 골라 스스로의 앞길에 가시로 짠 레드카펫을 깔 이유가 없는 것이다.

"아아, 흙탕물이 튄다."

차 아끼기를 제 몸처럼 여기는 재인이 불만스럽게 인상을 찡그렸다. 비가 오는데도 밤새 열심히 닦아 놓더니 그 매끈한 차체에 흙탕물 한 방울 튀었다고 당장 뛰쳐나갈 것처럼 굴었다.

"보스, 더 못 들어가겠는데요."

"……."

"여긴 일방통행이라 우리가 들어가면 아무래도 길이 완전히 막힐 것 같습니다. 그냥 도로가에 세워 두고 기다리죠. 네? 네?"

기어이 어린애처럼 졸라 대는 모습에 은후는 어쩔 수 없이 고개를 끄덕일 수밖에 없었다. 아닌 게 아니라, 곧 출근 시간대가 되면 그래도 이 길로 사람들이 다니기 시작할 텐데 그 불편을 끼쳐 가면서까지 길을 막고 있을 수도 없는 일이었다.

"정말 이러실 겁니까?"

우인이 안경을 시니컬하게 추켜올리면서 그를 돌아보았다.

말도 없이 갑자기 사라지는 바람에 찾아다니느라고 밤새

한잠도 못 자고 내려왔는데, 한다는 말이 정말 가관도 아니었다.

"싫다고 했다면서요."

"……그런 말은 안 했다."

"미안하다는 말이 곧 싫다는 말이지 뭡니까? 기가 막혀서. 대통령 딸도 함부로 굴지 못하는 사람에게 아무리 봐도 잘난 구석 하나 없는 여자가 뭘 믿고 그리 도도하게 구는 건지 원. 진짜 돌겠단 말입니다."

남의 속도 모르고 마치 제가 거절이라도 당한 것처럼 그가 신경질적으로 짜증을 부렸다. 은후의 미간에 희미한 주름이 잡혔다. 우인의 말처럼 차라리 도도한 여자였으면 좋겠다. 도도한 여자에게 말없고 여자 대할 줄도 모르는 그가 마음에 차지 않아 거절한다는 말을 듣는 편이 더 나았을지도 모르겠다. 그랬다면 적어도 이렇게 난감한 마음이 되지 않았을 테니까.

'그때, 왜 그런 표정을 지었을까?'

결혼식이라는 말을 꺼낸 순간 그녀의 얼굴 위에 떠오르던 그 갑작스러운 표정의 변화를 그는 밤새 잊을 수가 없었다.

부지불식간에 허를 찔린 사람처럼 눈을 크게 뜨고 바라보다 바르르 입술을 떨고, 그러다 마침내 눈가를 희미하게 붉히던 모습이 당장이라도 손에 잡힐 듯 선명하게 떠올랐다. 그것은 분명히 상처받은 사람의 것이었다. 표정 하나하나가 솔직한 사람답게 그녀는 풍부하게 감정이 맺힌 눈동자로 그를 향해 무언가에 실망하고 그래서 슬프고 화나고 아프다고 말하고 있었다.

"도도하고는 확실히 거리가 멀었지."

"도도한 게 아니라면 주제에 싫다는 소리가 어떻게 나옵니까?"

"내가 자기 이상형이랑 너무 거리가 멀다더군."

그 소리에 재인이 고개를 갸웃거렸다.

"어, 도도한 것 맞는 것 같은데. 보스 얼굴이 보통 얼굴은 아니잖아요."

"아아, 점점. 기가 막혀서!"

"어쩌면 진심이 아니었을지도 모르지. 그런데 그 말을 할 때 꼭 울 것 같은 얼굴을 하고 있었단 말이다."

그는 단지 청혼을 했을 뿐인데 그녀는 상처를 받았다. 대체 왜?

직전까지만 해도 편안하게 웃던 그녀였다. 이것저것 권해가며 함께 밥을 먹고 듣기 좋은 낮은 목소리로 시골의 일상에 대해 말하고 있었는데 그 말이 떨어진 순간 그녀는 마치 보이지 않는 손에 한 대 맞은 것처럼 확 움츠러들었다. 거의 발작적이기까지 한 변화 앞에서 은후는 저도 모르게 미모사 이파리를 떠올렸다. 어쩌다 옷깃이라도 스칠라 치면 화들짝 놀라 바짝 오므라들던 그 이상한 풀 말이다.

"내가 그녀의 뭘 건드린 것일까?"

그는 혼잣말처럼 중얼거렸다.

확실히 그가 짐작했던, 혹은 바랐던 모습은 아니었다. 처음 만난 그 순간부터 은후는 그녀가 자신에게 호감을 품었다는 사실을 눈치챘다. 모르려야 모를 수가 없었다. 희미한 열기마저 머금은 채 홀린 듯 바라보는 노골적인 시선을 외면하기가 힘들 정도였으니까.

그 모습 덕분에 놀라고 당황할지언정 상처받고 화를 낼 거라는 생각은 도저히 할 수가 없었다. 그래서 알지 못하는 사이 자신이 무언가 실수를 했을지도 모른다는 생각을 떠올리는 것도 한참 늦고 말았다.

"조금 빨랐던 것일까?"

미간이 조금 더 구겨졌다.

선본 지 열흘 만에 청혼을 하는 건 역시 좀 이상한 거였을까? 아니면 반지라도 준비해야 했던 것일까? 워낙 경험이 없다 보니 대체 뭐가 문제였는지도 모르겠다.

"다른 여자를 찾으십시오. 네?"

우인이 집요하게 제안했다.

"꼭 그 여자가 아니어도 되는 것 아닙니까? 뭐, 기분은 나쁘지만 저는 차라리 잘되었다고 생각합니다. 이건 처음부터 말이 안 되는 일이었으니까요. 시골에서 나고 자란데다 고등학교밖에 안 나온 그런 여자가 사장님의 내조를 제대로 할 수 있을 리도 없고요. 어쨌거나 일단은 올라가서 제대로 된 자리를 골라 다시 선을……."

"선 같은 걸 두 번이나 보고 싶지는 않다. 그리고……."

"……?"

"꼭 그 여자가 아니어도 된다고 누가 그랬지?"

"예? 그거야……. 그, 그럼 반드시 그 여자여야만 한다는 겁니까? 왜요?"

물어 놓고도 문득 불길한 예감이 엄습하는 것만 같아 우인은 저도 모르게 뒤통수를 잡았다. 설마, 설마!

두 형제는 휘둥그레진 눈으로 그를 돌아보았다.

잠시 정적이 이어졌다. 그러다 냉정한 성격인 만큼 충격을 먼저 극복한 우인이 떨떠름한 표정으로 간신히 입을 열었다.

"그 여자가 마, 마음에 들었다는 겁니까?"

"설마 첫눈에 반하셨다거나……."

"엄청 섹시한 여자라더니 노골적인 유혹이라도 받으셨습니까?"

"하긴, 난 일단 예쁘기만 하면 다 좋긴 하더라."

대답 대신 은후는 창밖으로 시선을 돌렸다.

묵묵히 침묵을 지키고 있는 그를 향해 두 형제가 더 바쁘게 떠들기 시작했다. 어제 오후에 어디로 간다는 말도 없이 갑자기 사라진 일 때문인지 특히 우인의 시선이 날카로웠다.

"그러고 보니 정말 이상하십니다. 예고도 없이 안 하던 일탈도 다하시고 외박도 하시고."

동감이다. 스스로 생각해 봐도 은후는 요즘 스스로가 좀 이상했다. 늘 똑같이 반복되는 일상에 큰 변화가 있는 것도 아니고 신상에 문제가 생긴 것도 아닌데 문득문득 정신이 붕 뜨는 것을 느낀다. 그리고 세상이 조금 다르게 보이기 시작했다.

선을 보고 그렇게 헤어진 이후부터 열흘이라는 시간이 지나는 동안 은후는 종종 그녀를 떠올리곤 했었다. 딱히 의도한 건 아니었는데 서류를 보거나 회의를 할 때는 잊고 있다가도 밥을 먹기 위해 식탁 앞에 앉을 때면 자연스럽게 그녀가 떠올랐다. 먹을거리를 본다거나 차를 타고 음식점 앞을 지나칠 때도 그랬다.

그 갑작스러운 발견 앞에서 그는 조금 당황했던 것으로 기억한다. 그리고 정신을 차렸을 땐 혼자 차를 몰고 고속도로를 달리고 있었다. 워낙 충동적으로 벌인 일이었던 터라 그나마 낯익은 시골 읍내에 도착할 때까지 자신이 살짝 들떠 있었다는 사실조차 깨닫지 못했다. 여기까지 와서야 그녀와 다시 한 번 마주 앉아 밥을 먹고 싶다는 생각을 할 수 있었을 뿐이다.

"고 실장님도 이 일 알고 계십니까?"

협박성이 다분히 내포된 말로 우인이 그를 일깨웠다.

"사업에 전혀 도움이 안 된다는 것도 아시고요?"

"그만."

"사장님!"

"답지 않게 자꾸 멍청한 소리 하지 마라, 김우인. 결혼은 사업이 아니다. 그리고……."

계속 마을 쪽만 보고 있던 그가 순간 차 문을 열고 밖으로 내려섰다. 멀리 떨어진 골목 쪽에서 자그마한 그림자 하나가 바쁘게 달려 내려오고 있는 것이 보였다. 본능처럼 그는 그림자의 정체를 단박에 알아보았다. 그녀였다. 아침 햇살을 받아 반짝반짝 빛나는 그녀의 그림자를 눈으로 좇으며 은후는 나직하게 말했다.

"내 선택은 끝났다."

단호한 말과 함께 그는 차 문을 닫고 천천히 돌아섰다.

온통 흙투성이가 되었지만 그래도 반듯하게 깔린 길을 밟고 그녀가 부지런히 달려오고 있었다. 달릴 때마다 풀어헤친 검고 긴 머리칼이 그녀의 등 뒤에서 나풀거리며 춤을 춘다. 급하게 나오는 길인지 처음 만난 그날처럼 화장을 하지 않은 맨 얼굴이었는데 전과 달리 눈 밑이 조금 어두워 보였다.

그가 그랬듯 어쩌면 그녀도 밤새 잠을 이루지 못하고 뒤척이다 일어난 것이 아닐까. 그가 고민한 만큼 그녀도 같은 고민을 하며 긴 밤을 보냈을지 모른다. 그 사실에 약간의 위로마저 느끼며 짧은 순간 그는 희미하게 미소 지었다.

급하게 달려오던 그녀가 마침내 그를 발견하고 움찔 놀란 표정을 지었다. 작게 입을 벌린 채 '헉' 하고 가쁜 숨소리도 낸다. 종종걸음으로 달리던 다리가 점점 더 느려지더니 이윽고 약간의 거리를 두고 그녀가 멈추어 섰다. 거기서 더 다가오지 않으려는 건지 눈을 크게 뜨고 뻣뻣하게 선 그녀가 흡사 유령을 보듯 멀거니 그를 바라보고 있었다.

거의 투명하게까지 보이는 까만 눈동자가 세차게 흔들린다.

혹시 감정에도 색깔이 있는 것일까? 이런저런 수많은 색깔을 한데 섞으면 검정색이 되는 것처럼 사람의 감정들도 복잡하게 뒤섞이면 저렇게 투명한 검정색을 만드는 모양이다. 새로운 사실을 발견한 사람처럼 조금 두근거리는 기분이 되어 은후는 조용히 그녀를 바라보았다. 그리고 말없이 기다렸다.

"……못해요."

툭 터진 말끝에서 희미하게 울음이 묻어 나왔다.

"죄송해요. 제가, 제가 아직 형편이 안 돼요."

"……."

"처, 처음부터 그럴 여유가 없었는데 제대로 말씀을 못 드렸어요. 죄송합니다. 살림이 워낙 빠듯해서 아직은 결혼을 생각할 처지가 못 돼요. 공연한 걸음을 하셨어요."

아아, 그녀가 달아날 구멍을 찾아냈다.

스스로는 그렇게 믿고 있는 듯했지만 어림없는 일이었다. 이렇게 맥없이 놓아줄 거였다면 애초에 일을 벌이지도 않았을 것이다.

"벌써 조사했을 테지? 뭐가 문제인지 말해 봐."

멍하니 선 그녀를 남겨 두고 떠나오며 그가 짧게 명령했다.

하여간에 눈치 하나는 귀신같다니까. 우인이 긴 한숨과 함께 털어놓았다.

"재정 상태가 최악입니다. 소녀가장이 따로 없더군요."

"다른 건?"

"제가 아는 바로는 없습니다."

"……쉽겠군."

그는 단호하게 눈을 빛냈다.

이 정도는 그에게 일도 아니었다. 무엇보다 이런 문제는 그의 전문이 아닌가. 하지만 조금 아쉬운 것도 사실이었다. 그가 이런 짓을 하기 전에 스스로 왔으면 좋았을 텐데 말이다. 이렇게 나쁜 짓을 하기 전에.

사람을 고뇌에 빠뜨리는 것은 궁핍이 아니다.

모자람은 또 다른 의지를 만들어 낼 뿐 타락을 부르지 못한다. 위험한 건 오히려 풍요할 때였다. 남아도는 식량에서 술이 만들어지고 그 술이 인간을 변화시킨 것처럼 누군가를 뿌리부터 변화시키고 싶다면 돈을 빼앗는 대신 더 많은 돈을 주면 된다. 그래서 그는 그렇게 하기로 했다.

"결혼 준비에 보태 주십시오."

그는 봉투를 내밀었다.

볕에 그을려 까맣게 탄 늙은 농부의 얼굴에 짙은 탐욕의 빛이 드리워지고 있었다. 평생 처음 보는 큰돈 앞에서 그는 크게 당황한 것처럼 보였다. 놀라고 당황하다 슬그머니 욕심이 생기고 결국엔 감출 수 없는 흥분과 기쁨을 슬쩍 내보이기까지 했다.

그런 그의 모습을 무감정한 시선으로 바라보며 은후는 문득 지루하다는 생각을 하고 있었다. 예상에서 한 치도 벗어나지 않는 상황이 벌써부터 재미없게 느껴졌다. 협상은 끝났고 그녀는 한참 뒤에야 돌아왔다.

"제, 제가 공연한 고집을 부리고 있다는 뜻인가요?"

"아닙니다. 그냥…… 미숙 씨가 이 결혼을 받아들였으면 좋겠다는 말을 하고 싶었습니다."

"우린 만난 지 한 달도 안 되었어요!"

"그게 문제가 됩니까?"

게임은 끝났다.

그녀가 버틴다고 해도 소용없는 일이 되어 버렸다는 사실을 하루빨리 인정하게 되기를 바랄 뿐이었다. 이제는 그의 계획대로 진행될 일만 남았다. 윤미숙은 달아나지 못한다. 그리하여 그는 웃었다.

그 은밀하면서도 득의만만한 웃음은 그러나 그리 오래가지 않았다. 모르는 사이 일은 궤도를 이탈하는 행성처럼 그의 계획에서 서서히 벗어나고 있었던 것이다.

"죄송합니다, 사장님. 이대로는 도저히 일을 진행할 수가 없어요. 약혼 파티는 시간이 없다는 이유로 생략하셨고, 피부 관리에 헤어 관리도 생략. 피로연 의상은 필요가 없어서 안 하고 싶다고 하고, 예물은 마음에 드는 게 없어서 건너뛰고, 웨딩 촬영은 별로 안 좋아하시고, 결혼식 사진이나 비디오는 최소한으로. 말이 된다고 생각하세요? 이건 정말 결혼을 하려는 사람 같지가 않아요."

결혼을 하려는 사람 같지 않다라.

예감이 좋지 않았다.

톡톡톡.

손끝으로 책상을 두드리다 그는 조용히 자리에서 일어섰다.

"족쇄가 필요하겠군."

"족쇄라뇨?"

"시골에 다녀와야겠다."

"예에? 그럼 이놈은 어쩌고요?"

눈앞에 대롱대롱 매달려 있는 장 사장을 가리키며 재인이 눈을 부릅떴다. 감히 그의 돈을 떼어먹은 것으로도 모자라 처자식까지 버리고 혼자 튀었다가 일본에서 잡혀 온 놈이었다. 은후의 시선이 피투성이가 된 장 사장의 얼굴을 무심히 지나쳤다. 어차피 감추어 둔 재산까지 낱낱이 찾아내 몽땅 회수한 후였다. 버림받은 처자식의 몫을 제외하고는 더 이상 나올 것이 없었다.

"난 손해 보는 게 싫어."

밑지는 장사도 싫고 돈을 떼이는 건 더 싫었다. 하지만 가장 싫은 건 그의 뜻대로 돌아가지 않는 상황 자체에 있었다. 지금은 윤미숙이 그랬다.

"내다 버려."

윤미숙도 그럴 수 있었으면 좋을 텐데.

하자는 대로 따르는 듯하면서도 은근히 고집을 부리고 있는 그녀를 생각하며 그는 조금 인상을 썼다. 그에게 오기로 결심을 굳혔으면서도 그녀는 여전히 데면데면 굴고 있었다.

알 수 없는 거리감이 느껴질 때마다 무슨 생각을 하고 있는지 문득 궁금해질 정도였다. 때마다 그를 자극하는 예의 야한 눈빛도 여전한데 단지 그뿐. 언제나 같은 거리에 서서 그녀는 그저 그를 바라만 보고 있었다.

몸이 와야 마음도 온다고 했던가?

이럴 줄 알았다면 점잖은 척 예의를 지키는 게 아니라 불한당 흉내를 내서라도 몸부터 가지는 건데 그랬다. 이제는 익숙해진 그녀의 집 앞에 차를 세우고 그는 진지하게 그 문제에 대해 고민하기 시작했다.

"어라, 저건 또 무슨 상황이랍니까?"

재인이 고개를 길게 빼고 골목 밖을 노려보면서 물었다.

미숙이 웬 건달 같은 놈에게 붙잡혀 실랑이를 벌이고 있었다. 확실히 의외의 상황이었다. 눈에서 불꽃이 튀었다. 있는지도 몰랐던 질투심이 폭발하듯 불쑥 튀어나와 뒤통수를 한 대 후려치고 잦아들었다.

"남자라."

그녀에게 남자가 있었다.

어째서 모르고 있었을까. 저렇게 예쁜데, 저렇게 야한 여자인데 어째서 남자들이 그냥 내버려 두었다고 믿었을까. '당신은 제 이상형이랑 너무 거리가 머니까요.' 라고 하던 그녀의 말이 뒤늦게 뇌리를 스쳐 갔다. 콧등으로도 듣지 않았던 말이지만 만일 그게 사실이라면?

"크흠. 그, 그냥 이 지역 주민이죠 뭐."

남자에 대해 그녀는 그렇게 둘러대었다.

불유쾌한 감각이 그를 자극하고 있었다. 이 겁 많은 여자가 두려워할까 봐, 혹시 달아날까 봐 꽁꽁 감추어 두었던 본성이 당장이라도 튀어나올 듯 꿈틀거렸다. 한순간이지만 덜떨어진 놈처럼 구는 그녀의 남자를 향한 살인충동마저 느꼈다.

애처롭게 속눈썹을 떨면서 바라보는 시선만 아니었다면 정말로 그렇게 했을 터였다. 이 와중에도 그 시선은 여지없이 그에게 먹혀들었다. 정신을 차렸을 땐 놈에게 주먹을 날리는 대신 그녀의 입술을 훔치고 있었다. 가슴이 떨릴 만큼 달콤한 입술이었다. 할 수만 있다면 이대로 물어뜯어 먹어버리고 싶을 정도로 달콤한.

때때로 엄습하는 욕망의 깊이가 점점 더 깊어지고 있음을 그녀는 알까? 우물에 빠진 것처럼 그가 허우적거리고 있다는 사실은? 여전히 그녀의 시선은 야했고 그는 이 순간조차도 꾸준히 자극당하고 있었다. 지금 그가 상상하고 있는 것에 대해 그녀가 조금이라도 알게 된다면 그 앞에서 이렇게 태연할 수 없을 것인데.

키스는 짧았고 그의 분노는 깊었다. 미처 수습하지 못한 분노가 남아 그는 조금 냉정하게 굴었다.

"웨딩 플래너가 그러더군."

천천히 한 걸음 다가서면서 그가 입을 열었다.

"도무지 결혼을 하려는 사람이 아닌 것 같다고. 약혼도, 예물도, 흔한 사진조차도 남기고 싶어 하지 않아 한다고. 그 남자 때문이었나?"

"그, 그게 무슨……."

"아니, 대답하지 마. 그딴 건 어차피 아무 상관이 없으니까."

상관이 없다.

내일 지구가 멸망해도, 그녀에게 다른 남자가 더 있다고 해도 그녀는 그와 결혼한다. 그 사실이 달라지는 일은 없어야 했다. 직접 골라 온 반지를 그녀의 손가락에 끼워 넣으며 그는 마치 사형선고를 내리듯 말했다.

"정복자들이 좋아하는 보석이라고 하더군. 아다마스(Adamas), 결코 정복되지 않는다. 건방져, 누구처럼."

냉정한 한마디를 끝으로 그는 손을 놓았다.

"어울리는군. 예식 때 보지."

그리고 돌아섰다. 그녀의 앞에만 서면 약해지는 스스로가 오늘따라 지나치게 마음에 들지 않았다. 하지만 그런 일도 이제는 끝이었다. 음란하게 빛나는 그녀의 눈동자를 떠올리며 긴 밤을 뜬눈으로 보낸다거나, 울부짖는 그녀를 강제로 범하는 상상 따윈 더 이상 하지 않아도 된다.

함께 살다 보면 그녀도 결국은 그에게 마음을 주게 될 것이다. 윤미숙은 그의 여자로 살아가야 한다.

"제가 지금 얼마나 기가 막힌 심정인지 모르실 겁니다."

계획대로, 혹은 고집대로 선을 본 지 딱 한 달 만에 결혼식 예복을 입고 있는 은후를 향해 우인이 마치 비웃듯이 말했다.

"기어이 이렇게 하시니까 기분이 좋으십니까?"

"무슨 말을 하고 싶은 거냐?"

"제가 무슨 말을 하겠습니까. 그저 저런 답답한 여자를 선택한 데 대해 진심으로 심심한 위로의 말씀을 전할 뿐이지요."

"흥!"

"혹시 자기가 사장님 때문에 직장에서 해고당한 거 아직도 모릅니까? 농협에서 독촉 전화가 가게 한 것도?"

그 말에 은후는 조금 스산한 시선으로 그를 돌아보았다.

당연히 그녀는 모른다. 평생 알게 될 일도 없겠지만 안다고 한들 이제 와 어쩔 것인가.

"형수라고 불러라."

"끄응."

"은준이 귀에 들어가지 않게 조심하고. 알게 되면 그 녀석 제 성질을 못 이기고 아마 너를 죽여 놓으려고 들 거다."

"젠장! 막지 못한 것도 죄가 된답니까? 사장님 고집을 꺾을 사람이 세상에 누가 있다고……. 후우, 제 걱정 마시고 도망가지 않게 간수나 잘하십시오. 그 쇼를 하면서까지 결혼했는데 중간에 놓치면 억울하지 않겠습니까?"

"쿡!"

어림없는 소리다.

그의 말대로 그 쇼를 하면서까지 잡았는데 놓친다면 얼마나 어이가 없겠나. 아버지의 손을 잡고 한 발 한 발 버진 로드를 걸어오는 그녀를 보며 은후는 희미하게 미소 지었다. 이 길을 걸어 그에게 왔으니 그녀는 이제 달아날 수 없다. 고은후라는 남자는 자신의 것을 남에게 절대 빼앗겨 본 적이 없는 사람이었다.

'내 여자야, 내 아내.'

성급한 마음에 한복판까지 걸어 나가 거의 빼앗듯 그녀를 낚아채 오면서 은후는 승리의 쾌감을 느꼈다. 생각보다, 기대했던 것보다 더 큰 기쁨에 떨면서 그는 면사포 아래 감추어진 그녀의 입술을 찾아내 깊게 입 맞추었다.

"하여간에 마음에 안 들어."

은준이 나직하게 투덜거렸다.

서늘한 시선 끝엔 드레스 차림으로 막 연회홀을 벗어나는 미숙이 걸려 있었다.

"은돌이가 밥 먹으면서 엉엉 울었다는 게 다 무슨 소립니까?"

뭔지는 모르겠지만 은수가 울었다는 말에 그는 진즉부터 신경이 잔뜩 곤두선 상태였다. 안 그런 척하는 게 스스로도 우스울 정도로 온 정신이 다 그쪽으로 향했다. 그도 다 큰 여동생의 일에 일일이 간섭하고 싶지는 않지만 놈이 하도 모자라다 보니 저도 모르게 손이 가는 거다.

"밥이 다르다는 둥 손맛이 어쨌다는 둥. 하여간에 떠들기는 많이 떠들었는데 무슨 말인지 알 수가 있나. 설마 그 여자가 벌써부터 손위 올케 노릇을 한 건 아닙니까?"

"했으면?"

"그거야……."

"고은준, 형이 두 번 말하게 하지 마라. 네 형수라고 했다."

"젠장! 누가 모른답니까? 알아, 나도 안다고. 아는데, 볼수록 짜증이 나 죽겠는 걸 어떻게 해요? 다른 건 다 고급 취향이면서 왜 하필 그런 촌스런 여자한테 반한 거냐고."

인내심을 발휘해 꾹꾹 참았음에도 불구하고 성질이 폭발했다.

생각해 보면 얼마나 기가 막혔는지 모른다. 처음 보던 날, 그를 보자마자 그녀는 얼굴빛이 창백하게 질리더니 마치 타조처럼 형의 등 뒤에 숨어 버렸다. 발발 떠는 모습이 얼마나 기가 막혔는지 그때는 차마 화도 내지 못했다. 소리라도 크게 질렀다가 금방 숨이라도 넘어갈까 봐 걱정이 되어서.

어느 모로 보아도 형에게 어울리지 않는 여자였다.

조건을 떠나 겁 많고 소심한 성격이 정말 젬병이었다. 일부러 만나려고 해도 만날 수 없는 상극이나 마찬가지였다. 그런 여자를 형수로 받아들여야 한다는 사실이 그는 너무 끔찍했다. 할매가 정말 노망이 나서 형의 인생을 망친 게 틀림없었다.

"앞으로 두고 볼 겁니다."

끝내 한마디를 더 보태 놓고 그가 홱 돌아섰다.

"저러는 게 정말 이해가 가지 말입니다."

씩씩거리면서 사라지는 은준을 보며 재인이 불쑥 한마디 했다.

"이러다가 형수님 구박당하면서 사시게 되는 것 아닙니까?"

"훗! 걱정 마라. 그럴 만큼 모진 녀석은 아니야. 싫어도 끝까지 형수 대접은 해 줄 거다."

"그러면 다행이고요."

"후후."

기분 좋은 취기에 휩싸여 그는 나직하게 웃었다.

오늘은 좋은 날이었다. 세상을 다 얻은 것처럼 뿌듯하고 기쁘기만 한 것이, 누가 뭐라고 하든 다 용서해 줄 수 있을 것만 같은 기분이었다.

"뭐야, 바보같이. 사춘기 애송이가 된 것 같잖아."

나사가 하나 빠진 것처럼 실실 웃고 있는 스스로를 타박하면서도 은후는 끝없이 치솟기만 하는 욕망을 굳이 감추지 않았다. 어차피 이제 곧 그녀를 가지게 될 것이 아니던가. 피로연 내내 마셔 댄 술과 열기에 취한 채 그는 천천히 그녀가 기다리고 있는 방으로 향했다.

—누, 누구세요?

벨을 누르기가 무섭게 방 안에서 들려오는 가느다란 목소리에 벌써부터 몸이 후끈 달아오르기 시작했다.

"나야."

슬며시 열린 문 사이로 화장을 지운 말간 얼굴이 쏙 나타났다.

아직 물기가 가시지 않은 탓인지 평소보다도 더 깨끗하고 여려 보이는 얼굴이었다.

"씻었나?"

"네? 아, 네. 그게……!"

당황한 듯 더듬거리는 그녀를 보고 그는 픽 웃었다.

손을 내밀어 고운 얼굴선을 쓰다듬다 결국은 성급한 태도로 달려들어 그녀의 작은 입술을 삼켜 버렸다. 혀를 넣어 좁은 입안을 탐색하는 동시에 그녀의 가느다란 허리에 팔을 휘감고 끌어당겨 품에 바짝 안았다. 마치 맞춘 듯 쏙 안겨 오는 몸이 실크처럼 부드러웠다.

그녀의 여린 목덜미에 입술을 맞추면서 그는 깨달았다.

처음 만난 그 순간부터 사실은 계속 이러고 싶었던 거라고. 그래서 심장은 그리도 달음박질을 쳤던 것이다. 그간의 굶주림이 심한 탓인지 한 번 손을 대자 멈출 수가 없었다.

취기와 열기에 취한 채 그는 잡아먹을 듯 격렬한 키스를 이어 가고 있었다. 벌써부터 흥분한 아랫도리가 얇은 천을 사이에 두고 그녀의 여성에 닿아 있었다. 보기보다 풍만한 가슴과 움켜쥔 통통한 엉덩이의 감촉이 말도 못하게 좋았다. 지금 당장 이 여자를 가져야 했다.

"저, 저기 잠깐만……."

"음?"

막 귓불로 입술을 가져가려는 찰나였다.

달아오른 얼굴로 헐떡이며 그녀가 그의 품에서 벗어났다. 아쉬움에 몸이 다 근질거렸다.

"저기…… 취, 취하신 것 같아요."

맞다, 그는 그녀에게 취했다.

달콤하고 부드러운, 그녀만의 온유향에 취해 현기증이 날 정도였다. 그 향기 속에 파묻히고 싶었다.

"많이 취하신 것 같은데 어, 얼른 씻고 주무세요."

"……!"

흐물흐물 녹아내리던 정신이 확 깨어났다.

뿌리쳐진 손을 어색한 시선으로 바라보다 그는 간신히 상황을 깨달았다. 뭘까, 이 더러운 기분은? 성희롱하다가 거부당한 직장 상사가 된 것만 같아 그는 조금 당황했다. 두려움에 질린 그녀의 투명한 시선이 짧은 순간 그를 스치고 지나갔다.

치한 취급으로도 모자라 그녀는 그를 남겨 두고 동생과 함께 잔다며 훌쩍 도망을 가 버렸다. 짧은 순간, 허탈함이 몰려오더니 곧 강한 분노가 찾아왔다. 뒤늦은 깨달음이 뒤통수를 후려치고 있었다.

아아, 그렇지. 그녀는 그와 결혼을 한 것이지 사랑에 빠진 게 아니었다.

"하! 하하하, 하하하하…… 젠장!"

처음부터 다시 시작해야 한다는 생각이 들자 짜증이 치솟았지만 다른 방법이 없었다. 하지만 다행인 것도 있었다. 결혼을 한 이상 어쨌거나 그녀는 계속 그의 곁에 머물러 있을 거라는 사실이었다. 유일하게 마음에 드는 상황이었다.

"여자를 유혹하려면 어떻게 해야 할까?"

한참의 고민 끝에 지나가는 말처럼 툭 꺼내 놓자 문득 재인이 말했다.

"그거야 당연히 몸이죠. 남자는 뭐니 뭐니 해도 몸이 좋아야 여자의 시선을 끌 수 있는 것 아니겠습니까? 복근부터 활배근, 이두박근, 허벅지까지. 딱 보여 주면 저절로 다가오던데요. 음하하하."

몸이라. 몸을 보여 주면 다가온다?

그럴듯했다. 여자가 벗으면 남자들의 시선이 몰리는 것처럼 남자가 벗어도 마찬가지겠지. 다행히 몸이라면 그도 어디 가서 빠지지 않을 정도는 되었다. 운동광인 재인 덕분에 거의 반강제로 이런저런 온갖 운동이며 격투기까지 배웠더니 저절로 그렇게 되었다.

"아니지, 남자는 돈이지."

우인이 가소롭다는 듯 툭 끼어들었다.

"배불뚝이 대머리 노인네도 돈만 있으면 쭉쭉빵빵한 미녀를 데리고 살 수 있는 세상이다. 촌스럽게 복근 타령은."

끄덕.

그것도 맞는 말이었다. 돈의 힘에 대해 누구보다 잘 아는 것이 바로 그였기에 반박하기가 힘들었다. 그리고 다행히 그는 돈도 많았다. 조금 의심스러웠던 자신감이 빠른 속도로 채워졌다. 이제 남은 것은 인내심을 가지고 끈질기게 공략하는 것이다.

"우와아!"

새로 단장한 집으로 데려가자 그녀는 눈이 동그래져서 열심히 주위를 두리번거렸다. 시간이 촉박하긴 했지만 다행히 그는 그녀를 위해 최고의 집을 만들어 내는 데 성공했다.

직접 고른 아름다운 가구를 들이고 시골에서 자란 그녀를 위해 넓은 정원도 새로 단장했으며, 혹시 집안일로 힘들까 봐 도우미 아주머니에게 따로 당부도 해 두었다.

침대와 한 쌍인 아름다운 화장대도 들여놓았다.

서랍마다 아름다운 보석들을 채워 넣고 온갖 화장품으로 치장한 그것은 그가 그녀에게 주는 결혼 선물이었다. 그녀가 그 앞에 앉아 단장을 하는 동안 그는 침대에 누워 맞은편에 걸어 둔 거울을 통해 그녀의 모습을 볼 수 있게 해 둔 것이다. 그녀가 집 안으로 들어서자 마침내 모든 것이 완벽해졌다.

아름다운 집과 아름다운 아내. 그것은 그가 바라던 꿈이었다.

"근데 벌써 출근하세요?"

침실을 둘러보던 그녀가 조그맣게 물었다.

"음, 오전 중에 일을 마무리하고 일찍 들어오는 게 좋을 것 같아서. 일이 많은 건 아니니까."

"아아, 네. 피곤하실 텐데 그래도 일이 많지 않다니 다행이네요."

"걱정해 주는 건가?"

"네? 그, 그럼요."

냉큼 고개를 끄덕이는 모습이 정말 남편을 챙기는 아내처럼 보여서 그는 감동했다. 그에 지난밤 거절당했던 일 따윈 모른다는 듯 금세 마음이 푸근해져서 그는 그녀를 품에 안고 어루만지며 다정하게 속삭였다.

"일찍 들어올게."

"네, 네."

"전화할게."

"……네."

아직 낯설어하는 그녀를 넓은 집에 혼자 두고 나가는 게 마음이 쓰였지만 하는 수 없었다. 서둘러 돌아와 오후엔 함께 시간을 보낸 다음 신혼여행을 떠나리라 다짐했다. 그렇게 지내다 보면 그녀도 곧 마음을 열리라 생각하면서. 그러나 그 단순한 기대가 섣부른 희망에 지나지 않을지도 모른다는 사실을 그는 생각보다 훨씬 더 빨리 깨닫게 되었다.

"안 들어왔다니 그게 무슨 말입니까?"

그녀가 맞이해 주는 기분 좋은 상상을 하며 집에 돌아왔을 때였다.

"글쎄요, 아침에 가방 들고 어딜 간다는 말도 없이 나가셔서는 아직 안 들어오셨어요. 하루 종일 연락도 없으시고."

머리털이 쭈뼛 곤두섰다.

왜인지는 알 수 없으나 순간 도망가지 않도록 간수나 잘하라던 우인의 말이 새삼스럽게 뇌리를 스쳐 갔다. 이를 악물고 그는 그녀의 핸드폰으로 전화를 걸어 보았다. 신호는 끊임없이 가고 있는데 계속 연결이 되지 않고 있었다.

왜 나간 건가, 어디로 간 건가, 무엇이 문제였나.

생각하고 또 생각하느라 속이 타고 머릿속이 점점 더 차갑게 식어 갔다.

'오빠, 언니 데리러 언제 올 거예요?' 라는 은수의 전화를 받지 않았다면 그는 정말로 폭발해 버렸을지도 몰랐다.

"오, 오셨어요?"

허겁지겁 시장을 찾았더니 그녀가 한 손에 걸레를 든 채 땀에 젖은 이마를 닦으며 그를 돌아보았다. 마치 구박받고 사는 부엌데기 몰골이었다. 기가 막혀서 말이 나오지 않았다.

"하루 종일 쓸고 닦고 하는데 미안해 죽는 줄 알았어요. 그만하라고 했는데 말도 안 듣고."

미안해하는 동생의 말도 귀에 들어오지 않았다.

대체 이 여자가 지금 무슨 생각을 하고 있는 것일까? 그는 문득 그것이 궁금해졌다.

"저녁은 드셨어요?"

"……."

"안 드셨으면 차릴까요?"

"아니, 필요 없어."

"네에."

하루 종일 애를 태웠더니 속이 다 화끈거렸다.

얼음물 한 잔을 깨끗이 비우고 그는 잠시 심호흡을 했다. 그런데 반지가 보이지 않았다. 그녀의 손에 그가 직접 끼워 준 반지가 반나절 사이 어디로 사라진 것인가. 잃어버렸을까? 잡아먹을 듯이 노려보자 그녀는 화들짝 놀라며 가방을 뒤지더니 황급히 손수건에 싼 반지를 내밀었다. 그러곤 말했다.

"여기…… 일하다가 잃어버릴까 봐 무서워서요."

"……."

"안 그래도 돌려 드려야지 했어요. 비싼 거잖아요."

숨이 콱 막혔다. 차갑게 식어 있던 머리가 이젠 점점 더 뜨겁게 달아오르고 있었다. 생각할 겨를도 없이 그가 소리쳤다.

"무슨 뜻이지?"

"네? 뜻이라뇨?"

"지금 이런 행동을 하는 건 나를 인정하고 싶지 않다는 뜻인가? 아니면…… 지금 반항하는 건가, 윤미숙?"

"꿀꺽. 아, 아닌데요."

"그럼 뭐지?"

"그, 그게 저는 그냥……."

다그치듯 얼굴을 들이대고 묻자 그녀는 또 겁에 질려 속눈썹을 파르르 떨더니 곧 그 큰 눈에 눈물을 가득 담았다. 어깨를 움츠리고 가늘게 몸을 떠는 모습에 난데없는 죄책감이 몰려오려고 했다. 분명히 잘못한 건 그녀인데 멀쩡한 그가 죄책감을 느끼고 있다는 사실이 그는 말도 못하게 짜증 났다.

정말로 울까 봐 소리도 못 지르고 더 따지고 들지도 못한 채 속으로 화를 삭였다. 치미는 분노를 꾹꾹 눌러 참느라 현기증이 다 올라왔다. 천하의 고은후가 어쩌다 이런 여자를 눈에 담은 것일까. 왜 하필이면 이 여자였을까.

후회가 밀려오고 동시에 허탈해지기도 했다. 할 수만 있다면 정말로 딱 때려죽이고 싶은 심정이었다. 그러다 소심한 그녀에 대한 분노와 그래도 찾았다는 안도감이 뒤섞이면서 끝내 긴 한숨이 터져 나왔다.

"후우."

부글부글 끓는 속을 비우듯 잠시 눈을 감고 생각을 정리했다.

"잘 들어. 우연히 잃어버리는 건 어쩔 수 없어. 하지만 만일 네 손으로 이걸 다시 뺀다거나……."

그녀의 손에 다시 반지를 끼워 주며 그는 단호하게 말을 이었다.

"나를 기만한다거나 속이는 일이 벌어진다면 그땐, 정말

각오하는 게 좋을 거야."

오늘과 같은 일이 다시 벌어진다면 그땐 결코 참지 못할 것 같았다. 단단히 경고해 주고 은후는 낮에 못 마친 일을 대강 정리하기 위해 서재로 가 잠깐 시간을 보냈다. 그러다 다시 방으로 왔는데 그녀가 또 보이지 않는 거다. 가슴이 철렁 내려앉았다.

너무 심했나? 그래서 견디지 못하고 도망간 건가?

뭐 보고 놀란 가슴 뭘 보고도 놀란다더니 애면글면하던 낮의 일을 아직 잊지 못한 심장이 지레 놀라 자지러졌다. 나가는 소리도 듣지 못했는데 대체 어느 틈에? 그는 외투를 찾아 들고 미친 듯이 현관으로 달려 나갔다. 그러다 그의 신발 곁에 오도카니 놓여 있는 그녀의 신발을 발견하고서야 간신히 멈추어 섰다.

신발이 있다는 건 그녀가 집 안에 있다는 뜻이었다.

그 사실만으로도 가슴 가득 안도감이 찾아왔다. 그러나 그도 잠시, 이번엔 마치 실성한 사람처럼 집 안을 헤매고 다녔다. 한참을 헤맨 끝에 도우미 아주머니들이 사용하는 주방 옆의 작은 방에서 웅크리고 잠든 그녀를 발견했을 땐 아예 화도 나지 않았다. 그는 단지 지쳐 버렸을 뿐이었다. 맥이 빠지고 속이 허탈했다.

"그래, 하고 싶은 대로 해 봐. 기다려 주겠어."

홀딱 벗고 그녀의 곁에 누우면서 그는 작심했다.

반드시 그녀가 먼저 항복하는 모습을 보고야 말리라고. 일단은 신혼여행부터.

※ ※ ※

"알로하!"

어물쩍거리며 발을 빼려 드는 그녀를 데리고 은후는 하와이를 찾았다. 카할라 주택가에 위치한 별장에서 시간을 보낼 예정이었다. 한적한데다 개인 해변을 끼고 있고 일반인들은 함부로 접근할 수 없는 위치라 그녀와 시간을 보내기에 가장 좋은 곳이었다. 이곳에서 그는 손도 못 대 보고 놓쳐 버린 첫날밤부터 착실히 보상받을 예정이었다.

"세상에, 진짜였군. 난 자네가 결혼했다는 소식을 듣고도 농담인 줄 알았는데 말이야."

"그런 농담은 안 해."

별장 관리인이자 오랜 친구이기도 한 마이클과 함께 저택에 도착했을 땐 이미 수평선 너머로 해가 지고 있었다. 먼저 대강 씻고 나오다 그는 붉은 석양빛에 물든 채 바다를 바라보고 있는 그녀를 발견하고 마치 홀린 듯 다가갔다.

"왜 그러고 있는 거지?"

"아, 아무것도 아니에요. 그냥 눈이, 눈이 부셔서요."

"아! 석양을 보고 있었나?"

"그, 그렇죠. 빛이 참 곱죠?"

"으음."

빛보다 그녀가 더 곱다.

대답 대신 그는 천천히 다가가 등 뒤에서부터 그녀를 품에 안았다. 딱 맞게 안겨 오는 여린 몸을 단단히 끌어안고 함께 바다를 바라보았다. 콩닥거리면서 뛰는 그녀의 심장 소리와 품 안에서 느껴지는 부드러운 향기에 피가 슬슬 달아오르고 있었다. 석양이 아니라 그녀에게 취할 것만 같았다.

전에도 이런 감정을 느낀 적이 있었던가?

스스로도 알 수 없는 감정에 사로잡힌 채 그는 가만히 그녀를 내려다보았다.

씨익 미소가 번졌다. 처음 만났을 때처럼 야하게 반짝이는 눈동자로 그녀가 그를 보고 있었다. 뼛속까지 더워지는 것을 느끼며 그는 손을 들어 그녀의 뺨을 가만히 간질여 보았다.

손이 다녀간 자리에 입술을 가져다 대었다.

이마를 시작으로 반듯한 콧잔등을 지나 입술을 물면서 동시에 한 손으로는 그녀의 날씬한 허리를 쓸어내렸다. 힘주어 그녀를 끌어안고 그는 미친 듯이 그녀를 탐하기 시작했다. 붉게 달아오른 입술을 핥다 입안으로 침입해 그녀의 작은 혀를 낚아챘다. 이미 흥분한 아랫도리로 그녀의 여성이 느껴졌다.

"흐읍!"

탱탱한 엉덩이를 잡고 바짝 끌어당기자 그녀가 몸을 움찔거리며 어쩔 줄 몰라 했다. 그런 것을 무시하고 그는 단호한 태도로 그녀의 쇄골에 흔적을 남기고 보드라운 가슴에 얼굴을 묻었다. 핑크빛 유두가 바짝 곤두선 채 가늘게 떨다가 곧 그의 입술 사이로 사라졌다.

"헉!"

자극을 받았는지 그녀가 그의 어깨를 부여잡고 파르르 몸을 떨었다. 그에 한 손으로 다른 쪽 가슴을 꽉 틀어쥐면서 입으로는 핑크빛 유두를 물고 강하게 빨아들였다. 부드러운 감촉과 달콤한 향기가 순식간에 그의 이성을 잠식해 버렸다. 거의 동시에 흥분한 그녀가 그의 머리를 끌어안고 작은 신음을 터뜨렸다.

"아! 아아!"

끊어질 듯 말 듯 가늘고 길게 흘러나오는 그 소리에 순간 욕정이 확 솟구쳤다. 게걸스럽게 빨아 대던 가슴에서 얼굴을 들고 그는 잠시 그녀를 바라보았다. 발갛게 달아오른 얼굴에 가쁘게 끊어지는 숨결을 내쉬며 그녀는 마치 무언가를 바라듯 그를 보고 있었다. 그녀도 그를 원하고 있는 것이다.

한 번의 거부로 잠시 수그러들었던 수컷으로서의 자신감이 빠르게 회복되는 것을 느끼며 은후는 짜릿한 쾌감 속에서 그녀를 안고 천천히 움직이면서 다시 깊숙이 입을 맞추었다. 이번엔 여유를 부릴 정신이 없었다. 거의 물어뜯듯이 거친 키스를 퍼부으며 그는 거실 한복판에 놓인 소파로 그녀를 몰아갔다. 이미 반라 차림이 된 그녀를 소파 위에서 덮쳐누르면서 허겁지겁 가슴을 찾았다. 갓 잡은 인어처럼 펄떡이는 다리를 누르고 치마 속으로 손을 집어넣어 팬티를 잡았다.

벌거벗은 피부가 부딪치고 비벼질수록 흥분의 강도가 급속히 커지는 바람에 그는 거의 제정신이 아니었다. 어서 빨리 이 미친 듯이 끓어오르는 열정을 폭발시키고 싶어 안달이 났다.

"읍읍! 자, 잠깐만……."

"안 돼."

"저, 저기요, 저 아직 안 씻었는데!"

"괜찮아."

허겁지겁 바지를 벗어 던지자 그녀의 얼굴에 감출 수 없는 두려움이 떠올랐다. 그것을 발견한 순간 마음이 더 급해졌다. 그녀의 손을 잡아 끊어질 듯 잔뜩 흥분한 아랫도리로 가져갔다. 이것은 장난이 아니었다. 또다시 달아나는 건 용납할 수 없다. 그는 오늘 반드시 이 여자를 가져야만 했다.

"이해하겠어? 안 된다고."

그녀가 멍하니 고개를 끄덕였다.

그는 이미 그녀의 작은 손에 허리를 밀어붙이며 쾌감을 즐기고 있었다. 그러다 더는 견딜 수 없다고 생각한 순간 그녀의 다리를 잡아 벌리면서 허벅지 사이로 몸을 붙였다. 그리고 막 팬티를 벗어 던지려던 순간이었다.

딩동!

벨이 울렸다.

—은후 오빠? 오빠, 안에 있어요?

쿵쿵 문을 두드리면서 소리치는 목소리에 간신히 정신이

돌아왔다. 먼저 정신을 차린 그녀가 슬그머니 그에게서 떨어져 두 팔로 몸을 가리고 있었다. 잔뜩 추켜 올라간 치마를 내려 그가 차마 눈도 떼지 못하고 있는 은밀한 곳도 꼭꼭 가렸다. 그들을 에워싼 채 폭발할 듯이 끓어오르던 열기도 이미 자취를 감춘 지 오래였다.

"젠장!"

미친 듯한 상실감에 분노하며 그는 옷을 대강 주워 입었다.

"오빠!"

눈물범벅이 된 애심이가 문 앞에 서 있었다.

그의 계획이 와르르 무너지는 소리가 들렸다. 그녀가 애심이와 이미 구면이라는 사실을 알았을 땐 더 이상 말도 나오지 않았다.

"신혼여행지에 찾아온 제3의 여자라."

불만스러운 얼굴로 복귀한 그를 보며 우인이 혀를 끗끗 찼다.

"우리 은수 배꼽친구야. 친동생이나 다름없는 녀석이다."

"그래도 여자는 여자죠. 형수님께서 상처받지 않으셨습니까? 어지간한 여자라도 도망칠 만한 상황인데 말입니다."

"끄응."

확실히 그녀는 상처받은 것처럼 보였다.

돌아온 이후부터 줄곧 그를 피해 다니고 있었다. 하도 열심히 피해 다녀서 얼굴을 보기가 어려울 정도였다. 그에 그는 조만간 시간을 내 진지하게 대화를 해 보아야겠다고 생각하고 있었다. 당당하지 못할 이유는 없지만 혹시라도 그녀가 심각한 오해를 하고 있다면 하루라도 빨리 풀어 주어야 했다. 이러다 정말로 달아날까 봐 요즘엔 출장도 제대로 못 다닐 지경이었다.

—으하하하. 형, 나 아빠 된답니다.

오전에 은준에게서 소식을 들은 뒤 어쩐지 슬슬 욕심도 생겼다. 아기가 생긴다면 적어도 때때로 엄습하는 불안감 따위는 더 이상 찾아오지 않을 게 아닌가. 당장 시도해 볼 생각으로 그는 집에 들어서기가 무섭게 은근히 그녀의 손을 잡아끌었다.

"저기, 이거."

"음? 뭐지?"

"그, 그냥 보세요."

수줍은 얼굴로 그녀가 작은 카드를 내밀었다.

열어 보니 호텔 커피숍 이름과 시간이 적혀 있었다. 혹시 그녀도 그와 같은 생각을 하고 있었던 것일까? 그러고 보니 그녀도 제수씨의 임신 소식을 들었다고 했다. 그 일로 무언가 생각한 것이 있다면 그로서도 거부할 이유가 없었다. 뜻 깊은(?) 대화를 나누고 좋은 시간을 갖자는 의미라면 더더욱.

마침내 황량한 대지에 희망의 싹이 돋아났다.

겁 많고 소심하여 언제나 피해 다니기만 하던 그녀가 먼저 손을 내밀어 주었다는 사실이 믿어지지 않았다. 그래서 당연히 기대도 더 클 수밖에 없었다.

"여기예요, 고 사장."

잔뜩 기대를 품고 제시간에 커피숍을 찾았을 때였다.

그의 이름으로 예약된 자리에 앉아 있던 낯선 여자들이 그를 향해 아는 척을 해 왔다. 혹시나 싶어 다른 자리를 둘러보았지만 기대와 달리 미숙은 어디에도 없었다.

"홍 여사님 아니십니까?"

"호호. 기다렸어요. 역시 올 줄 알았어요."

"그게 무슨 말씀이십니까?"

"그러지 말고 일단 앉아요. 앉아서 얘기해요."

"죄송하지만 전 아내를 만나러 왔습니다. 길게 이야기할 시간이 없을 것 같습니다만."

얌전한 척 앉아 있는 젊은 여자와 득의만만하게 웃는 홍 여사를 번갈아 보다 그는 문득 불길한 예감을 느꼈다. 아니, 불길하다기보다 그것은 거의 불쾌함에 가까운 것이었다.

"고 사장, 언제까지 그 여자랑 같이 살 생각이에요?"

"……?"

"이야기 다 들었어요. 할머님 때문에 마음에도 없는 여자랑 결혼했다죠? 이해해요. 할머님이 돌아가시기 전에 마지막 소원을 들어주자는 심정이었겠죠. 그런데 결혼 생활이라는 건 그렇게 해서 유지될 수 있는 게 아니잖아요? 더욱이 우리 같은 사람들에게 배우자는 단순한 배우자 그 이상의 의미도 있고요."

이야기를 들었다라.

불유쾌한 예감이 그의 레이더를 건드리고 지나갔다. 긴가민가하면서 애써 태연한 척 물었다.

"지금 무슨 말씀을 하시는 겁니까?"

"이런, 설마 몰라서 묻는 건가요? 호호호. 인사해요, 이쪽은 내 딸이에요. 나, 사실 전부터 고 사장을 사위로 삼고 싶어서 줄곧 기회를 보고 있었어요. 미숙 씨 덕분에 이렇게 인연이 닿아서 얼마나 좋은지 몰라."

그의 얼굴에서 표정이 사라졌다.

그제야 무슨 일인지 알아차렸다. 그러니까 지금 윤미숙이 그에게 선 자리를 주선한 거란 말인가. 그가 남편인데 자신의 남편에게 감히 선을 보라고 등을 떠밀어? 분노가 치밀었다. 그런 줄도 모르고 그는 그녀와 좋은 시간을 보낼 생각으로 호텔방까지 예약하고 왔다.

"아무래도 무언가 오해가 있었던 것 같군요. 오늘은 이만 가 보겠습니다."

들끓는 분노를 간신히 억누르며 그는 자리에서 일어섰다. 그때 홍 여사가 말했다.

"다시 앉아요."

"홍 여사님, 제겐 이미 아내가 있습니다. 제게 모욕을 주시려는 게 아니라면 아내가 있는 남자에게 따님을 주고 싶다고 말하는 저의가 대체 뭡니까?"

"훗! 그런 핑계로 거절하는 건가요? 고 사장이 아직 젊어서 잘 모르나 본데, 나 그렇게 호락호락한 사람 아닙니다."

홍 여사는 의미심장하게 미소 지었다. 명백한 비웃음이었다.

"남편을 선 자리에 내보낸 여자예요. 마음이 없는 게 아니라면 머리가 나쁘다는 뜻이죠. 이혼하세요. 요즘 세상에 이혼 한 번은 흠도 아니니까. 그리고 내 딸이랑 다시 결혼하면 되는 거예요."

"그 말씀은 못 들은 것으로 하겠습니다."

인내심의 한계를 느끼며 그는 돌아섰다.

"거기 서세요. 내가 한 가지만 묻지요. 고 사장이 이대로 돌아가면 내가 가만히 있을까요?"

"제가 이 길로 돌아가서 여사님을 가만히 두겠습니까?"

"우리 화성쯤은 충분히 가지고 놀 수 있다 이겁니까?"

"그래서 저를 탐내신 게 아니었습니까? 그럴 능력이 있다고 판단했으니까 딸을 팔고 싶으셨던 거겠지요."

"그 여자가 다칠지도 몰라요."

"어디 한 번 해 보십시오. 최선을 다해 상대해 드리겠습니다."

냉혹한 시선을 남기고 그는 망설임 없이 돌아섰다.

젊은 나이에 이룬 성공은 꽤 많은 위험을 끌어들였다. 새로운 도전과 기득권의 방해, 그리고 끊임없이 이어지는 회유 혹은 위협. 그는 홍 여사의 일가가 운영하는 화성 그룹에 대해 잘 알고 있었다. 그들이 그의 자금력을 노리고 있다는 사실도. 이번 일은 단지 그를 끌어들이기 위한 핑계일 뿐이었다.

혈연으로 묶이면 노골적으로 이용할 것이고 아니라면 빌미로 이용할 생각으로 만든 한판의 연극이었다. 미숙은 아무것도 모르고 있다는 이유로 그저 이용을 당한 것뿐이었다.

"망할 여자 같으니!"

홍 여사를 향해 그는 뒤늦게 이를 갈았다.

아무것도 몰랐다지만 그런 여자의 딸과 선 자리를 주선한 미숙에게도 화가 나기는 마찬가지였다. 대체 그 바보 같은 여자를 어쩌면 좋단 말이냐. 소리를 칠 수도 없고 붙잡고 달달 흔들며 화를 낼 수도 없었다. 그녀는 겁이 많고 소심한 사람이라 금방 겁에 질려 도로 달아나 버릴 테니까. 혹은 구석진 곳에 혼자 숨어 엉엉 울어 버리거나.

"괜찮아, 아직은 괜찮아."

지끈거리는 머리를 꾹꾹 누르며 그는 잠시 호흡을 골랐다.

이 정도로 흔들릴 고은후가 아니었다. 그에겐 아직 인내심이 남아 있었다. 그때였다. 어딘지 다급한 느낌을 주는 전화벨이 울렸다. 받기도 전에 오싹 소름이 돋았다.

—큰오빠!

"은수니? 무슨 일이야?"

—할매가, 할매가 숨을 안 쉬어요. 빨리 오세요. 나 무서워 죽을 것 같아요. 으허허헝.

툭!

손에서 전화기가 떨어졌다. 질끈 눈이 감겼다. 끔찍하고도 기나긴 겨울의 시작을 알리는 순간이었다.

※ ※ ※

"파 골라내지 마세요."

국 위에 뜬 파를 슬쩍 건져 내자 미숙이 슬그머니 잔소리를 했다. 그러더니 상추에 싸인 고기완자를 아구아구 먹고 있는 은준에게 물었다.

"입에 맞으세요?"

"나쁘진 않습니다."

"다행이에요. 당근을 싫어하셔서 걱정했는데."

완자 속에다 당근을 갈아 넣었나 보다.

맛있다고 먹던 놈이 완자로 가져가던 손을 뚝 멈추었다. 아차 싶었는지 그런 녀석의 밥 위에 이번엔 감자전처럼 생긴 것을 하나 올려 준다.

"이건 뭡니까?"

"감자전이죠."

그녀가 태연하게 거짓말을 했다.

반은 감자고 반은 당근을 갈아 넣었으면서. 미심쩍어하면서도 넙죽 받아먹는 놈을 보다 은후는 몰래 웃었다. 처음, 같이 밥을 먹던 날의 풍경이 떠올랐다. 상황도 모르고 그저 제

동생이 울었다는 사실에만 집착하고 있던 놈이 그녀가 차린 밥상을 앞에 놓고 한동안 멍하니 굳었었다.

"오빠, 할매 생각나지?"

"응? ……음."

어릴 적 할머님이 해 주던 밥맛을 떠올리고 목이 잔뜩 멘 녀석에게 미숙은 늘 그렇듯 세심하게 시중을 들었다. 먹는 것을 유심히 보다 좋아하는 것을 밀어주고 맛난 것은 간혹 밥 위에 올려 주기도 하면서. 이후, 놈은 때때로 밥을 먹으러 찾아왔다.

그런 기나긴 겨울도 다 지나갔다.

할머님이 돌아가시는 것을 시작으로 집안엔 크고 작은 일이 이어졌지만 이미 훌쩍 떠나간 겨울과 함께 그것도 다 지난 일이 되어 버렸다.

겨울 동안 은수가 사막에서 남자를 주워 오더니 그 남자와 함께 독립을 선언했고, 아이 아빠가 된 은준이는 정식으로 후계자 수업을 받기 시작했다. 그리고 그는…… 꽤 바빴다.

"줄곧 따돌림을 당하고 계셨던 모양입니다. 연회 장소를 일부러 잘못된 곳으로 통보한다거나 혹은 외딴 자리에 소외시켜 놓고 옆에서 노골적으로 비웃은 적도 있다고 합니다."

"홍 여사는?"

"계속되는 자금 압박 때문인지 아직은 조용합니다. 어음 더 풀까요?"

"얼마나 되지?"

"300억입니다. 수표까지 포함하면 440억이 됩니다."

"모두 풀어."

순순히 고개를 끄덕이며 그는 결재 서류를 넘겼다.

겨울 동안에만 모두 7차례에 걸쳐 화성의 어음을 풀 정도로 그는 정신없이 보냈다. 오늘을 기점으로 그 바쁜 일이 대강 정리가 된 셈이었지만 한동안은 눈코 뜰 새가 없었더랬다.

"왕따라. 유치하군."

방금 보고받은 일을 떠올리며 그는 씁쓸하게 웃었다.

그녀는 점점 더 말라 가고 있었다. 무슨 이유인지 어느 순간부터 웃지도 않고 잘 먹지도 않더니 요즘은 혼자서 멍하니 앉아 있을 때가 많았다. 처음엔 집이 그리워 그러는 줄만 알았는데 아무래도 그게 전부는 아닌 것 같았다.

그도 모르는 사이 그녀의 주위에선 온갖 소문이 떠돌고 있었던 모양이다. 근거 없는 추측에서 비롯된 루머와 시기, 질투, 그리고 따돌림까지. 굳이 홍 여사의 개입이 없었더라도 충분히 괴로울 법한 상황이었다. 그런 것도 모르고 그는 화성과 싸우는 데 정신이 팔려서 그녀를 거의 방치해 두고 있었더랬다.

한 번은 은준의 집에 간다고 혼자 집을 나섰다가 길을 잃는 바람에 한바탕 난리가 난 적이 있었다. 어딘지도 모르는 곳에서 울고 있는 것을 동생이 찾아 데리고 왔기에 망정이지 안 그랬으면 길바닥에서 꼼짝없이 눈사람이 될 뻔했단다.

그 일로 충격을 받아서 그는 당장 그녀에게 차를 사 주고 기사도 붙여 주었다. 혹시 모르는 일이라 보디가드 겸 붙어 다니라고 재인을 붙여 주었는데 그럼에도 불구하고 그녀는 여전히 지하철을 타고 다닌다. 따돌림을 당하면서도 모임에 꼬박꼬박 참석하고 있었다. 미련할 정도로 고집스러운 여자였다.

"오늘은 뭘 심었지?"

그녀가 장독대 옆에 새로 만든 작은 텃밭을 보며 그가 물었다.

"상추랑 방울토마토예요."

"저건?"

"가지요."

텃밭을 만든 이후 미숙은 그나마 조금씩 생기를 되찾아 가고 있었다. 보약을 먹이고 그가 조금 더 신경을 쓰고 있어서 얼굴에 조금씩 살이 붙고 있는 중이었는데 그래도 아직은 한참 모자랐다. 얼른 살이 토실토실 올라야 본격적으로 아기 만들기에 돌입해 볼 텐데 말이다.

시간이 지날수록 은후는 그녀를 대하는 방법에 점점 더 익숙해지고 있었다.

아이를 다루듯 그저 부드럽고 다정하게 대하기 위해 애쓰는 중이었다. 아직은 그녀가 하는 일을 조금씩 거들거나 이야기를 들어 주는 수준이지만 그것만으로도 관계는 많이 부드러워졌다. 때때로 작은 스킨십은 통할 정도가 되었다.

그에 따라 그의 마음도 과일처럼 점점 더 익어 간다.

시간이 흐를수록 더 깊고 더 넓게 커져 가는 애정에 스스로도 깜짝 놀랄 때가 있었다.

"차~암 지극정성이십니다."

우인이 가차 없이 비꼬았다.

그깟 모임에 한 번 내보내자고 직접 인맥까지 동원해 식당을 예약해 주었다는 소식을 듣고 얼마나 웃었는지 모른다. 보기 좋아서가 아니라 어이가 없어서.

"그렇게 좋으십니까?"

"비웃는 거냐?"

"정성이 아까워서 그럽니다. 그 정성을 사업에 기울였으면 지금보다 두 배는 더 벌었을 건데 말입니다."

"그래서 네가 아직 장가를 못 간 거다."

"사장님 하시는 거 보니까 이젠 엄두도 안 납니다. 아무튼 보내 주신 도시락 잘 먹었다고 전해 주십시오. 굼벵이도 구르는 재주가 있다더니 맛있던데요?"

정말이다. 야근한다는 소리를 들었다며 오밀조밀 싸 보낸 도시락이 얼마나 맛있던지 그는 오랜만에 배가 부르도록 포식을 했다. 그리고 괜히 엄마가 생각나서 전화도 했다. 원래부터 짐승 같은 식성을 가진 재인이야 두말할 것도 없었고.

"사장님, 전화 좀 받아 보세요!"

무슨 일인지 깜짝 놀란 아주머니가 수화기를 들고 달려왔다.

"경찰서래요."

"네에?"

영문을 몰라 하다가 은후가 수화기를 받아 들었다. 그리고 곧 얼굴빛이 변해서는 외투만 찾아들고 뛰쳐나가는 거다.

"어디 가시는 겁니까?"

"경찰서. 윤 변에게 전화해. 가자."

패싸움이라는 소리에 은후는 정신이 다 나갈 지경이었다.

급하게 변호사 대동하고 부랴부랴 달려가 보니 헝클어진 머리에 판다처럼 멍든 얼굴을 한 미숙이 신발을 끌어안고 애심과 나란히 앉아 있었다.

"괜찮아?"

"죄, 죄송해요."

"패싸움이라. 육 대 이로?"

"그래도 우리가 이겼어요."

"쿡. 하하하하!"

이상한 일이었다.

맞아서 부은 얼굴이 안쓰러운 동시에 자꾸 웃음이 났다. 겁도 많은 사람이 거기서 싸울 용기를 내준 일이 기특하기도 하고, 이후로는 조금 더 용감해질 거라고 생각하니 벌써부터 기대가 되기도 했다. 뒤처리는 둘째 치고 싸워 이겼다는 사실도 아주 마음에 들었다. 때론 이런 일도 그리 나쁘지 않다는 생각이 들었다. 후유증으로 비록 하룻밤을 꼬박 앓긴 했지만 이 아픔 뒤에 그녀는 분명히 달라질 테니까.

"패싸움이라는 게 다 무슨 소립니까?"

끙끙 앓는 그녀의 곁에서 뜬눈으로 밤을 지새우고 난 다음 날이었다. 저녁 식사 약속을 다음으로 미루자고 전화를 했음에도 불구하고 소식을 들은 은준이 득달같이 달려왔다.

"벌써 들었냐?"

"벌써가 아니지, 벌써가. 우연히 거기 있던 우리 장모가 직접 보고 왔단 말입니다. 일단 소문이 퍼지는 걸 막기는 했는데 그게 진짜인지 확인은 해야 할 것 같아서 온 겁니다. 진짭니까?"

"음. 애심이랑 같이 육 대 이로 붙었단다."

"하! 그렇게 안 봤는데 그새 조금 용감해진 겁니까?"

"후후, 글쎄."

화를 내는 대신 흐뭇하게 웃자 은준의 눈이 오목해졌다.

"뭡니까, 그 웃음은? 뒷수습할 일이 걱정되지도 않아요?"

"별로."

"나 참, 용감한 건 형수가 아니라 형이라니까. 그나저나 저녁은 안 먹나?"

그냥 가기가 섭섭했는지 은준이 저녁 타령을 했다. 그래서 같이 서재를 나섰을 때였다.

"어, 어떻게 해요."

같이 온 제수씨가 안절부절못하는 얼굴로 다가왔다. 주방 쪽이 시끄러웠다.

"그래서 저더러 뭘 어쩌라는 말씀이신데요?"

"하, 이게 아직도 정신을 못 차렸네."

"제정신이면 이러고 버티고 있겠어? 이 집을 위해서 스스로 나가야겠다는 생각 같은 건 아예 안 하고 있는 모양인데?"

앙칼진 고함 소리가 주방을 넘어 거실에까지 쩌렁쩌렁 울려 퍼지고 있었다. 은후의 관자놀이에 핏대가 곤두섰다.

"무슨 일입니까?"

다짜고짜 들이닥쳐 소리치자 부산스러운 침묵이 내려앉았다.

아주머니들은 뻣뻣하게 고개를 세우고 있고 미숙은 눈물이 가득한 눈으로 그를 보고 있었다. 후두둑 떨어진 눈물이 뺨을 타고 흘러내렸다. 아픔과 분노, 그리고 체념이 뒤범벅되어 온통 젖은 얼굴로 그녀가 그 앞에서 힘없이 돌아섰다. 무너지기 일보 직전처럼 보여 저도 모르게 손이 나갔다.

툭!

뿌리치는 손길에서 감출 수 없는 절망과 분노가 회오리치고 있었다. 쏘아진 듯 다가가 은후는 온 힘을 다해 그녀를 낚아채 품에 끌어안았다.

"윤미숙!"

"놔! 놓으란 말이야!"

발작처럼 그녀가 울부짖었다.

벗어나기 위해 몸부림치며 그의 가슴을 두드리고 하늘이 온통 무너져 내리도록 통곡을 했다. 속에서 곪기만 하던 것이 드디어 터져 나왔다. 설움이 뚝뚝 떨어지는 눈물에 그의 마음도 덩달아 무너지는 것만 같았다.

"괜찮아, 다 괜찮아. 제발 울지 마. 응?"

소리치고 화를 내도 좋으니까 내 곁에서 해.

우는 것도, 슬퍼하는 것도 다 내 품에서만 해.

힘겨워하는 모습을 보면서도 그는 그녀를 놓아줄 수가 없었다. 처음이었다면 '그녀를 위해서' 라는 핑계라도 만들 수 있었을지 모르나 지금은 아니었다. 그녀가 없으면 안 된다. 그에게 그녀는 이제 절실했다.

미친 듯이 울면서 몸부림을 치다 그녀는 축 늘어졌다.

낯선 곳에 와 혼자서 내내 힘들었던 일과 생전 처음으로 겪은 패싸움의 후유증으로 인해 금방 탈진을 한 것이다. 황급히 자리에 눕히고 의사의 진료를 받았기에 망정이지 그냥 두었다면 쉽게 자리에서 일어날 수 없었을지도 몰랐다.

"흑!"

잠시 후 깨어난 그녀가 또 눈물을 보였다.

이번엔 자신으로 인해 그의 가슴팍에 남은 상처를 보고 아이처럼 엉엉 울었다. 그 모습에 가슴이 통째로 무너지는 것을 느끼고서야 은후는 깨달았다. 그녀를 지켜 주었어야 했다, 이렇게 되기 전에. 처음부터 지켜 주지 못한 스스로가 원망스러울 정도였다.

처음부터 사랑이었다.

이제껏 겪어 본 적이 없는, 그야말로 밑도 끝도 없는 감정

앞에 당황하면서도 기어이 그녀를 손에 넣은 이유가 무엇인가. 상처받고 서서히 말라 가는 모습을 보면서도 곁에 둔 이유가 무엇인가. 그녀를 진심으로 원하기 때문이 아니었나. 고은후는 윤미숙을 사랑한다. 이제는 그 사실을 인정하기로 했다.

"언제까지 여기서 지낼 생각이지?"

아직 아픈 몸으로 다시 주방 옆의 작은 방으로 돌아간 그녀를 향해 은후가 물었다.

언제부터인가 침대가 너무 넓게 느껴졌다. 옆구리가 허전하고 그녀의 온기가 그립기도 했다. 가뭄에 콩 나듯 아주 가끔씩만 그의 곁에서 잠드는 그녀가 싫다. 이제부터는 계속, 언제나 함께, 같이 잠들고 눈뜨면서 살고 싶었다. 부부다운 부부로 살고 팠다.

이제는 그럴 때가 되었다고 생각했다.

그녀가 마음을 열고 그를 받아들여 줄 그날만을 간절히 기다리고 있었다. 인내심의 한계를 느낄 때마다 그녀가 그의 품 안에서 눈뜨는 장면을 상상했었다. 밤새 사랑을 나누고 같은 꿈을 꾸는 그런 행복한 상상.

'이제 그만 내게로 와. 더 기다릴 수 있지만 당신 때문에 안 돼.'

쥐면 죽을 것 같고 놓으면 날아갈 것처럼 구는 모습만 보고 망설였지만 이제 더는 안 될 것 같았다.

기다리고 있는 그보다 훨씬 더 많이 지치고 아픈 그녀였다. 여기서 더 시간을 끈다면 그에게 오기도 전에 그녀가 먼저 무너져 내릴지도 몰랐다. 그는 그녀의 마음을 원하는 것이지 완전히 무너져 내린 끝에 텅 비어 버리기를 바라는 것이 아니었다.

"저, 저기 그게…… 안 그래도 계속 생각은 하고 있었는데…… 제, 제가 아직 준비가 안 되었어요. 정말 죄송하지만 며, 며칠만 기다려 주시면 안 될까요?"

대답 대신 은후는 그녀를 가만히 품에 안았다.

그 대답으로 충분했다. 온다고 했으니 그녀는 틀림없이 그에게로 올 것이다. 그 순간이 벌써부터 너무 그리웠다.

"고 사장! 나랑 이야기 좀 합시다. 응?"

"할 얘기 없습니다."

"그러지 말고 나 좀 보자니까, 이 사람아!"

일본 출장에서 돌아오는 길이었다.

예정보다 하루 일찍 도착했는데 어떻게 알았는지 화성의 박 회장이 공항에서 기다리고 있다가 막무가내로 들이대면서 달라붙었다. 급하긴 했는지 거의 필사적인 몸부림이었다.

"마누라가 실수한 거네."

억지로 마주 서기가 무섭게 대뜸 그 말부터 튀어나왔다.

"오해였네, 다 오해였어. 평소부터 탐을 내고 있기에 나도 무심코 사위 삼았으면 좋겠다고 했더니 그 사람이 오해하고 일을 벌인 거야. 모욕을 줄 생각은 아니었네."

“…….”

“우리가 이럴 사이는 아니지 않나. 혹시 그 일로 마음이 상했다면 내가 사과하겠네. 그러니까 그만 오해를 풀어, 이 사람아.”

마치 훈계하듯 이어지는 말에 은후는 단단히 입을 다물었다.

생각해 보면 참 어이가 없었다. 2차에 이어 마지막인 3차 부도를 코앞에 두고 있는 주제에 박 회장은 그를 아직도 ‘어린놈’ 취급하고 있었다. 어린놈이 그깟 자존심 좀 상했다고 발끈한 정도로 여기며 슬슬 달래 보려는 티가 역력했다. 그러나 그 어린놈에게도 눈이 있고 귀가 있었다.

이 일을 하면서 위기가 없었던 것은 아니었다.

이 자리에 오기까지 주위의 견제도 많았고 다소 미숙한 일 처리로 인해 소소한 사건사고는 숫제 끊이지도 않았었다. 친구도 없고 적도 없는 상황이었다가 금방 사방이 적으로 둘러싸이기도 했다. 자금이 모인다는 정보가 퍼지면서 재계의 공격이 시작되고 정계의 회유가 쏟아졌다. 그 속에서 혼자 꿋꿋하게 성장한 그였다. 그 모든 일을 거쳐 제대로 자리를 잡은 지 아직 3년도 되지 않았지만 그래도 보고 듣고 배울 건 다 배웠다.

동생인 은준이 결혼과 동시에 그룹의 후계자로 자리 잡고 막내 은수까지 거부와 결혼했다는 소문이 퍼지기 시작한 이후 그의 자금력을 노리는 곳이 기하급수적으로 늘어났다는 것도 안다. 화성도 그중 하나였다. 평소부터 그를 사위로 삼고 싶었다는 박 회장의 말은 어쩌면 진실일지도 몰랐다. 진실이되, 다만 그의 자금력을 이용할 수 있는 허수아비 같은 사위이기를 바랐을 것이다.

꾸준히 물밑 작업을 하고 틈을 노리고 있었다는 것도 안다.

그전까지는 도무지 허점이 보이지 않아 앞으로 나서지 못했을 것이다. 사위로 삼았으면 좋겠지만 워낙 무심해 보이니 들이댈 엄두도 나지 않았을 테지. 그러다 그가 전혀 예상외의 인물과 결혼을 하는 순간 마침내 구멍을 발견했다고 여겼을 터였다.

소문으로 떠도는 말들처럼 그가 마음에도 없는 결혼을 한 거라고 생각했을지도 모른다. 그래서 자신의 딸을 들이대어 어떻게든 엮어 보려 했던 것이고. 소문이 틀린 것이라고 해도 상관은 없었다. 진심이라면, 그땐 미숙은 그의 약점이 되어 발목을 잡을 게 분명했으니까. 적어도 박 회장의 생각은 그랬을 것이다.

"집사람도 자네 안사람과 따로 자리를 마련하겠다고 했네. 진심으로 사과하겠다고 했어."

"그렇습니까?"

"그렇다니까. 그러니 우리 어디 가서 얘기 좀 하세. 으응?"

살살 구슬리면서 하는 말에 은후는 그저 픽 웃었다.

돈을 빼앗기 위해 어린아이에게 사탕을 쥐어 주는 나쁜 어른 노릇과 별로 다르지 않아 보이는 모습이었다. 그의 교만함에 은후는 벌써 질려 버릴 것만 같았다.

"그런데 이번엔 무슨 카드를 내놓을 생각이십니까?"

"그, 그거야……."

"또 따님이랑 같이 오신 건 아니겠고."

"크험."

"아무래도 따님의 가치를 꽤 높게 책정하신 것 같습니다."

수치심에 그가 희미하게 얼굴을 붉혔다.

"박 회장님, 이번 일을 단순한 실수로 치부하고 싶으신 마음 압니다. 고작 그런 일로 쓸데없는 역정을 내고 있다고 여기실 수도 있습니다."

"아니란 말인가?"

"아주 틀린 말이라고는 하지 않겠습니다. 맞습니다. 저 지금 자존심이 상해서 화를 내고 있는 중입니다. 그래서…… 본보기가 되어 주셔야겠습니다."

"본보기?"

"네. 여기저기에서 들쑤시는 게 너무 피곤해서 말입니다. 한 번 본을 보여 두면 적어도 이후로 대놓고 들이대는 멍청한 것들은 없어질 테니까. 사냥하기도 좋아질 겁니다. 천하의 화성을 무너뜨렸으니 어지간한 기업은 더 쉬울 것 아니겠습니까?"

"자, 자네 무서운 사람이었군."

"누가 아니라고 했습니까?"

은후는 가볍게 웃었다.

"버틸 수 있을 때까지 버텨 보십시오. 그리고 제 아내에게 사과하실 필요는 없습니다. 그 사람도 화성의 소식 정도는 간간이 듣고 있으니까."

멍하니 굳어 있는 박 회장을 두고 그는 망설임 없이 돌아섰다.

유감스럽지만 그는 보이는 것만큼 그리 착하고 바른 놈이 되지 못했다. 받은 건 반드시 되갚아 주는 독한 근성을 가졌다. 그러지 않았다면 애초에 여기까지 오지도 못했을 것이다.

"살살 좀 하시지 그러셨습니까? 이제 곧 빈털터리가 되어 홀로 서야 하는 분께."

같이 돌아온 우인이 졸린 눈으로 혀를 찼다.

"하룻밤 더 자고 왔으면 좋았을 텐데. 꼭 이러셔야 했습니까?"

"아내가 집에 혼자 있다."

"그래서 누가 훔쳐 갈까 봐 이 밤에 비행기를 타게 한 거란 말입니까?"

"……."

"진짜 그런 겁니까? 아, 심각하네."

놀리고 싶다는 표정을 굳이 감추지도 않고 우인이 입가를 실룩였다. 차를 타고 오는 내내 팔불출이 어쩌고, 의처증이 저쩌고 하면서 끊임없이 떠들었다. 그러더니 집 앞에 도착하자마자 말했다.

"즐거운 시간 보내십시오. 오늘 밤에 조카가 만들어질 거라고 믿겠습니다."

글쎄, 그랬으면 오죽 좋겠느냔 말이다.

며칠만 더 기다려 달라는 말만 해 놓고 미숙은 아직 별말이 없었다. 그가 출장을 떠나던 날조차도 기어이 그 작은 방에서 혼자 잠들었다. 억한 심정에 그 방을 없애 버릴까 진지하게 고민까지 해 봤다. 보나마나 오늘 밤도 그녀는 그 좁은 방의 한쪽에서 잔뜩 웅크린 채 잠들어 있을 것이었다.

"음?"

집 안으로 들어서기가 무섭게 그녀가 있는 방문부터 열어 보았다. 그런데 어쩐 일인지 텅 비어 있는 게 아닌가.

"어딜 간 거지?"

잠시 귀를 기울였지만 화장실 쪽도 조용하고 거실에도 인기척이 없었다. 순간 마음이 다급해지기 시작했다. 혹시 은수에게 간 것일까? 아직 한 번도 자고 오는 일은 없었지만 가까운 곳이니 그럴 수도 있겠다 싶었다. 연락을 해 보아야겠다는 생각을 하며 그는 허겁지겁 침실로 들어섰다.

"으응."

"……!"

그의 침대 위에 희끄무레한 동체가 누워 있었다.

멍하니 서서 그는 잠시 시선을 모았다. 창으로 새어 들어오는 달빛을 받아 부옇게 빛나는 몸뚱이의 주인은 분명히 미숙이었다. 속이 훤히 다 보이는 얇은 슬립 차림에 늘씬하게 뻗은 다리가 아찔했다.

꿀꺽.

저도 모르게 마른침을 삼키며 그는 긴장으로 몸을 굳혔다.

잠든 줄 알았던 그녀가 가만히 눈을 뜨고 그를 바라보고 있었다. 순간 코끝으로 진한 장미향이 스치고 지나갔다. 그리고 그녀가 배시시 웃었다.

그 웃음 하나에 숨이 멎었다.

"뭐, 뭐하는 거지?"

살짝 벌어진 다리 사이를 집요하게 바라보다 그는 조금 더 듬거렸다. 혹시 오늘일까? 드디어 내게로 온 것인가? 기대감으로 벌써부터 몸이 부들부들 떨렸다.

"……결정을 내린 건가?"

홀린 듯 천천히 다가가면서 그가 물었다.

"이러는 건 역시 그런 뜻이겠지?"

그의 물음에 그녀는 대답 대신 귀엽게 해죽 웃더니 슬그머니 모로 돌아누우며 한 손으로 옆자리를 토닥토닥 두드려 보였다. 아슬아슬하게 걸려 있던 어깨끈이 슥 내려가면서 아담한 가슴이 드러났다.

흡! 눈이 번쩍 뜨였다. 가슴이, 아랫도리가 마치 폭발하듯 두근거리고 있었다.

"으음. 좋지 않아, 나를 지나치게 자극하는 건."

앓듯이 얘기하며 은후는 스르르 넥타이를 풀어 던졌다.

"넌 가만히 있어도 언제나 나를 달아오르게 하니까. 손짓 하나, 눈빛 하나만으로도 나를 죽게 하지."

그녀의 눈빛 하나만으로도 그는 언제나 가슴이 떨렸다.

까만 양복 재킷을 벗어 던졌다. 그리고 거의 동시에 그는 한쪽 무릎을 꿇으며 허리를 굽혀 침대 위에 아무렇게나 늘어져 있는 그녀의 발목을 잡았다. 진짜다, 진짜 윤미숙이었다. 확인하는 순간, 울컥 감동이 밀려왔다.

"처음부터 이렇게 될 줄 알았어."

떨리는 손으로 그녀의 발목 안쪽을 쓰다듬으며 그가 고백했다.

그녀가 그의 마음을 알아주었다. 그간의 외로움을 이제는 보상받을 수 있다고 생각하니 가슴 가득 환희가 들어찼다.

"기뻐!"

벅찬 가슴으로 외치며 그는 그녀의 여린 발목을 꽉 움켜쥐었다.

안쪽의 여린 살에 진하게 입을 맞추고 그 부드러운 느낌을 만끽하다 곧 그녀의 몸을 덮쳐 갔다. 발목부터 종아리를 지나 허벅지까지 꽃잎처럼 붉은 입술 자국을 찍으면서 속삭였다.

"이젠 달아나지 못해."

"헉!"

"내가 잡았어."

흥분에 겨워 목소리가 거칠게 갈라졌다.

조금 다급한 심정이 되어 그는 그녀를 덮쳐누른 채 성급하게 몸을 더듬었다. 하얗게 드러난 다리를 쓰다듬고 골반을 지나 위로 손을 뻗어 아담한 가슴을 꽉 움켜쥐는 동시에 예민한 허벅지살을 입에 물었다. 물고기처럼 펄떡이는 그녀를 누른 채 그는 양껏 호사를 누렸다.

눈앞에 두고도 내내 만지지 못했던 아쉬움이 한꺼번에 터져 나오는 것만 같았다.

손을 뻗어 입고 있는 야한 잠옷을 걷어 올리고 앙증맞은 팬티를 잡았다. 그것을 제대로 벗겨 낼 정신도 없어서 대강 찢어 낸 다음 다리를 넓게 벌리고 그 사이를 더듬었다. 수줍게 드러난 그녀의 소중한 곳이 바로 눈앞에 있었다.

꿀꺽.

목이 탄다. 어쩐지 눈을 뗄 수가 없어서 홀린 듯 한참이나 보다가 그는 천천히 그 자리에 입술을 가져갔다. 여린 꽃봉오리를 담뿍 입에 물었다.

"아흣!"

예민한 곳에 혀가 닿자 그녀의 입에서 억눌린 신음이 흘러나왔다.

머리털이 쭈뼛 곤두설 정도로 야한 목소리였다. 짧게 끊어지는 그녀의 숨결과 은어처럼 펄떡이는 몸이 뜨거웠다. 자극받은 그가 더 깊은 곳을 핥으며 그 자리에 손가락을 집어넣었다.

"헉!"

"음. 미안, 더 못 참겠어."

미친 듯이 조여 오는 힘에 압도당한 채 그는 조금 헐떡였다.

허겁지겁 옷을 벗어 던지고 그녀를 덮쳐누르며 깊숙이 입을 맞추었다. 달콤하다. 그녀의 혀에서 달콤한 향기가 진동을 하고 있었다. 우윳빛 살결에서는 진한 장미향이 풍기더니 혀끝에서는 달달한 과일 맛이 났다. 그 향기에 취할 것만 같았다.

이미 흥분으로 달아올라 끊어질 듯 아파 오는 남성이 당장이라도 그녀의 은밀한 곳으로 파고 들어갈 듯 사납게 꿈틀거렸다. 그에 버둥거리는 그녀를 꽉 끌어안고 그는 아랫도리에 힘을 주었다. 손으로 더듬어 자리를 잡은 다음 조금 좁은 듯한 그녀의 여성을 활짝 열어젖혔다.

"아악!"

"윽!"

"으흑!"

그녀의 입에서 뾰족한 비명이 새어 나왔다.

끝까지 다 넣지도 못한 채 그는 무섭게 조여드는 힘 앞에서 부들부들 몸을 떨었다. 전혀 예상도 못한 일이었다. 놀라서 보니 벌써부터 벌선 핏물이 보였다.

"이, 이런!"

"아파아."

"처음이었나? 왜 말을…… 윽, 힘을 빼. 괜찮아, 곧 괜찮아질 거야. 그러니까…… 음, 울지 마.”

믿을 수가 없었다.

결혼 전에 만나던 애인이 있다는 사실을 알고 있었기 때문에 설마하니 처음일 줄은 몰랐었다. 그녀의 첫 남자가 되는 행운은 기대도 하지 못했었는데……. 당혹스러움과 뿌듯한 환희가 숨 가쁘게 교차했다.

“미안, 내가 너무 흥분했어. 조심할게. 천천히 할게.”

식은땀을 뻘뻘 흘리며 그는 고통스럽게 바르작거리는 그녀를 살살 달래 보았다. 부드럽게 몸을 쓰다듬고 다시 애무를 퍼부으며 최대한 느린 움직임으로 뿌리 끝까지 밀어 넣었다. 그의 손길을 느낀 듯 그녀가 팔을 뻗어 마주 안아 왔다. 기쁨에 떨며 그는 비로소 천천히 허리를 퉁겨 올릴 수 있었다.

“앗! 흐흑.”

짜릿한 쾌감이 불같이 일어나 아래로 몰렸다.

조금 더 속도를 높이면서 그는 입술로 부드럽게 그녀의 가슴을 빨았다. 커다란 손으로 등과 허리를 쓰다듬다가 그녀가 방울방울 흘려 내는 진주 같은 눈물을 핥았다. 그렇게 고통스러워하면서도 마주 안은 팔을 풀지 않고 그를 받아 내고 있는 그녀가 미치도록 사랑스러웠다.

“예쁘다.”

“아아!”

끊어질 듯 가늘게 이어지는 신음 소리가 귀를 자극하고 있었다.

쾌락에 겨워 그는 조금 더 강하게 허리를 비틀었다. 그녀를 생각해 최대한 부드럽게 이어 가던 움직임이 점점 더 빠르고 강하게 변해 갔다.

"으음, 미안. 조금만 견뎌 줘. 빨리 끝낼게."

"아악!"

울부짖는 그녀를 끌어안고 그는 그녀의 안으로 더 깊이 파고들었다. 미친 듯이 허리가 흔들렸다. 격렬한 자극으로 인해 보다 더 강한 쾌감이 밀물처럼 그를 덮쳐 오고 있었다.

"아앗!"

"음!"

후끈한 불덩이가 안에서부터 솟구치는 느낌에 전율하며 그는 그녀를 꽉 끌어안고 무섭게 몸을 굳혔다. 맞닿은 예민한 곳으로 뜨거운 열기가 훅 빠져나가는 느낌과 함께 눈앞이 까맣게 어두워졌다. 그에 짐승처럼 신음하며 은후는 마치 유성인 듯 그녀의 몸 위로 추락하고 말았다.

"후우, 후우. 미치겠다. 왜 이렇게 예쁘지?"

분홍빛으로 달아오른 채 그녀가 가느다란 숨결을 내쉬며 그의 품에 얼굴을 박았다. 그 모습이 너무 예뻐서 그는 거의 숨이 멎을 것만 같았다. 심장이 무섭게 달음박질을 친다. 가슴 가득 기쁨이 차올라 파도처럼 출렁거리고 있었다. 감동마저 느끼며 그는 그녀의 얼굴에 키스를 퍼부었다. 까무룩 잠든 그녀를 안고 울먹이면서 고백했다.

"사랑해!"

이 여자를 사랑한다.

사랑해서 마음에 담았고 인내하며 기다렸다. 시시때때로 엄습하던 불안감 따위는 더 이상 없었다. 이제 그녀는 언제나 그의 곁에 머물러 줄 것이다. 고은후가 마침내 윤미숙을 가졌다.

번외

하루

아직 시푸른 새벽이었다.

출장에서 돌아와 조금 늦게 잠자리에 들었는데 무슨 이유인지 평소보다 이른 시간에 잠이 깼다. 시계를 찾아보니 역시 일어나기엔 이르고 다시 잠들기엔 약간 늦은 시간이었다. 조금 꿈지럭거리다 반듯하게 돌아누우며 그는 작게 기지개를 켜 보았다. 다행히 그리 피곤한 상태는 아니었다. 비행기를 타고 오는 내내 자서 그런지 피곤한 건 모르겠는데 그렇다고 아주 개운하지도 않았다. 괜히 몸 한구석이 근질거리는 느낌도 드는 것이…….

개운치 않은 몸 상태에 희미한 불만을 느끼며 그는 슬쩍 곁을 돌아보았다.

분명히 그의 품에 코를 박고 잠들었던 미숙이 어느새 침대

끄트머리까지 굴러가 있었다. 어느 틈에 저기까지 굴러간 건가. 멀찍이 떨어져 이불을 품에 꼭 끌어안고 아기처럼 동그랗게 몸을 만 채 곤히 잠들어 있는 모습을 보자 저도 모르게 한숨이 터져 나왔다.

날이면 날마다 열심히 안고 자는 정성도 몰라주고, 떨어지면 허전한 심정도 몰라주고, 그녀는 아직도 그의 품 안에서 잠드는 일을 귀찮아하고(?) 있었다. 말로는 평생 혼자 자 버릇해서 그런 거라고 하는데 그리 믿음이 가는 말은 아니었다. 누군들 처음부터 옆구리에 여자를 붙여 놓고 살았느냐 말이다.

'작은 침대로 바꿔야 하나.'

조금 심술이 난 얼굴로 그는 팔을 뻗어 그녀의 허리를 낚아챘다.

힘을 주기가 무섭게 아담하고 따스한 몸뚱이가 품 안으로 홱 딸려왔다. 동시에 근질거리던 몸 한쪽이 급작스러운 만족감으로 인해 그득하게 차오르는 것이 느껴졌다.

"으음."

나직한 신음이 터져 나왔다.

이거였나? 벌써부터 와글거리는 심장 아래와 빠르게 묵직해지는 아랫도리를 느끼며 그는 또 한숨을 내쉬었다. 언제 심술이 났었나 싶게 금방 좋아 날뛰는 스스로가 너무 한심해서, 그리고 역시 품 안의 이 여자가 너무 좋아서.

훈훈해진 기분으로 그는 느긋하게 그녀의 목덜미에 코를

박았다.

향긋하게 맴도는 그녀만의 온유향을 깊이 들이마시자 그 새 취할 듯 희미한 현기증이 몰려왔다. 그에 소리 없이 웃으며 그는 성급하게 이를 드러내고 그녀의 여린 살을 살짝 깨물었다. 솜털이 보송한 목덜미를 깨물어 잇자국을 내는 동안 손은 슬금슬금 아래로 내려가 그녀의 풍만한 가슴과 부드러운 허벅지 안쪽을 더듬고 있었다. 따스하고 탄력 있는 속살이 손에 착 달라붙었다.

생각해 보니 자그마치 일주일 만이었다.

출장 가 있는 내내 안지 못한 건 물론이고 어젠 늦게 도착하는 바람에 그녀의 깨어 있는 얼굴도 보지 못했다. 결국은 욕구불만이라는 얘기였다. 눈에 안 보일 땐 참을 만하더니 곁에 있다는 생각을 하자 잠결에도 근질거릴 만큼 몸이 달았던 것이다.

"뭐하는 거예요?"

잠옷을 밀어내고 오뚝 곤두선 분홍빛 젖꼭지를 입에 무는 순간 그녀가 눈도 안 뜨고 물었다.

아직 잠이 덜 깬 듯 목소리가 푹 잠겨 있고 바르작거리며 밀어내는 몸짓엔 힘이 한 톨도 들어가지 않았다. 그에 은후는 성급하게 몸을 겹치면서 냉큼 입을 맞췄다. 혀를 밀어 넣어 구석구석까지 샅샅이 맛을 본 후 느긋하게 말했다.

"좋은 일."

"누구한테 좋은 일인데요?"

"음, 우리 아기."

"아기요?"

"응. 지금 생길 거니까."

내가 지금 누구를 위하여 종은 울리냐고 물은 거요, 고 사장?

생뚱맞은 대답에 미숙은 잠결에도 살짝 인상을 썼다.

그녀를 위한 일은 아니고 고 사장 본인에게 좋은 일도 아닌, 아직 생기지도 않은 아기에게 좋은 일이라니. 차라리 '지구의 평화를 위해서 우리는 지금 당장 응응을 해야만 한다.'라는 말이 더 설득력 있게 들리겠다. 그러면 적어도—그의 말대로라면—오늘 생겨날 예정이었던(?) 아기에게 죄책감을 느끼는 일은 없을 것 아닌가.

"안 돼요."

"음?"

단호한 말에 벌써 잠옷을 밀어내고 가슴을 희롱하던 그가 한 대 맞은 듯 뚝 움직임을 멈추었다. 그러곤 천천히 고개를 들더니 불만스러운 기색이 가득한 얼굴로 그녀를 바라보았다.

"안 돼?"

"안 돼요."

간신히 눈을 뜬 미숙이 조심스럽지만 역시나 냉정한 태도로 고개를 저었다.

"오늘 선생님 모시고 공부하는 날이란 말이에요. 그리고 저녁엔 초대받은 모임도 있잖아요."

"……."

"그렇게 바라봐도 소용없어요, 뭐."

"음, 저녁 모임 부부동반이잖아. 내가 도와줄게."

그러니까 건드리지 않는 게 도와주는 거란 말이오, 고 사장.

포기를 모르고 또다시 허벅지 사이로 숨어드는 손을 밀어내며 미숙이 앙탈을 부렸다. 출장 떠나 있던 일주일간 금욕 아닌 금욕을 한 사람이니 어지간하면 받아 줄 만도 했지만 그거야 사정을 모르는 사람들이나 할 수 있는 소리였다.

몸매 좋고 체력도 좋지만 좋은 체력만큼 강하고 욕심도 많은 고 사장.

그런 고 사장이 요즘 한창 물이 올라 있었다. 일단 시작하면 꼼꼼하고 세심한 애무와 함께 스스로 만족할 만큼 즐기고 나서야 어렵게 손을 떼고, 수컷 본능이 치솟는 날엔 별다른 애무 없이도 밤을 하얗게 불태우는가 하면, 어쩌다 짧은 시간을 가지는 날엔 움직임이 유독 거칠기도 했다. 덕분에 그와 밤을 보내고 난 다음 날은 하루 종일 약 먹은 병아리처럼 비실대기 일쑤였다.

신혼 땐 다 그런 거라고도 하고 그동안 참아 온 게 있으니 한동안은 봐줘야 한다는 말도 들었지만 그것도 다 체력이 받쳐 줄 때나 할 수 있는 일이었다.

솔직히 이제까지 농사짓고 집안일에 직장까지 다니면서

살아온 미숙이라 체력 하나만큼은 나름대로 자신 있다고 여겼었다. 실제로 하루 종일 집안일에 텃밭도 가꾸고 숱한 바깥 모임을 다녔어도 감기몸살 한 번 안 걸리고 까딱없이 잘만 지내 왔다. 패싸움 끝에 앓아누운 슬픈 역사만 빼고 말이다.

그랬는데 응응은 체력으로 하는 게 아닌지 고 사장에게 안기고 나면 꼭 몸살 아닌 몸살이 찾아와서 그녀를 괴롭게 하는 것이다.

"공부는 내일 하지."

쉽게 포기가 안 되는지 그가 다시 가슴을 만지작거리며 넌지시 제안했다.

"차라리 과외 관두고 영어는 나랑 공부할까?"

"바쁘면서. 출장도 자주 다니면서 그게 가능하단 말이에요?"

"……내일 해."

"안 된다니까요? 내일은 요리교실 모임에서 밥 퍼 주는 봉사활동을 하러 간대요. 그리고 오늘은 할 일이 많고요. 저녁 모임 때문에 미용실도 가야 하고. 그러니까 좀 봐줘요. 응?"

팬티를 잡고 슬금슬금 내려가던 손이 중간에서 딱 잡혔다.

"끄응."

미치겠다.

이미 달아올랐는데, 그동안 못해서 쌓인 것들이 한꺼번에 밀고 올라올 기세인데 그걸 다 눌러 참으라고? 더구나 내일도 바쁘단다. 그럼 밤에도 못한다는 소리가 아닌가. 아무리 봐도 대책 없이 용감한 여자였다. 이 여자는 남자를 말려 죽이고도 아무것도 모른다는 듯 눈을 말갛게 뜨고 바라볼 게 틀림없었다. 이럴 줄 알았다면 그냥 밤에 깨워서라도 해 버릴걸.

"나도 안 돼."

"그, 그럼 어떻게 하라고요."

"한 번은 양보해. 지금, 아니면 밤."

갈등이 찾아왔다.

지금 하면 짧고 굵게 끝나는 대신 하루 종일 꾸벅거리느라 공부는 물 건너갈 것이고 삐걱거리는 몸으로 저녁 모임까지 컨디션을 유지할 자신도 없었다. 그렇다고 밤에 하자니 기세로 보아 쉽게 끝내 주지 않을 것 같아 벌써부터 걱정이 몰려왔다. 밤새 시달리고 나면 내일 일은 또 어쩐단 말인가.

고민하는 사이 그의 시선이 점점 더 달아오르는가 싶더니 돌연 와락 덮치면서 성질이 잔뜩 난 아랫도리를 허벅지 사이로 바짝 밀어붙였다. 그에 다급해진 미숙이 비명처럼 소리쳤다.

"바, 밤이요!"

"후욱, 후욱."

"밤에 해요, 밤에. 네?"

"끄응. 젠장."

'고지가 바로 저긴데!' 라고 소리치듯 그가 굉장한 신음 소리와 함께 무너졌다.

그 모습을 보자 혼자만 살자고 급한 사람을 밀어 죽인 것만 같아 희미한 죄책감이 들었다. 달아오른 몸을 가라앉히지 못해 끙끙대는 사람을 두고 튀자니 더 그랬다.

"오늘밤이야. 약속했어."

슬그머니 일어나 후다닥 튀는 미숙을 향해 그가 이를 악물고 으르렁거렸다. 그러자 그냥 튀는 게 미안했는지 그녀가 문밖에서 얼굴만 쏙 들이밀고 조그맣게 속삭였다.

"사랑해요."

거짓말.

사랑하는데 어떻게 이 꼴을 만들어 놓고 튀나. 이뿐이면 말을 안 한다. 일주일이나 떨어져 있는 동안 미숙은 먼저 전화도 안 하고 보고 싶었다는 말도 한마디 안 해 줬다. 여느 여자들 같으면 하루에도 수십 번씩 전화를 하거나 문자를 보내느라 지문이 다 닳을 텐데 말이다. 오죽하면 요즘 연애를 한답시고 하루 종일 전화통을 붙잡고 사는 재인이 다 부러울까.

"사랑이 다 뭐야."

찬물에 몸을 맡긴 채 그는 조금 회의적으로 중얼거렸다.

말로는 사랑한다, 좋아한다고 듣기 좋게 잘도 재잘거리지만 하는 행동을 놓고 보면 어쩐지 그게 아닌 것도 같았다. 여전히 그를 꼼꼼하게 챙기고 안에서나 밖에서나 이젠 제법 아내 노릇도 잘하고 있긴 한데, 어쩐지 그것만으로는 충분치 않은 느낌이었다. 가슴을 채우기엔 뭔가가, 무언가가 2% 부족했다.

그 모자란 2% 때문에 그는 그녀를 곁에 두고도 때때로 불안해하는 스스로를 발견하곤 한다. 그럴 때마다 기분이 얼마나 비참해지는지 그녀는 죽었다 깨어나도 모를 것이다. 오늘 아침처럼 그녀에게 거부당한 날엔 더더욱. 이런 때에 아기라도 생겨 준다면 얼마나 좋을까.

동생 은준에겐 벌써 둘째까지 생겨 나올 날만 하루하루 기다리고 있는데 그에게는 둘은커녕 하나도 없다고 생각하자 울컥 분노가 치솟았다. 말은 안 했지만 마치 제게로 왔어야 할 아기를 빼앗기기라도 한 듯 깊은 상실감마저 느꼈었다.

'아기 낳는 약이 있다던데.'

언젠가 은준이 슬그머니 꺼낸 말이 떠올랐다.

한의원보다는 병원을 더 믿는 편이었지만 솔직히 그 말엔 귀가 솔깃했던 게 사실이었다. 물론, 약을 먹어야 하는 건 그가 아니라 미숙이고. 체력은 물론이고 정력까지, 그야말로 총체적인 난국에 빠진 그녀니까. 요는, 어떻게 먹이느냐 하는 것이다.

옷을 입고 나오면서 그는 한 박사에게 전화를 걸었다.

생각을 했다면 당장 해치우는 게 좋았다. 먹이는 방법이야 나중에 생각하면 된다.

—여자한테는 기가 막힌 약이지, 그게. 진짜 좋은데, 여자한테 참 좋은데 직접 말하기도 그렇고 뭐라 콕 집어 표현할

말이 없어.

오호, 정말로 그런 약이 있단다. 혹시나 싶어서 물었다.

"혹시 정력제 성분이 들어가는 건……."

—음양곽이라고 따로 약재가 있지. 넣어 줄까?

"……듬뿍 넣어 주십시오."

저도 모르게 넙죽 고개를 끄덕였다.

조금 피곤해 보이는 얼굴로 밥상을 차리고 있는 미숙을 보자 역시 먹여야겠다는 확고한 신념마저 들었다. 물론, 성분에 대한 건 비밀이다.

"바빠서 먹을 시간이 없대."

"그런다고 그냥 가져오니? 다시 싸 줄 테니까 오늘도 한번 가 봐."

"어우, 싫어! 보나마나 면박이나 당하고 올 텐데 그 짓을 또 하라고?"

"그럼 네 오빠 계속 굶고 다니게 놔둘까?"

지레 겁먹고 발을 빼는 미주를 향해 미숙이 인상을 콱 써 보였다.

한 달에 한 번 얼굴을 보여 줄까 말까 한 미준이 때문에 걱정만 하다가 모처럼 특별식을 만들어 미주 손에 들려 보냈더니 이 철딱서니 없는 막내는 '바빠. 먹을 시간 없어.'라는 제 오빠의 한마디에 음식을 그냥 도로 들고 왔단다. 그러면서 하는 말이 또 가관이었다.

"굶는 것 아냐. 먹긴 먹는댔어. 너무 바빠서 아무 때나 시간 날 때 후딱 해치우긴 하지만 아주 굶지는 않는대."

"그걸 지금 말이라고 해?"

"억지로 줘 봤자 먹을 시간이 없다는 걸 어떻게 해. 정 의심되면 언니가 직접 가져가서 얘기해 봐. 내 말이 진짜인지 아닌지."

말문이 막혔다.

몰랐는데 레지던트라는 게 밥도 못 먹고 다닐 만큼 바쁜 직업이었나 보다. 인턴 때는 더해서 밥보다 잠이 더 고프다고 했었는데 지금 보니 그런 사정은 별로 달라진 것이 없어 보였다. 속이 상했다.

"무슨 일이지?"

은후가 식당으로 들어서면서 울상을 짓고 있는 그녀를 향해 물었다.

"별것 아니에요."

"말해 봐."

"미준 오빠 때문에 그런대요. 요즘 바쁘다고 잠도 제대로 못 자 가면서 일만 하고 있거든요. 집은 만날 비어 있고 맛난 것 가지고 병원에 찾아가도 먹을 시간이 없다고 그러고요."

이때다 싶었는지 미주가 냉큼 사실을 고해바쳤다.

봄부터 같이 지내기 시작한 처제는 그의 여동생인 은수보다 더 어려서 정말로 집안의 막내가 되었다. 낯가림을 하는 미숙과 달리 성격도 서글서글하고 붙임성이 좋아 그의 동생들에게도 마치 친형제 대하듯 언니, 오빠라고 부르며 곧잘 따랐다.

물론 그녀가 가장 잘 따르는 건 바로 그였다. 제 언니에게는 가끔 반항을 하면서도 그에겐 언제나 깍듯한 것이, 그의 말에 토를 다는 일을 아직 단 한 번도 본 적이 없었다. 거기에 애교도 많아서 어쩌다 용돈이라도 주는 날엔 '역시 형부밖에 없어요.'라고 하며 엄지손가락을 치켜세우기도 했다. 덕분에 어떤 때엔 처제가 아니라 딸처럼 느껴질 때도 있었다. 하긴, 그만큼 어리기도 하니까.

"지난번에 봤을 때 얼굴이 반쪽이 되어 있었단 말이에요."

그의 시선을 받은 미숙이 시무룩한 얼굴로 마치 변명처럼 중얼거렸다.

"애써 보낸 건데 바쁘다고 풀어 보지도 않고 그냥 돌려보냈대요. 나는 걱정돼 죽겠는데. 나쁜 자식 같으니라고."

"그럼 내가 가져가 볼까?"

"어? 정말요?"

"에에, 형부가요?"

정말 의외였는지 두 여자가 동시에 눈을 똥그랗게 뜨고 바라보았다.

"바, 바쁘잖아요."

"형부, 너무 무리하시는 거 아니에요?"

"별로. 어쩔까? 내가 가?"

"그, 그래 주면 고맙지만요. 출장 다녀와서 피곤할 텐데 정말 괜찮겠어요?"

"그 정도는 괜찮아."

정말 괜찮다. 다만 공짜가 아닐 뿐이다.

음흉한 속셈을 감춘 채 그가 너그럽게 고개를 끄덕였다. 이 일에 대한 대가는 물론 그가 주문한 약을 착실하게 먹어주는 것으로 치르게 할 셈이었다. 한 박사의 장담처럼 약발이 잘 듣는다면 올해가 가기 전에 바라던 것을 얻을 수 있을 것이다.

"정말 이래도 되는지 모르겠어요."

조그만 통들이 차곡차곡 채워진 큼직한 쇼핑백을 건네주며 미숙이 어렵사리 말했다.

못 미더운 건 아닌데 괜히 걱정이 되어서 미칠 것 같았다. 마치 호랑이에게 강아지 밥 주는 일을 시킨 듯한 느낌이랄까. 그런 느낌은 그가 쇼핑백을 받아 드는 순간 절정으로 치솟았다. 아무래도 잘못 생각한 게 틀림없었다.

"아, 안 되겠어요. 그냥 제가 갈까 봐요."

"왜?"

"그게…… 그냥요."

쇼핑백을 들고 있는 모습이 무섭게 안 어울린다고 어찌 감히 고백하리오.

뭐라 딱 집어 표현할 순 없지만 역시나 미묘하게 거슬리는 어색함이 허파를 푹 찔렀다. 검은 양복을 반듯하게 차려입은 고 사장이 알록달록한 쇼핑백을 들고 있는 모습을 보자 반들반들한 옥돌에 흠집을 내었을 때처럼 낯선 긴장감과 함께 죄책감이 몰려왔다.

안 어울려도 너무 안 어울려서 그에게 이런 일을 시킨다는 것 자체가 죄악인 것만 같았다. 미준에게도 어쩐지 못할 짓을 하는 것만 같아 괜히 미안해지려고 하고. 매형이라고 안 그래도 어려워하는데 아무 이유 없이 애가 얼마나 긴장을 할 거냔 말이다.

"걱정 마. 잘 가져다줄게."

"아니, 그러니까……."

"저녁에 봐."

뭐라 더 말하기 전에 은후는 쇼핑백을 들고 서둘러 집을 나섰다.

"뭡니까?"

그보다 쇼핑백을 먼저 발견한 재인이 식겁한 얼굴로 소리쳤다.

그냥 쇼핑백 하나 든 것뿐인데 그는 마치 도시락 폭탄이라도 들고 나온 사람을 보듯 화들짝 놀라며 두 걸음이나 물러섰다. 그런 놈에게 쇼핑백을 툭 던져 주고 은후는 무심히 말했다.

"병원에 가져다줘."

"병원이라면……?"

"처남."

"아! 예, 그러죠 뭐. 근데 다음부터는 직접 들고 나오지 마시고 저 부르세요."

"왜?"

"그냥 어색해서 그러죠."

어색하다니 뭐가?

묻고 싶었지만 또 이해 못할 대답이 나올 것 같아 그냥 넘기기로 했다. 애초부터 정신세계가 남다른 놈이니 대답도 저처럼 딱 사차원이겠지. 더구나 오늘은 바쁜 날이 아닌가. 사소한 일에 신경을 쓸 겨를 따윈 없었다. 아침부터 회의에 출장 결과 정리는 물론이고 새로운 투자 제의 건으로 모 기업 인사와 회동도 예정되어 있었다. 저녁 모임 전까지 마무리하려면 눈썹을 휘날리면서 움직여야 한다.

실제로 사무실에 도착하기가 무섭게 시작된 일 때문에 그는 거의 정신을 차릴 수가 없었다.

연이어 올라오는 보고서에 사인을 하는 것만으로도 숨이 차 열심히 일을 물어다 나르는 우인에게 신경질을 다 부렸을 정도였다. 덕분에 미준과 도시락에 대한 일은 말 그대로 까맣게 잊고 말았다. 누구처럼 허탕을 치고 돌아온 재인의 보고를 받기 전까지는 말이다.

"그냥 들고 왔나고?"

덩그러니 돌아온 쇼핑백을 노려보며 그가 물었다.

"어지간히 바쁜 모양이더라고요. 쇼핑백을 받기도 전에 호출을 받고 뛰던데요?"

"그리고?"

"고맙지만 먹을 시간이 없답니다. 시간 나면 간단하게라도 때울 테니 걱정 말라고 전해 달라고 했습니다."

아아, 그러십니까?

은후의 얼굴에 찬 기운이 감돌았다. 톡톡톡 책상을 두드리는 손가락의 움직임이 예사롭지 않았다. 뭔가. 또 뭐가 마음에 안 들어서 그러는 건가. 저도 모르게 긴장해서 그 모습을 뚫어지게 보고 있는데 문득 그가 입을 열었다.

"오찬 약속 취소해."

"네?"

"처음부터 확실하게 다 먹는 것까지 확인하고 오라고 할 걸 그랬지?"

"어, 그래야 하는 거였습니까?"

"음."

"그, 그럼 다시 다녀올까요?"

"아니, 아무래도 내가 가는 게 낫겠다."

은후는 진지했다.

정말로 농담이 아니었다. 이걸 그냥 가지고 돌아가면 보나마나 미숙은 울 테고 미숙이 울면 그가 세운 계획도 물 건너가고 계획이 물 건너가면 그는 결국 원하는 것을 얻지 못하게 된다. 두말할 것도 없이 그건 그가 가장 싫어하는 상황이었다. 상상만으로도 아주 불쾌했다.

상황의 심각성에 대해 전혀 모르고 있는 게 분명한 어린 처남과 아무래도 이 기회에 진지하게 대화를 해 보아야 할 것 같았다.

그에 오찬 약속까지 취소하고 그는 직접 쇼핑백을 들고 차에 올랐다. 갑작스러운 스케줄 변경에 놀란 우인이 서류를 든 채 달려 나와 잽싸게 따라붙고, 그는 다시 전화통을 붙잡았다. 바야흐로 직장인들의 낭만이라는 점심시간이 시작되려는 순간이었다.

삐비비빅!

호출기가 울었다.

동시에 '뚜르르' 소리를 내며 전화기도 운다. 어느 쪽을 먼저 확인해야 할지 고민하는 사이 머리 위에서 낭랑한 목소리가 울려 퍼졌다.

—신경외과 윤미준 선생님께서는 지금 바로 원장실로 와 주시기 바랍니다. 윤미준 선생님, 원장실로 와 주십시오.

그때부터였다. 불길한 예감이 찾아온 것은.

"너 찾는 것 같은데 맞냐?"

"그, 그런 것 같은데요."

턱짓으로 호출기를 가리키며 미준이 멍하니 대꾸했다.

"무슨 일이시? 위에서 널 왜 불러?"

"그러게요. 그쪽 좀 잘 잡아 보세요. 갈 땐 가더라도 열어 놓은 건 다 꿰매 놓고 가야죠."

"됐어. 신경은 멀쩡한 것 같으니까 얼른 가 봐. 나머진 OS

쪽 애들한테 맡기면 돼. 그나저나 원장실에서 널 어떻게 알고 부르는 거냐? 어쩐지 분위기가 심상치 않은 것 같은데. 뭐 생각나는 거 없어?"

"전혀요."

솔직히 감도 안 잡힌다.

무슨 일인지, 왜 부르는 건지, 원장실에서 일개 레지던트 1년차의 이름은 어찌 알고 있는 것인지 등등. 그도 궁금한 게 많았다. 짧은 순간, 혹시 동명이인을 찾고 있는 것은 아닌지 의심이 들 정도로 그것은, 이를테면 아주 낯선 곳에서의 호출이었다.

허리춤에서 울고 있는 호출기나 응급실 간호사의 손짓이 아니었다면 정말로 있지도 않은 동명이인을 찾는 방송이라고 생각했을지도 몰랐다. 갑자기 걱정도 됐다. 혹시 그사이 무언가 스스로도 알지 못하는 굉장한 실수라도 한 게 있었던 것은 아닐까 싶어서. 장갑을 벗어 던지고 알코올로 대강 손을 닦은 다음 미준은 조금 빠른 걸음으로 전쟁통 같은 응급실을 나섰다.

생전 처음 있는 일이다 보니 어쩐지 긴장이 된다.

뛰다시피 엘리베이터에 오르면서 그는 괜히 차림을 살피고, 그간에 있었던 소소한 사건사고들을 맹렬하게 더듬기도 했다. 성공한 수술이라거나, 처치할 땐 괜찮았는데 혹시 그 후에 죽어서 나간 사람이 있을지도 모르니까.

"빨리 못 뛰냐?"

한동안 잠을 못 자 뻑뻑해진 눈을 비비며 엘리베이터에서 내렸을 때였다.

눈을 시퍼렇게 뜬 담당 치프가 원장실 앞에 서서 그를 기다리고 있었다. 수술실에서 막 나온 듯 푸른 가운에 슬리퍼를 신은 채 그를 향해 으르렁거렸다. 영문을 모르면서도 미준은 당장 꼬리부터 내렸다. 그동안 하도 쥐어박히면서 일을 했더니 이젠 그의 얼굴만 봐도 등골이 서늘해졌다.

"들어가자."

"혹시, 무슨 일인지 아십니까?"

"입 다물고 그냥 들어가, 인마! 들어가 보면 다 알 것 아냐."

위험하다.

치프는 열이 잔뜩 받을 때마다 한 마디 한 마디 또박또박 씹어뱉는 버릇이 있었는데 지금 딱 그러고 있었다. '끝나고 나서 한 대 맞자' 는 분위기가 역력했다. 대체 무슨 일이기에? 안 그래도 팽팽하게 당겨져 있던 긴장감의 수위가 머리 꼭대기까지 불쑥 올라갔다. 그에 나무토막처럼 바짝 굳은 꼴로 미준은 거의 떠밀리다시피 원장실로 들어섰던 것이다.

"오, 왔군!"

흐읍!

반갑게 웃으면서 맞이하는 원장님과 눈이 마주치기가 무섭게 미준은 저도 모르게 숨을 들이켰다. 당연했다. 입구에서부터 각 과의 교수님 이하 부장, 과장급을 포함한 치프들이 나란히 앉아 일제히 그를 돌아보았으니까. 다들 입은 웃고 있는데 눈에서는 번쩍번쩍 살기가 흐른다. 한마디로 찢어 죽일 듯한 시선들이었다. 눈빛들이 너무 뜨거워 조금만 더 있으면 간에서 경련이 일어날 것 같았다.

바르르 떨리는 그의 시선이 원장님을 지나 다급히 정면의 상석으로 향했다.

원장님의 자리가 분명한 그곳에 한 남자가 다리까지 꼰 천연덕스러운 태도로 앉아 서류를 보고 있었다. 한동안 미준은 그를 알아보지 못했다. 이 자리에 앉아 있을 거라고는 꿈에도 생각해 본 적이 없는 사람이라 보고도 미처 알아차리지 못한 것이다. 그러다 그가 고개를 들고, 그리고 시선이 마주쳤을 때에야 마침내 대뇌를 강타하는 깨달음이 찾아왔다.

"매, 매형?"

"그래, 처남. 오랜만이군."

파랗게 질린 얼굴로 들어왔다가 금방 눈이 휘둥그레지는 미준을 향해 은후는 느긋하게 손짓을 해 주었다.

"여, 여기는 어떻게……?"

"지나가다가 들렀다. 그런데 점심 먹었나?"

"예?"

"점심."

"……아, 아직입니다만."

"잘됐군."

정말로 다행이라는 듯 그는 씨익 미소까지 지었다. 그러자 곧 아침 무렵에 보았던 덩치가 예의 쇼핑백을 들고 나타나 교수님들이 진을 치고 마주 앉아 있는 탁자 위에 밥상을 차리기 시작하는 거다. 그 모습을 보고서도 미준은 아직도 사태를 제대로 파악하지 못하고 있었다. 그저 멍하니 '누나와 도시락', '미주와 도시락', 그리고 '덩치와 도시락'의 관계를 차례로 떠올렸을 뿐이었다.

"뭐, 뭡니까?"

당황한 미준이 더듬거리며 물었다.

"뭐긴, 밥상이지."

묻긴 매형에게 물었는데 대답은 다른 곳에서 나왔다.

그의 위치에서 보자면 그야말로 하늘과도 같은 원장님께서 친절한 태도로 그의 앞으로 손수 밥과 수저를 밀어주고 있었다. 그리고 말했다.

"이리 와 앉게나, 윤 선생."

"밥은 먹고 일해야지. 누가 보면 밥도 안 주고 부려 먹는 줄 알겠네."

"어디 감히 누나의 도시락을 거부해. 건방지게."

"시간 없어 못 먹는다고? 열 시간이라도 줄 테니 맘껏 먹어라."

각 과의 교수님들이 한마디씩 보태기 시작했다.

더 당황한 그가 반사적으로 치프를 돌아보자 그는 또 또박또박 씹어 말했다.

"밥 한 톨이라도 남기면 죽는다. 당장 수저를 든다. 실시!"

그 말까지 듣고 나서야 잘못 걸렸다는 생각이 들었지만 이미 늦었다.

안 먹으면 때려죽일 것 같은 분위기 속에서 일개 레지던트가 어찌 감히 반항을 할 수 있으랴. 수저를 받아 들고 울상이 된 얼굴로 그는 마치 구원을 바라듯 은후를 바라보았다. 대체 여긴 왜 오신 겁니까, 매형? 무슨 말을 한 겁니까? 정말로 여기서 이걸 다 먹어야 한다는 말입니까?

"어서 먹지, 처남."

성질 나빠 보이는 미소를 머금은 채 그가 미준의 등짝을 떠밀었다.

"누, 누나가……."

"음, 새벽부터 일어나 직접 준비한 거다. 일단 먹지."

황당하다는 표정을 감추지도 못하고 멍하니 수저를 드는 미준을 보며 은후는 회심의 미소를 지었다. 그런 그를 슬쩍 보다 방 원장이 마치 농담처럼 말했다.

"오찬 회동도 취소하고 왔다지?"

"백 억짜리 투자 계약 건이라고 들었는데."

"어, 그럼 이게 자그마치 백 억짜리 밥이라는 소리네?"

"금으로 만든 밥이구먼."

"푸흡!"

"어허, 금 떨어진다. 조심해야지."

"야, 거기 장조림도 좀 먹어라. 한 십억 원어치쯤 되어 보이는데."

어째서, 어째서 이런 분위기 속에서 억지로 밥을 먹어야만 하는 것인가.

누나는 대체 매형에게 무슨 말을 한 것인가.

울고 싶은 기분을 만끽하며 미준은 꾸역꾸역 밥을 입에 퍼 넣었다. 뭘 먹고 있는지, 무슨 맛인지도 모르고 그냥 죽어라 푹푹 퍼 넣기만 했다. 와중에도 희미하게 살아 있는 이성은 병원과 그의 매형이라는 작자의 관계에 대해 아주 많이 궁금해하고 있었다.

"누나가 자네 때문에 걱정이 많아."

간신히 그릇을 비운 미준을 향해 은후가 너그럽게 말했다.

"잘 지내고…… 끄윽…… 있습니다."

"그래, 그렇겠지. 그래서 하는 말인데, 집으로 들어와 사는 게 어떤가?"

"예? 같이 살자는 말입니까?"

"음."

은후는 담담하게 고개를 끄덕였다.

처남이 예뻐서 하는 소리는 아니었다. 생각해 보니, 그가 일을 할 때나 출장으로 집을 비울 때 집엔 여자들만 남겨지는 거다. 전엔 몰랐는데 이젠 미숙이 혼자 집에 있다는 생각을 하면 걱정부터 몰려왔다. 거의 불가능하긴 하지만, 만에 하나라도 경비망이 뚫리는 불상사가 발생한다면 그땐 어쩔 텐가. 생각만으로도 소름이 돋았다.

물론 그게 진짜 이유는 아니었다.

스스로도 우습지만 그는 때때로 미숙이 안 보이면 불안해졌다. 전처럼 말도 없이 사라지는 일은 또 없을 테지만 워낙 데인 상처가 큰 탓인지 저도 모르게 그녀를 찾아 헤매는 버릇이 생겼다. 그래서였다. 처제를 불러들이고 이제 처남까지 곁에 두려는 이유는.

동생들을 두고 윤미숙은 절대로 달아나지 못할 테니까. 아이가 있다면 더더욱.

"들어와 사는 걸로 하지."

"매형, 그건 좀 생각을……."

"처남, 난 지금 제의를 하고 있는 게 아니야."

"……!"

"자네 걱정하느라 누나가 스트레스를 받고 있어. 아기가 안 생긴다고. 그러니 아기가 생길 때까지 협조를 해 줘야겠어. 알았나?"

아아, 그런 거였습니까?

짧은 순간, 미준의 시선이 말끔하게 비워진 그릇들과 은후의 얼굴 사이를 몇 번인가 오락가락했다. 그리고 그는 곧 스르르 고개를 끄덕이고 말았다. 여기서 고개를 저었다간 오늘 겪은 일보다 더 위험하고 무서운 일이 찾아올 게 분명했으니까. 적어도 눈앞에 앉아 있는 이 남자는 어떤 방식으로든 그에게 대가를 치르게 할 것이 틀림없었다.

더구나 그에겐 거부할 명분도 없었다.

누나에게 아기가 안 생긴다고 하지 않는가 말이다, 아기가!

듣자니 매형의 동생들은 죄다 자식을 본 모양인데 결혼한 지 2년이 다 되어 가도록 소식이 없으니 다른 누구보다 누나가 가장 속이 타고 있을 거였다. 그런데 돕지는 못할망정 계속 이런 쓸데없는 일에 신경을 쓰게 만들어 봐라. 저 성격 한번 살벌한 매형이 그를 가만히 놔두겠는가 말이다. 모르긴 해도 병원에서 쫓겨나는 건 일도 아닐 것이다.

'말라죽지 않으려면.'

미준은 순순히 항복을 선언했다.

명치를 꽉 막고 있는 백 억짜리 밥을 먹어서가 아니라 순전히 누나를 위해서라고 자위하면서.

"좋은 시간이었네, 고 사장. 앞으로도 종종 보세나."

병원을 나서는 그를 향해 방 원장이 친근하게 손을 흔들었다.

건강 문제가 아닌 이런 소소한 문제로 교수진을 몽땅 불러들인 일은 병원 역사상 처음이라며 그는 꽤 즐거워했다.

"돈이 생겼는데 왜 안 즐겁겠습니까?"

우인이 비꼬듯 중얼거렸다.

"하반기 예산 늘려 주신 건 심했습니다."

"우리 직원들 건강검진 확대를 위해서나. 회의에서 다루어진 문제였다."

"네네, 처남 뒷바라지하고 싶어서 그런 건 절대 아닌 거죠. 나 참, 친동생들도 안 데리고 사시는 분이 처가 식구들은 왜 그렇게 껴안고 싶어 하시는 겁니까? 정말 아기 때문인 겁니까?"

대답 대신 은후는 피식 쓴웃음을 지었다.

사실은, 아기가 아니라 윤미숙 때문이라고 하면 비웃을까? 하긴, 비웃고도 남을 일이었다. 그 여자가 도망갈까 봐 안절부절못하고 있는 처지가 스스로 생각해도 너무 어이없어 죽겠으니까. 그래도 어쩌겠나. 이렇게 하지 않으면 시시때때로 더 불안해지고 마는 것을.

저녁 모임 때문에 막 외출을 하려던 참이었다.

연회장까지 데려다 주기 위해 온 재인의 손에 빈 도시락통이 든 쇼핑백과 처음 보는 큼직한 박스가 들려 있었다.

"약이라고요?"

"네. 보약이랍니다. 사장님께서 특별히 주문하신 거라고 하던데요."

빈 도시락통과 보약.

그럴 리는 없겠지만 어쩐지 맞바꾼 듯한 느낌이 드는 것은 왜일까? 저 먼 곳에서 '처남에게 밥 먹였으니 당신도 보약을 먹어 줘야겠어.'라고 속삭이는 고 사장의 목소리가 들리는 것만 같았다. 설마, 아니겠지. 미숙은 황급히 고개를 저어 버렸다. 따지자면 미준이가 밥을 먹은 것도 그녀에겐 좋은 일이고 보약도—먹긴 싫지만—어쨌거나 그녀를 위한 일이니 대가성이라고 볼 수는 없었다. 적어도 그녀의 생각으로는 그랬다.

"아, 참! 보약 잘 드시면 처남 되시는 분에게 같이 살자는 말을 해 보겠다고 하셨습니다."

"어? 그이가요?"

"네. 오늘 밥 먹는 것도 직접 확인하셨고요."

오오, 이게 웬 횡재지?

생각도 못하고 있었던 제안에 미숙의 입이 금방 함지박만 해졌다. 미주야 그냥 데리고 오기만 하면 되었는데, 미준이는 바쁘다거나 혹은 불편하다는 핑계로 같이 살자는 그녀의 제안을 번번이 거부해 오고 있었다. 평소에도 그녀의 집엔 얼굴 한 번 비추지 않았었다. 그래서 속이 많이 상했었는데 이번에 고 사장이 직접 나서 볼 참이라고 하는 거다.

물어보나마나 고 사장이 나서면 성공 확률이 거의 100%에 가깝게 높아진다. 오늘의 도시락이 그런 것처럼 말이다. 그에 미숙은 더 생각하고 자시고 할 것도 없이 단박에 고개를 끄덕였던 것이다.

"저, 열심히 먹을게요!"

정말이다.

쓴 약은 별로 좋아하지 않지만, 왜 먹어야 하는 건지도 잘 모르셨지만 어쨌거나 그녀는 정말로 열심히 먹어 줄 생각이었다. 혹시 아나. 이것 잘 먹고 나면 고 사장이 감동해서 정말로 미준이를 데려와 줄지.

"동생 분 걱정을 많이 하셨나 봅니다?"

약속 장소로 가면서 문득 재인이 물었다.

“바쁜 것 같았지만 제 눈엔 그럭저럭 괜찮아 보였는데 말입니다.”

“그건 재인 씨가 잘 몰라서 그래요. 그 녀석이 사실은 일에 빠져서 바쁘게 다니기만 하지 제 몸뚱이 하나 제대로 안 챙기는 녀석이라고요. 집에 가 보니깐 빨래는 산더미고 방바닥엔 먼지가 수북이 앉아 있잖아요. 밥솥엔 한 달 전에 제가 해 둔 밥이 그대로 있었고요. 냉장고엔 생수만 한 병 덜렁 들어 있었어요. 얼마나 기가 막혔는지…….”

그것뿐이면 말을 안 한다.

더 기가 막히게도 깔아 놓은 이부자리 위엔 사람 모양의 홈이 파여 있었고, 화장실에선 엄지손가락만 한 바퀴벌레가 나왔다. 얼마나 놀랐는지 하마터면 있지도 않은 애가 떨어질 뻔했었다. 그렇게 해 놓고 다니면서도 전화를 하면 항상 ‘걱정 마, 잘 지내’, ‘밥 먹었어’ 라는 말만 했다.

덕분에, 이제는 눈으로 직접 보기 전엔 녀석의 말을 도저히 믿을 수 없게 되었다.

뭐, 그것도 같이 살면 다 해결이 될 문제긴 하지만 말이다. 상황이 이렇다 보니 정말 빈말이 아니라 고 사장이 힘을 좀 써 주었으면 좋겠다는 생각이 들었다. 곁에 두고 직접 챙기면 적어도 애가 혼자 밖에서 떠도는 상상 같은 건 안 해도 될 테니까.

“사장님께선 벌써 도착해 계십니다.”

연회장에 도착하자 그녀를 알아본 직원이 직접 안내를 해주면서 덧붙였다.

안 그래도 일이 많아 집에 못 들르고 회사에서 약속 장소로 바로 간다는 말을 들었었다. 그에 연회홀로 들어서기가 무섭게 미숙은 고 사장을 찾아 고개를 길게 빼야 했다. 그런데 그런 그녀를 발견하고 다가온 건 고 사장이 아니라 모처럼 참석한 애심이었다.

“왜 혼자예요?”

“그이가 먼저 도착했대요. 집에 안 들르고 회사에서 바로 왔거든요. 찾는 중이에요. 근데 애심 씨는 왜 혼자예요?”

“그 사람, 일 생겨서 갑자기 바빠졌어요. 덕분에 아빠 생신 핑계 대고 혼자 들어왔죠 뭐. 한동안 놀다 가려고요.”

“아아, 그렇구나. 우리 아가씨도 같이 왔으면 참 좋았을 텐데.”

“은돌이야 애 때문에 한동안은 꼼짝도 못하잖아요. 오라고 할 게 아니라 이젠 보러 가야 할 상황 아니에요?”

“하긴, 그게 그렇죠?”

고개를 끄덕이며 미숙이 배시시 웃었다.

떠난 지 얼마 되지 않긴 했지만 벌써 아가씨랑 아기가 보고 싶었다. 동생인 미주와는 또 다르게 워낙 챙겨 가며 살아버릇해서 그런지 아가씨의 난 자리가 생각보다 컸다. 전화나 인터넷도 있고, 가능한 한 자주 온다고도 해서 그나마 견디고 있는 중이었다.

"그나저나 애심 씨는 어떻게 지내요? 신혼인데 벌써 이렇게 떨어져도 되나?"

지난봄에 시끌벅적한 결혼식을 올린 애심을 향해 미숙이 농담처럼 물었다.

"찰리가 고이 보내 줘요?"

"흥! 안 보내 주면 자기가 어쩔 건데. 솔직히 날아갈 것 같아요. 그동안 옴짝달싹 못하고 살았더니 쇼생크에서 탈출한 것처럼 아주 개운해 죽겠어요. 망할 인간, 누가 보디가드 아니랄까 봐 찰떡처럼 붙어서 떨어지질 않아……. 크흠, 뭐 그렇다는 얘기예요."

"아아, 그렇구나. 쿡쿡. 잘 지내고 있어서 다행이에요. 아, 뭐 좀 먹었어요?"

"아니에요. 이제 시작하려는 참이었어요. 가요."

애심이 미숙의 손을 잡아끌었다.

이 모임의 좋은 점 중 하나는 바로 요리가 끝내준다는 것이다. 특급호텔 주방장들이 직접 나와 최고의 재료들만 가지고 조리한 음식들이 현장에서 바로 차려지기 때문에 그 퀄리티가 일반 뷔페와는 차원이 달랐다. 화려하고 고급스러운 것이 역시 고 사장이 다니는 모임다웠다.

"어어, 이런."

식전주로 셰리를 받아 들기가 무섭게 누군가를 발견한 애심이 가볍게 혀를 찼다.

"젠장, 똥 밟았다."

"왜요? 누군데요?"

미숙의 시선이 애심을 따라 홀 중앙으로 향했다. 그리고 한 덩어리로 움직이고 있는 총무 일행을 발견한 것이다. 2대 6으로 싸워 물리쳤던 전설의 패싸움 상대들 말이다.

"저치들도 많이 컸네. 이런 자리까지 초대받고."

"근데 못 보던 사람도 있는 것 같지 않아요?"

"어, 그러네. 머릿수가 늘었는데요. 이젠 2대 6이에요."

"여섯까지는 그런대로 상대가 가능했는데 여덟은 좀…… 애심 씨는 어때요?"

"흥, 난 자신 있어요. 찰리랑 살다 보니까 자연스럽게 격투기 실력이 늘었거든요. 어디 건드리기만 해 보라지."

애심이 잘났다는 듯 목에 힘을 주고 코를 드높이 치켜세웠다.

사실, 말처럼 분위기가 살벌한 건 아니었다. 그때 그러고 싸운 이후 총무 일당들은 알아서 꼬리를 내렸으니까. 애심 씨는 역시 맞아서 정신을 차린 거라고 했지만 미숙의 생각은 조금 달랐다. 이후 얼마 지나지 않아 완전히 무너진 화성 그룹의 일에 고 사장이 연관되어 있다는 사실 때문이 아닐까 하고 혼자서 생각하는 중이었다.

만만히 봤다가 고 사장의 파워가 생각보다 크다는 판단이 들자 한동안 서로 줄을 대지 못해 안달을 했다고 들었다. 그리고 지금은 그를 향해 '재계의 폭군'이라고 부르고 있었다. 폭군이라니. 보기보다 엄청 친절하고 부드러운 사람인데 왜 그런 이상한 별명이 붙었는지 모르겠다.

“어머, 이게 누구야? 미숙 씨 아니에요?”

총무, 그러니까 최미혜라고 하는 여자가 미숙을 발견하고 나름 우아하게 손짓을 했다.

별로 반갑지 않아서 그냥 지나가라는 의미로 해죽 웃어 주고 말았는데, 다르게 해석했는지 그녀는 일곱이나 되는 일당들을 몽땅 끌고 그녀들에게로 다가왔다.

“대체 이게 얼마만이에요?”

한 달 만이다. 지난달 정규 모임에서 분명히 봤다.

“어머, 애심 씨도 있었네요. 오랜만이에요.”

눈이 정상이라면 애심을 먼저 발견하는 게 정상이다. 왜냐면 미숙보다 그녀가 더 화려하고 키도 반 뼘쯤 더 크니까. 그런데도 의뭉스럽게 이제야 발견했다는 듯 화들짝 놀라는 척하는 모습이 어이없었다.

“참! 우리 봉사 모임에 새 멤버가 들어온 거 아세요? 여기, 여기 인사해요.”

부산스러운 태도로 그녀가 처음 보는 문제의 두 사람을 가리켰다.

“이쪽은 영주 씨, 그리고 이쪽은 미숙 씨도 아는 사람일지 모르겠어요. 박유라 씨예요.”

“안녕하세요. 근데 전 초면인 것 같은데…….”

“어머, 그래요?”

어떻게 모를 수가 있냐는 듯 총무는 또 지나치게 놀라는 척을 했다. 그러더니 마치 연설이라도 하는 사람처럼 조금 큰소리로 덧붙였다.

"화성의 박유라 씨잖아요. 왜, 미숙 씨 덕분에 고 사장님이랑 선본."

으응?

미숙의 미소에 슬쩍 금이 갔다.

"그러니까 우리 쪽에 좀 더 투자를……."

"고 사장, 다음에 따로 자리를 마련합시다. 응?"

"어허, 이 사람 잠깐이면 된다니까."

글쎄 잠깐이고 자시고 귀찮단 말이다.

장내로 들어서기가 무섭게 시선을 받고, 사람들에게 둘러싸이고, 인사도 하기 전에 결국은 수십 건의 약속 시간을 종용하는 현상이 이번에도 여지없이 이어지고 있었다. 덕분에 도착한 지 한 시간도 지나지 않아 은후는 거의 지쳐 버린 느낌이었다.

"어쩌다 이런 모임에 참석하게 된 거지?"

한바탕 시달리고 난 후의 여운 때문에 희미한 두통마저 느끼며 그는 우인을 향해 조금 신경질을 부렸다.

"참으십시오. 그래도 영업엔 이익이 되는 모임입니다. 여기 계신 분들이 바로 미래의 고객들 아니겠습니까? 그것도 우량고객이죠."

"흥! 고객은 지금만으로도 충분하다."

"그건 사장님 생각이고요. 전 보다 더 많은 고객을 원하고 있습니다. 적어도 병원에 투자하신 하반기 예산만큼은 더 뽑을 생각입니다."

할 말이 없었다.

아무리 회의에서 결정된 사안이라지만 그래도 어느 정도는 사심이 개입되어 있다는 사실을 부정할 수 없기 때문이다. 미숙의 환심을 사고 싶어 안달이 나 있는 상황이니 무언들 눈에 보였을까마는.

"그 사람은 도착했나?"

넓고 북적거리는 홀을 둘러보며 그가 조금 무심한 투로 물었다.

눈은 이미 그녀를 찾기 시작했으면서 아닌 척 겉으로는 어디까지나 여유롭기만 했다. 다행히 홀을 한 바퀴 휘 돌던 시선 끝에 마침내 미숙이 걸렸다. 어떻게 만난 건지 여자들끼리 잔뜩 모여 서서 이야기를 하고 있었다.

"분위기가 좀 이상한 것 같은데요."

우인이 슬쩍 눈치를 살피더니 넌지시 말했다.

"전에 그분들 아닙니까? 그 패싸움을 벌였다던."

"음."

맞다. 오래된 이야기이고 다시 재현될 가능성이 없긴 하지만 어쨌거나 그때 그 사람들이 맞았다. 상황을 인지하기가 무섭게 은후의 발은 벌써 그쪽으로 움직이기 시작했다. 그 이후 잘 지내 오고 있긴 하지만 모진 것이 사람이라 혹시 예기치 않게 미숙이 또 상처를 받는 일이 벌어질까 봐 조금 신경이 쓰였다.

"화성, 부도났다고 하지 않았나?"

음? 그도 아는 이야기가 들리자 순간 멈칫했다.

성큼성큼 다가가던 걸음이 근처 즈음에서 뚝 멎었다.

"화성은 그렇게 되었지만 집안까지 부도가 난 건 아니죠. 애심 씨도 알겠지만 박 회장님 댁이 원래 유서가 깊어요."

"하긴, 부자가 망하면 3년은 간다고 하죠. 생각해 보니까 아직 1년도 안 됐네."

"크흠. 아무튼 유라 씨는 홍 여사님과 함께 미술관 일을 하고 있어요. 앞으로 우리 모임에서 자주 볼 수 있을 거예요. 잘됐죠, 미숙 씨?"

잘됐죠, 마숙 씨.

잔망스러운 태도와 득의만만하게 빛나는 심술 맞은 눈빛을 보며 은후는 혀끝으로만 그 말을 따라 해 보았다. 잘되었다라. 그는 이제 한 손을 주머니에 넣은 채 미숙에게 시선을 고정했다. 저 여자가 어떤 반응을 보일지 문득 궁금해졌다.

"잘되었네요. 환영해요, 유라 씨."

"감사합니다, 환영해 주셔서."

두 여자는 그렇게 운을 떼었다.

미숙은 뭣도 모르고 순진하게 웃고 있었고, 상대는 그런 그녀를 찢어 죽일 듯이 노려보고 있었다. 그런 때에 총무가 다시 끼어들었다.

"우리 언제 고 사장님이랑 다 함께 식사 자리라도 마련해요. 고 사장님도 유라 씨가 궁금할 테니까. 괜찮죠, 미숙 씨?"

"전 괜찮은데 그 사람은 바빠서 어떨지 모르겠어요. 물어볼게요."

그러면 그렇지.

의도가 빤히 보이는 말에도 미숙은 해맑게 웃으면서 긍정적인 반응을 보이고 있었다. 전엔 모르고 선 자리에 내보냈다지만 이제는 알면서도 내보낼 건가? 그가, 고은후가 남편이라는 자각이 아직도 없단 말인가.

짐작하고 있었으면서도 실망감이 찾아드는 것을 막을 수 없었다. 아직 아물지 않은 상처가 다시 도지는 듯한 느낌이었다. 그리고 그것은 곧 상대를 향한 분노로 이어졌다. 그럴 듯한 미끼를 던져 놓고 마치 탐색하듯 그녀의 표정을 살피고 있는 여자들의 시선이 못 견디게 모욕적으로 다가왔다. 불끈. 잔을 든 손에 힘이 들어갔다. 그때였다.

"괜찮은 생각인 것 같아요. 우리 그이도 홍 여사님이 궁금할 테니까."

음?

"사실은, 가끔 미술관 쪽으로도 투자를 해 볼까 하더라고요. 그래서 저보고 그림 공부도 하라고 하는데 제가 뭘 알아야 말이죠."

"미주한테 시켜 보지 그래요? 애가 똘똘해서 잘할 것 같은데.”

“어머, 애심 씨가 보기에도 그래요? 하긴, 우리 미주가 어렸을 때부터 똑똑하긴 했어요. 그림도 좋아하고. 그럼 미술관이 하나쯤 있어도 괜찮겠네.”

이거 봐라?

그러니까 계속 까불면 그나마 남아 있는 미술관도 빼앗겠다는 말이렷다.

있지도 않은 일을 만들어 내 애심이와 척척 말을 맞추는 그녀가 조금 신기하게 보였다. 웅녀에서 갑자기 여우가 된 것 같다. 그런데 이상하게 그 모습이 예뻐 보이고 자꾸만 비실비실 웃음이 나려고 하는 거다.

“암만요. 미주 정도면 아주 잘할 테니까 걱정 마요. 얘가 가정교육도 잘 받아서 유부남이랑 선보고 다니는 멍청한 짓거리 따위는 절대 안 할 테니까.”

“아유, 그걸 말이라고 해요? 걔가 그러고 다니면 난 돌아가신 엄마 볼 면목이 없어서라도 혀 깨물고 죽어 버릴 거예요. 뭐, 그러기 전에 우리 그이가 상대를 죽여 놓겠지만. 어린 처제라고 은후 씨가 미주한테 많이 신경 쓰잖아요.”

“마누라가 예쁘면 처갓집 말뚝에도 절을 하는 거죠 뭐. 오빠가 요즘도 언니 안 보이면 찾아다니고 그래요?”

“그거야…… 당연하죠.”

웃겨서 더 못 보겠다.

두 여자는 즐거워 죽겠는데 홍 여사의 딸은 안색이 파랗게 질린 채 부들부들 떨고 있었고 총무 일행은 한 방 얻어맞은 듯 얼떨떨한 표정을 짓고 있었다. 생각지도 못한 의외의 모습이었는지 한껏 당황한 기색이 역력했다.

그 즈음에서 은후는 모두의 시선을 받으며 유유히 미숙의 곁으로 다가갔다. 흠칫 놀라 바라보는 미숙의 허리에 아주 자연스럽게 팔을 두르면서 말했다.

"여기 있었군. 안 보여서 한참 찾았어."

"어머, 미안해요. 많이 찾았어요? 아참, 인사해요. 유라 씨 기억하죠?"

"음, 누구?"

"박유라 씨요."

"모르겠는데. 처음 듣는 이름이야."

"아이참, 그 왜 홍 여사님 댁……."

"아! 미술관."

미술관이라는 말이 나오자 안 그래도 파랗게 질려 있던 여자의 안색이 순식간에 창백해졌다.

미숙의 말이 사실로 증명되었다고 생각했는지 툭 건드리기만 해도 울어 버릴 듯 표정이 아주 엉망이었다. 찢어 죽일 듯이 바라보던 시선이 어느새 두려움으로 가늘게 떨리고 있었다. 은후의 시선이 그런 그녀를 지나쳐 총무 일행을 주욱 훑고 지나갔다. 성질 나빠 보이는 미소와 함께 마치 혼잣말처럼 말했다.

"정말이야. 언제 자리 한번 만들었으면 좋겠군."

그 말 한마디에 순식간에 주위가 고요해졌다.

가뿐하게 주변을 평정한 은후가 미숙을 데리고 당당한 태도로 돌아섰다. 걱정 어린, 혹은 겁에 질린 시선들이 꼬리처럼 길게 따라붙었다.

"정말 기억 안 나는 거예요?"

천천히 걸으면서 미숙이 물었다. 무언가가 마음에 안 든다는 듯 조금 새침한 투였다.

"박유라 씨 정말 기억 안 나냐고요."

"왜?"

"그냥요. 어리고 예쁜데 기억 못한다는 게 더 이상한 거 같아서."

"으음?"

"아니, 뭐 그냥 말이 그렇다는 거예요."

토라졌다.

입술이 삐죽 나오는 것을 보니 이 여자 정말로 토라졌다. 약간의 의심, 안도, 그리고 희미하게 남은 불안이 한데 뒤섞여 불쑥불쑥 심란한 표정으로 떠올랐다 사라졌다. 그 모습이 어쩐지 신기해 은후는 저도 모르게 걸음을 멈추고 그녀를 빤히 바라보았다. 그의 시선이 탐색하듯 그녀의 얼굴을 샅샅이 훑었다.

설마, 지금 질투하는 건가, 윤미숙?

"관심 없어."

미숙의 두 눈을 유심히 보며 그가 나직하게 속삭였다. 그러자 역시 그녀의 눈빛이 눈에 띄게 흔들리는 거다. 이상할 정도로 만족스러운 반응이었다.

"저, 정말요?"

"정말. 관심 없어, 그런 여자. 나는 윤미숙만 좋으니까."

"진짜죠?"

"진짜."

단호한 말에 마침내 그녀의 눈에 서서히 기쁨이 차오르기 시작했다.

슬금슬금 입가에 웃음이 떠오르더니 갑자기 그의 팔짱을 끼고 당당하게 어깨를 폈다. 아하, 그랬구나. 윤미숙도 때때로 불안해했구나. 불안해서 작아지기만 했구나. 그래서 없는 말도 꾸며 내고 질투도 한 것이구나. 벅찬 깨달음이 가슴 가득 들어찼다.

질투는 곧 사랑이다. 때때로 불안해지는 것도, 그 사람 앞에서만 이유 없이 작아지는 것도 다 사랑 때문이다. 윤미숙이 고은후를 사랑한다. 이제야 확인했다. 가슴이 온통 뻐근하도록, 모자랐던 2%가 확실하게 채워지는 느낌에 전율하며 은후는 소리 내어 웃었다.

"하하하!"

"어, 왜 웃어요."

"그냥 좋아서."

"뭐가요?"

"당신이."

정말이다. 고은후는 윤미숙을 사랑한다. 그녀도 그 사실을 곧 깨닫게 될 것이다.

"집에 갈까?"

"에? 지, 지금이요?"

"응."

"온 지 얼마 안 되었는데……."

"약속한 거 있잖아."

"그, 그렇지만."

아직 초저녁인 줄 아옵니다마는.

이제 간신히 해 넘어갔는데 벌써부터 손목을 은근히 잡아끄시면 어쩐단 말입니까, 고 사장. 설마 지금부터 시작해서 밤을 홀딱 지새울 계획인 건 아니신지…….

미숙의 얼굴에 희미한 두려움이 떠올랐다.

아닌 척하지만 그의 눈빛이 어느새 확 달아올라 있다는 사실을 눈치챘다. 눈이 마주칠 때마다 괜히 실실 웃는 모습이 딱 정신줄을 놓기 일보 직전이라는 사실을 증명해 주고 있었다. 첫날밤을 보낼 때도 그랬고, 유난히 수컷 본능이 치솟는 날, 한껏 달아올라 이성과 긴 작별을 고할 때도 그랬다.

그렇다. 다른 사람은 모르겠지만 윤미숙은 안다. 고 사장은 달아오르면 오를수록 유독 섹시하고 나른하게 웃는 버릇이 있는 것이다.

그게 정말 너무 섹시해서 덩달아 그녀의 가슴까지 동동거리게 만들기도 하지만 대개는 체력 문제라거나 기타 다른 문제로 인해 그의 열정을 그리 오래 버텨 내지 못한다는 것이 문제였다.

"으읍."

차에 오르기가 무섭게 고 사장이 덤벼들었다.

안전벨트를 매주려는 줄 알고 가만히 있었는데 차 문이 닫히자마자 슥 다가온 그는 예고도 없이 말랑한 그녀의 귓불부터 덥석 물었다. 갑작스러운 자극으로 인한 오싹한 전류가 먼 곳까지 파지직거리며 퍼져 나갔다. 짜릿하고 소름 끼치고 동시에 심장 아래가 마구 간질거렸다. 그야말로 순식간에 음탕한 자극이 퍼부어진 것이다.

아아, 표 안 나게 음흉한 사람. 어쩐지 재인 씨를 그냥 돌려보내고 직접 차 키를 쥐더니 이러려고 그랬나 보다.

"음."

그가 마치 한숨과도 같은 낮은 신음을 토해 냈다.

타는 듯한 열기와 약간의 만족, 그리고 숨 가쁜 기대가 뒤범벅이 되어 여린 피부 위로 쏟아졌다. 후끈 달아올라 뜨겁게까지 느껴지는 입술이었다. 마치 화상을 입은 듯 그의 입술이 스치는 곳마다 불같은 통증이 일었다. 쪽쪽거리면서 목덜미에 입술 자국을 남긴 그가 두 손으로 그녀의 볼을 감싸 쥐고 마침내 격하게 입술을 집어삼켰다.

담뿍 물고 빨다가 슬쩍 벌어진 입술 사이로 뜨거운 열기가 느껴지는 혀를 쑥 밀어 넣었다.

그 혀를 받아 입안 가득 머금고 미숙은 정신없이 숨을 몰아쉬었다. 초반부터 너무 격하게 밀어붙이는 통에 벌써부터 혀가 다 얼얼해질 지경이었다. 쪽 소리를 끝으로 뱀처럼 얽혀 마구 비벼지던 혀가 놓여 나자 이번엔 그의 숨결이 목을 타고 내려가 쇄골 아래로 퍼부어지기 시작했다.

옷 위에서 가슴을 꾹 움켜쥐는 손길에도 점점 더 힘이 들어가고 있었다.

모임의 성격상 오늘 그녀가 걸친 것은 가벼운 드레스 한 벌뿐이었다. 예쁘기만 하지 도대체가 사방이 허점투정이인 옷이다. 쇄골 아래에서 맴돌던 그의 입술이 결국 봉긋 솟아오른 얇은 천 위로 올라왔다. 그리고 다음 순간 어깨 끈이 밀려 내려가는 것과 거의 동시에 미숙이 필사적으로 기대고 앉아 있는 의자가 뒤로 훌렁 넘어갔다.

"헉! 으, 은후 씨?"

헉헉거리며 그의 머리만 끌어안고 꿈틀거리다 미숙은 흠칫 정신을 차렸다.

어느새 보조석으로 넘어온 그가 아주 당연하다는 듯 몸을 겹쳐 오고 있었다. 설마, 여기서 본 게임을 치르자는 것은…… 고 사장, 미쳤소?

뽀얗게 드러난 가슴 한쪽을 꽉 움켜쥐며 그는 어느새 한 손을 내려 그녀의 허벅지를 더듬고 있었다. 꿋꿋하게 버티는 다리를 벌리며 더 가까이 파고드는 몸짓 덕분에 잔뜩 흥분한 아랫도리의 남성이 아주 생생하게 느껴지기 시작했다. 이 남자, 정말로 완전히 흥분했다. 하지만 아무리 흥분을 했어도,

차의 선팅이 아무리 잘되어 있다고 해도 안 되는 건 안 되는 거였다.

차에서, 그것도 호텔 지하주차장에 세워 놓은 차에서 섹스를 한다는 생각은 꿈에도 해 본 적이 없는 그녀였다. 상상만으로도 경기를 할 것만 같았다.

"아, 안 돼요!"

벌써 치마 속으로 쑥 들어오는 손을 필사적으로 밀어내며 미숙이 앙탈을 부렸다.

"여기선 안 된단 말이에요. 누가 보면 어떻게 해요. 아! 하, 하지 말라니까요? 으, 은후 씨. 은후 씨이!"

"괜찮아."

"안 괜찮아요. 어, 어떻게 해. 제발 집으로 가요. 네?"

"집까지 못 가."

"그, 그럼 차라리 방으로 올라가요. 응?"

"음, 조금 이따가."

이따가? 이따가 언제? 할 것 다하고 난 다음에?

고 사장, 제발 체통을 좀 시키시오. 자그마치 사장님씩이나 되는 양반이 호텔 지하주차장에서 이래도 되는 거요? 긴장되고 누가 볼까 봐 무서워 죽겠소.

"제바알!"

바르작거리며 그녀는 숫제 애원을 했다. 하지만 이미 이성을 저 멀리 보내 버린 고 사장은 바지 지퍼만 내린 채 펄떡이는 그녀의 다리를 반강제로 벌려 놓고 몸을 딱 붙여 오고 있었다. 미숙이 팬티 끈을 붙잡고 죽어라 버텨 보았지만 소용이 없었다.

"아!"

팬티를 기어이 한쪽으로 밀어낸 그의 남성이 빡빡하고 좁은 여성을 가르며 불쑥 들어오고 있었다. 오늘따라 자궁 끝까지 꽉 채우는 이물감이 지나치게 생생해 저도 모르게 몸서리가 쳐졌다. 특유의 통증과 빠듯한 충족감이 동시에 몸을 뒤흔들었다. 가장 예민한 세포들이 한꺼번에 깨어나 저릿저릿한 전기신호를 뿜어내는 것만 같았다.

"으흑. 제발…… 움직이지 마요."

그때까지도 미숙의 신경은 온통 차 밖으로 향해 있었다.

누가 오면 어쩌나, 지나가다 안을 보면 어쩌나, 혹시 어딘가에서 누군가가 그들의 모습을 CCTV로 시청을 하고 있으면 정말 어쩌나. 혼자서 고민이 많았다. 아닌 게 아니라, 가슴과 다리를 하얗게 드러낸 채 그를 받아 내고 있는 모습을 다른 사람에게 들키면 그땐 어찌해야 하는 건가. 한국, 아니 지구를 떠나리?

"앗! 은후 씨이…… 어흑!"

"음, 좋아."

천천히 허리를 밀어 올리며 그가 나직한 신음을 흘렸다.

남은 긴장되어 죽겠는데 그는 그저 좋아 죽겠는지 벌거벗은 그녀의 다리를 허리에 감은 채 앞뒤좌우로 척척 박자를 맞추기 시작했다. 그가 리드미컬하게 허리를 흔들 때마다 몸이 흔들린다. 뿐만 아니라 차도 흔들렸다.

이 묵직한 차가 느리지만 확실하게 움직이는 통에 탄력을 받았는지 그의 남성이 더 깊이 들어오고 있었다. 그 사실을 그도 느낀 게 틀림없었다. 평소보다 그는 조금 더 빨리 흥분했다. 꾹 힘주어 누르는 힘에 속도가 더해지더니 곧 미친 듯한 질주가 시작되었다.

"아앗!"

"후욱, 후욱. 조금만, 조금만 더."

미숙을 꽉 끌어안고 은후는 광란의 질주를 하고 있었다.

흥분의 크기가 너무 커 금방이라도 눈앞이 까맣게 물들어 버릴 것만 같았다. 이런 식으로, 이런 곳에서 안아 버릴 생각은 아니었지만 정신적인 절정을 먼저 겪어 버린 탓인지 제멋대로 커지는 흥분의 강도를 스스로도 제어할 수 없었다.

"아학, 아학! 제발!"

"으음!"

서로를 필사적으로 끌어안고 그들은 한 덩어리가 되어 몸부림을 치고 있었다.

처음엔 주위가 신경 쓰여 미칠 것 같았는데 어느 순간 바람처럼 훅 불어온 강렬한 쾌감에 사로잡혀 이성을 잃고 말았다. 미숙은 흠뻑 젖어 들었다. 연결된 곳에서부터 시작된 음란한 쾌락이 전신으로 내달리며 그녀를 붕 떠오르게 했다. 한없이, 한없이 높은 곳으로 올라갈 수 있을 것만 같은 기분이었다. 이대로 어떻게 된다 해도 아무 상관이 없을 것 같은 기분도 들었다.

"아아아!"

장소를 잊고, 부끄러움도 잊고 그녀는 쾌감에 겨운 신음을 터뜨리고 말았다.

허리가 무시무시한 힘을 동반한 채 활처럼 휘고 있었다. 속 깊은 곳에서부터 무언가가 팡 소리를 내며 터져 나갔다. 거의 동시에 몸이 뻣뻣하게 굳으면서 부들부들 경련을 일으키고 눈앞이 하얗게 물들었다. 그리고 왈칵 울음이 터졌다.

"아아앙!"

"으윽!"

근사한 아치를 그리며 휘는 그녀의 허리를 강하게 부여잡은 채 그는 아득할 정도로 강한 쾌감에 휩싸여 있었다. 미친 듯이 움직이던 엉덩이가 바짝 조여지고 몸은 아찔하게 엄습하는 쾌감 속에서 석상처럼 굳어 버렸다. 부르르. 짧지만 강력한 환희가 지나가고 나서야 그는 미숙의 몸 깊은 곳에 씨앗을 뿌렸음을 깨달았다. 가장 깊은 곳까지 다다르도록 깊숙이 파고들어 마지막 한 방울까지 모두 다 털어 넣었다.

"후욱, 후욱."

가슴뿐만 아니라 머리까지 온통 뻐근하고 짜릿했다.

세상을 다 가진 듯한 포만감과, 욕구불만을 다 씻어 버리고 난 후의 개운함이 공존하고 있었다. 그에 조금은 허탈하게 웃으며 그는 마침내 미숙의 몸 위로 무너져 내렸다.

쪽!

사랑스러운 어깨에 입술을 대고 강하게 빨아들였다.
"으음, 죽는 줄 알았어."
흥분의 크기를 증명하듯 목소리가 갈라져 나왔다.
"하아, 나 살아 있어요?"
"쿡! 아마도."
"아아, 어떻게 해."
실신한 것처럼 늘어져 있던 미숙이 돌연 두 손으로 얼굴을 가리고 우는소리를 했다.
"왜?"
"창피하단 말이에요."
"뭐가?"
"그게……."
너무 즐긴 것 같아서.
싫다고 튕기지나 말지. 어쩌자고 이런 곳에서 실컷 즐겼을까잉. 주위에 신경을 쓰던 것도 잠시, 미숙은 순식간에 정신줄을 놓쳐 버리고 말았다. 사람 소리 같지 않은 이상한 소리를 내고 고 사장을 끌어안은 채 미친 듯이 허리도 흔들었다. 확실히 제정신이 아니었다. 흠뻑 젖은 몸뚱이가 민망해서 죽을 것 같았다.
"후후, 예뻐."
"아이, 누가 그런 소리를 하래요? 부끄럽게. 그나저나 누가 봤으면 어떻게 해요."
"음, 그냥 모른 척하면 되지."

"그게 마음대로 된단 말이에요?"

"응. 침착하고 냉정하게."

벌써부터 걱정이 되어 죽겠는데 침착, 냉정이 웬 말인가.

주위를 둘러보며 온갖 걱정을 하는 그녀와 달리 고 사장은 정말로 아무 일도 안 한 사람처럼 느긋하기만 했다. 살짝 흐트러진 머리칼과 옷차림만 아니라면 사우나를 하고 나온 사람이라고 여겨도 될 만큼 멀끔하고 개운한 표정을 하고 있었다. 혼자서만 망가진 것 같아 어쩐지 억울한 생각이 들었다.

"빠, 빨리 집으로 가요."

쪽 팔려서 더는 못 있겠다.

다행히 사람은 안 보였지만 혹시 아나? 정말로 머리 위에서 CCTV가 돌아가고 있을지. 혹은 누군가가 지나가다가 아는 척이라도 하면 그땐 어쩐단 말인가.

주섬주섬 옷을 주워 입으며 미숙은 한껏 울상을 짓고 말았다. 그러곤 방금 전의 일이 내일 아침 신문에 나지 않게 해달라고 간절히 빌었다. 물론, 소문도 안 나면 좋겠다. 본 사람이 아예 없으면 더 좋고.

다행히 그녀의 요구대로 고 사장은 주차장에서 유유히 차를 빼냈다.

옷을 꼼꼼하게 정리하고도 안심이 되지 않아 미숙은 차가 호텔을 완전히 벗어날 때까지 고 사장의 양복 상의를 덮어쓰고 있었다. 그러다가 완전히 어두워진 도로로 접어들면서부터는 스르르 긴장이 풀리면서 저도 모르게 잠이 들고 말았다.

별 좋은 어느 날, 미숙은 시골 과수원에서 사과를 따고 있었다.

언제부터 따기 시작했는지는 알 수 없었지만 나무마다 빽빽하게 달려 있는 빨간 사과를 따느라 정신이 없었다. 올해는 사과가 대풍이었다. 사과 하나하나가 흠집 하나 없이 빨갛고 모두 예쁘기만 했다. 그 사실이 너무 기쁘고 황홀해서 날아갈 것처럼 기분이 좋았다. 이걸 다 따서 팔면 부자가 될 것 같은 기분이 들어서다.

"미숙아!"

하나라도 놓칠세라 자루까지 가져다 놓고 미친 듯이 사과를 쓸어 넣고 있는데, 문득 등 뒤에서 누군가가 그녀를 불렀다. 돌아보니 엄마가 환하게 웃고 있었다.

"엄마?"

"힘들지?"

"아니. 힘들기는? 좋아 죽을 것 같아. 이게 다 내 사과잖아. 이거 팔면 우리 애들 맛난 것도 먹일 수 있고 예쁜 옷도 사 입힐 수 있어. 그래서 좋아."

"그럼 너는?"

"나? 나는 괜찮아. 안 먹어도 배부르고 못 입어도 그럭저럭 지낼 만해. 진짜 괜찮아."

미숙은 배시시 웃었다.

그런 그녀를 엄마는 한동안 가만히 바라보기만 했다. 그러더니 곧 손을 뻗어 사과 하나를 툭 따서 내밀었다. 두 손으로 받아 놓고 보니 반짝반짝 빛나는 황금사과였다. 모두 빨간 사과뿐인데 이렇게 귀하고 예쁜 사과가 어디에서 나온 것일까? 미숙은 그 사과가 정말로 마음에 들었다. 보면 볼수록 좋았다. 끔찍하게 탐이 날 정도였다.

"예쁘다. 엄마, 나 이거 가져도 돼?"

"그래, 너 줄게. 잘 가지고 있어. 아무한테도 주지 말고 네가 가져. 알았지?"

"응!"

정말이다.

아무에게도 주지 않을 것이다. 다른 건 몰라도 이것만큼은 미주가 달라고 해도, 미준이가 달라고 해도 주지 않을 테다. 단단히 결심하며 그녀는 혹 빼앗길세라 사과를 품에 꼭 끌어안았다.

"엄마!"

소리치며 미숙은 벌떡 몸을 일으켰다.

눈앞이 갑자기 확 밝아졌다. 익숙해질 때까지 가만히 기다리자 곧 낯익은 침실의 풍경이 보였다. 그러나 현실감각은 조금 늦게 돌아왔는지 잠시 동안 그녀는 '여기가 어디지?' 라고 생각할 뻔했다.

"으음."

곁에서 잠들어 있던 고 사장이 기척을 느낀 듯 팔을 뻗어 그녀를 잡아당겼다.

순순히 끌려가 미숙은 그의 품에 코를 박았다. 무슨 꿈을 꾼 것 같은데 기억이 나지 않았다. 다만, 이상하리만치 그리운 느낌이 들고 가슴이 온통 서러움으로 가득 찼다. 아무 이유 없이 눈물이 날 것 같았다. 그래서 미숙은 스스로도 이해할 수 없는 이상한 기분에 사로잡힌 채 조금 훌쩍거렸다.

그래도 다행히 외롭지는 않았다. 잠결에도 떨어질세라 그녀를 꽁꽁 감싸 안고 있는 누구 덕분에.

그러고 보니 아까 사랑한다고 말해 줬던가?

잠든 그의 얼굴을 가만히 바라보다 미숙은 잠시 기억을 더듬어 보았다. 아무리 생각해도 말해 주지 않은 것 같았다. 날마다 한 번 이상씩은 말해 주기로 혼자서 결심을 했었는데 말이다. 그에 조금 망설이다 미숙은 잠든 그의 귓가에 입술을 대고 가만히 속삭였다.

"사랑해요, 은후 씨."

혹시 사랑이라는 말은 꿈속까지 전해지는 것일까?

분명히 잠든 그가 어느새 환하게 미소를 짓고 있었다.

번외

축제(Festival)

"죄송하지만 싫어요."

"뭐? 왜? 너에게 내가 부족해 보이니?"

"그런 게 아니라 아직 누굴 사귀고 싶은 생각이 없어서요. 지금은 공부만으로도 충분히 벅차거든요."

들고 다니는 두툼한 전공 책을 보여 주면서 덤덤하게 말하자 다소 고집스러워 보이는 그의 얼굴에 문득 짜증 어린 기색이 떠올랐다. 그 모습을 보고서야 '너무 단칼에 잘랐나' 하는 생각이 들었지만 이미 뱉어 놓은 말을 다시 주워 담을 생각은 없었다.

막말로, 이제 갓 만 스무 살이 된 애에게 웬 진지한 연애 운운이란 말인가.

언니처럼 서른을 코앞에 두고 선봐서 결혼할 생각은 없지만 만 스무 살부터 본격적인 연애질에 투신을 하는 것도 그리 내키지 않는 것이 사실이었다. 말한 것처럼 산더미처럼 쌓인 공부도 있고, 무엇보다 마음이 가야 말이지.

군대 제대하고 이번에 복학했다는 선배 현석을 보면서 미주는 내심 고개를 저었다.

그는 나름 멀끔한 얼굴에 부모님이 사 준 비싼 차를 끌고 다니는, 소위 말하는 '있는 집 자식'이었다. 주위 친구들이 그를 볼 때마다 킹카니 어쩌니 하면서 떠드는 것을 그녀도 심심치 않게 들었을 정도로 제법 인기가 있는 모양이었다. 하지만 그래 봤자 고작 23살이었다.

아직 경험이 없어서 그런가?

아무리 생각해 봐도 21살짜리와 23살짜리의 진지한 연애란 게 대체 어떤 것인지 상상이 안 간다. 열 살이든 스무 살이든 마음을 주고받는 일이야 언제나 진지한 거겠지만 아직은 책임을 질 수 없는 일이 더 많을 거라는 점에서는 똑같아 보였다.

'경주 선배랑 사귀었었는데 군대 다녀와서 헤어졌대.'

'제대하고 헤어졌단 말이야? 왜? 경주 선배 그동안 지극정성으로 면회 다니고 그랬었던 것 같은데. 뭐가 마음에 안 들어서 헤어진 거래?'

'난들 아나. 말로는 성격 차이라고 하더라.'

'3년이나 만났는데 이제 와서?'

쑥덕이던 과 친구들의 말이 새삼스럽게 뇌리를 스쳤다.

'왜 헤어졌을까?'

문득 궁금해졌지만 단지 그뿐이었다.

반듯반듯한 이목구비와 나름 남자다운 분위기를 가진 현석을 보며 미주는 다시 고개를 저었다. 역시 아니었다. 친구들은 다들 잘생겼다고 감탄하는 얼굴이었지만 그녀에겐 솔직히 별다른 감흥을 주지 못하고 있었다.

"저 먼저 가 볼게요."

"잠깐!"

"왜요?"

"그게…… 휴우, 차인 건 차인 거고 어쨌거나 늦었으니까 데려다 줄게."

"됐어요. 지하철 타는 게 더 편해요."

본의 아니게 이번에도 단칼에 자르는 말이 튀어 나갔다.

집까지 차로 가면 30분, 막히면 한 시간도 걸리지만 지하철을 타면 더하고 뺄 것 없이 딱 40분이면 해결된다. 미주는 그런 지하철이 아주 마음에 들었다. 아무래도 지하철이 없는 시골에서 자란 탓인 것 같았다.

시골엔 버스만 날랑 다니는데 그마저도 막차가 8시에 있었다.

고로, 8시면 인적이 끊어졌다. 어딜 가고 싶어도 차가 없으면 갈 수가 없다. 그런 곳에서 자란 몸이다 보니 자정까지

무리 없이 돌아다닐 수 있는 서울은 그야말로 불야성처럼 느껴졌다. 일 년이나 살았는데 아직도 신기할 때가 있을 정도였다.

"그렇게 안 봤는데 너 되게 냉정하다."

연거푸 거절을 당한 일이 쇼크였는지 그가 기가 막힌다는 투로 말했다.

"튕기는 게 아니라 진짜 싫어서 거절하는 것 같아. 내가 그렇게 네 타입이 아니니? 설마, 군대물이 덜 빠져서 아직도 아저씨 냄새가 나나?"

"글쎄요. 제 타입이 아닌 건 맞는데 그게 군대 탓인지는 잘 모르겠어요."

"헉! 그럼 군대랑 상관없이 네 타입이 아니라는 소리잖아. 인마, 그 말이 더 충격이다."

정말로 놀란 듯 가슴까지 움켜쥐고 쇼를 하더니 그가 돌연 벌떡 일어섰다. 그러더니 말했다.

"아직 살아갈 날이 구만리 같은 남자에게 이런 씻을 수 없는 상처를 주다니. 에잇, 복수다. 특별히 기분이 나쁘니 반드시 차로 데려다 주마."

"싫다고 했는데요."

"어허, 이의는 접수하지 않아. 나 이래 봬도 상처받은 남자야. 책임감을 좀 느껴 주지 않을래?"

왜 느껴야 하나, 그 책임감.

이제까지 몇 번이나 이런 식으로 귀찮은 제안들을 거절해

왔었는데 그럼 그때마다 책임감을 느꼈어야 했던 것인가? 제 입으로 상처받았다고 말한 주제에 돌연 해맑게 웃으면서 책임감 운운하자 그녀도 기가 막혔다. 누구처럼 거절당하자마자 그녀의 앞에서 눈물콧물을 흘려 가며 엉엉 우는 것보단 나았지만 그래도 정도라는 것이 있었다.

"혹시 조울증 있으세요?"

진지하게 대시했다가 차이자마자 갑자기 해맑게 웃는 그를 향해 미주가 선방을 날렸다.

"상처받았다는 사람이 웃는 건 또 처음 봐서요."

"허! 점점. 너 평소 눈치 없다는 말 많이 듣지?"

"전혀요. 솔직하다는 말은 종종 들어요."

"후우, 못 살겠다. 도대체가 빈틈이 없구나, 넌."

무덤덤하게 대꾸하자 한숨을 푹 내쉬면서 고개를 젓더니 그가 다시 말했다.

"쪽 팔려서 그래, 인마."

"뭐가요?"

"여자한테 차인 거 처음이란 말이야. 돌아가면 방구석에 처박혀서 내 매력이라는 것에 대해 진지하게 고찰해 볼 참이다. 너는 아니라고 했지만 아무래도 군대가 내 매력을 말살시킨 게 틀림없는 것 같아서."

"아아."

이해는 안 되지만 그녀는 그냥 고개를 끄덕여 주었다.

다른 건 몰라도 자존심에 상처를 입은 것만은 틀림없어 보여서 조금 미안해지기도 했다. 그 모습에 그는 또 한숨을 푹 내쉬더니 먼저 차가 있는 쪽으로 걸어가면서 물었다.

"집이 어느 쪽이냐?"

"종로구예요."

"종로구가 다 네 집이야?"

"……가회동이요."

"끄응. 반대 방향이다."

"안 데려다 주셔도 돼요. 지하철 타면 금방이니까. 가 볼게요."

조용히 납득하고 그녀는 그가 또 잡을세라 먼저 돌아섰다.

"야! 아무리 그래도 그렇지, 어떻게 그렇게……."

빠앙!

그의 고함 소리가 자동차의 묵직한 경적 소리에 묻혔다.

언제 나타난 건지 무시무시하게까지 보이는 검정색 세단이 근처에 서 있었다. 뒷좌석 쪽의 유리가 스르르 내려갔다. 삼십 대쯤으로 보이는 남자가 안쪽에 앉아 있다가 그들을 향해 느긋한 태도로 고개를 돌리는 것이 보였다.

어두워서 자세히 볼 수는 없었지만 윤곽 하나만큼은 예술적으로 잘 타고난 게 틀림없었다. 집요한 시선이 짧은 순간 차와 남자 사이를 바쁘게 오갔다. 가격을 생각하기도 겁나게 무시무시한 차 때문인지 아니면 남자가 두르고 있는, 괜히 상대를 긴장하게 만드는 특유의 분위기 때문인지는 모르겠으나 아무리 봐도 보통 사람처럼 느껴지지 않았다. 안 그러려고 해도 암흑가의 젊은 보스가 떠올라 현석은 저도 모르게 주먹까지 쥐고 말았다.

그러면서도 그는 스스로가 많이 발전했다고 느끼고 있었다. 전이었다면 어린 마음에 겁을 집어먹고 달달 떨었을 텐데, 이제는 그래도 군대를 다녀왔답시고 쓸데없는 오기가 먼저 치고 올라오는 것을 보면 말이다. 모처럼 마음에 든 여자에게, 비록 차이긴 했지만, 끝까지 잘 보이고 싶은 남자의 마음이 앞선 것도 물론이었다.

그리하여 기죽지 않은 척 나름 의연한 태도로 돌아서서 그는 미주의 손부터 찾았다. 어린 여자애니까 혹시라도 놀라 겁을 먹고 있을지도 모른다고 생각했던 것이다. 순간이었다. 미처 팔을 뻗기도 전에 예의 무시무시한 차와 남자를 발견한 미주가 간다는 말도 없이 후다닥 뛰어갔다. 그러더니 뒷문을 열고 냉큼 남자의 옆자리에 앉으면서 소리쳤다.

"먼저 가 볼게요. 안녕히 가세요."

그리고 그녀는 차와 함께 사라졌다.

"뭐, 뭐야 저거?"

얼이 빠진 채 현석은 멍하니 중얼거렸다. 어찌할 바를 모르고 벌써 사라진 차의 뒤꽁무니만 한참을 바라보았다. 머릿속이 팽팽 돌아갔다. 무시무시한 차와 그보다 더 무시무시한 분위기를 가진 남자, 그리고 윤미주.

"시골에서 올라온 가난한 고학생이라고 들었는데 아니었나?"

그의 고개가 갸웃 기울어졌다.

"학교까지는 어쩐 일이세요, 형부?"

차가 출발하기가 무섭게 미주가 물었다.

"또 언니가 전화했어요?"

"음. 전화했는데 안 받는다고."

"그럴 줄 알았어요. 축제 준비 때문에 회의하는 중이었어요. 늦을 거라고 말했는데 언니도 참."

괜히 사서 걱정하는 언니를 타박하듯 툴툴거려 보았지만 형부에겐 통하지 않았다. 언제, 어느 때에도 형부는 항상 언니의 편이었으니까. 그래서 입이 더 튀어나올 수밖에 없었다. 그놈의 부부일심동체가 문제였다. 언니가 쓸데없는 잔소리를 하면 형부가 나서서 말려 줘야 하는데, 마치 편파적인 심판처럼 형부는 언제나 언니의 편에 서서 언니를 먼저 챙기고 위로해 주는 것이다.

"치, 자꾸 그렇게 어리광 받아 주시니까 요즘 들어 언니가 잔소리를 더하는 거란 말이에요. 저 외로워지려고 해요, 형부."

"후후."

그녀가 하는 양을 보고서도 형부는 그저 피식 웃고 말았다. 그러더니 눈으로 뒤쪽을 가리키면서 물었다.

"과 친구인가?"

"아니요. 과는 다른데, 아무튼 그냥 선배예요."

"그냥 선배?"

대충 얼버무리자 형부의 한쪽 눈썹이 꿈틀거렸다.

가만히 묻는 듯한 시선이 날아왔다. 특유의 깊고 직설적인 눈빛을 마주하자 아무 이유 없이 죄책감이 들기 시작했다. 결국 5초도 못 버티고 그녀는 울상을 지으면서 자초지종을 모두 털어놓았다.

"사귀재요."

"아! 우리 처제가 벌써 연애할 나이가 되었나?"

"나이는 차고 넘치죠. 요즘엔 유치원 때부터 연애를 시작한다는데. 그래도 일단은 거절했어요."

"왜?"

"가슴이 두근거리지가 않아서요. 그리고 언니가 알면 보나마나 엄청 걱정할 테니까."

농담이 아니다.

언니가 이 일에 대해 알기라도 하는 날엔 당분간 편히 잠들기는 다 글러 버릴 것이다. 성격대로라면 혼자서 온갖 걱정을 다하다가 마침내 견디다 못해 그녀를 붙잡고 엉엉 울지도 몰랐다. 그냥 대시를 받았다가 찬 것뿐인데 언니는 그녀가 진짜 연애를 시작해서 어찌어찌 애를 가지고 버림받는 드라마석인 상변까지 상상할 게 틀림없었다.

"후우, 우리 언니의 새가슴을 누가 말려요. 언니가 형부랑 결혼을 결심한 건 정말 기적이라니까요?"

정말이다.

언니랑 결혼하겠다며 형부가 찾아왔을 때 미주는 하마터면 뒤로 넘어갈 뻔했었다.

무서울 만큼 잘생겼는데 분위기는 그보다 더 무겁고 살벌해서 딱 암흑가의 젊은 보스인 줄 알았던 것이다. 더 볼 것도 없었다. 소심하고 겁 많은 언니하고는 절대로 어울리는 사람이 아니었다.

얼마나 무서웠는지 그런 형부와 선을 보았다는 것 자체만으로도 그녀는 언니가 대견스러울 정도였다. 그런데 일이 아주 우습게 돌아가서 언니는 선본 지 고작 한 달 만에 그와 결혼을 해 버렸다. 그녀의 걱정과는 달리 지금까지 잘 살고 있었다.

"형부는 언니의 어디가 그렇게 마음에 드셨어요?"

"다. 전부 다."

"겁 많고 소심한 것까지도?"

"음. 그게 바로 윤미숙이니까."

어찌 들으면 내장 속까지 오글거릴 법한 말을 형부는 눈하나 깜짝 않고 해치웠다.

희미한 미소와 함께 내뿜는 열정이 짧은 순간 어찌나 격한지 그녀의 얼굴이 다 후끈거릴 정도였다. 역시 사랑의 힘은 위대한 건가 보다.

"크흠. 그래도 요즘엔 언니가 많이 용감해져서 다행이에요. 아무래도 형부랑 같이 살아서 그런가 봐요. 아니면 그 유명한 패싸움의 영향인가?"

"후후."

2대 6으로 붙어 이겼다는 전설의 패싸움을 거론하자 형부가 나직하게 소리 내어 웃었다.

작년 여름 유명한 레스토랑에서 있었던 일이었는데 직접 보지는 못했지만 애심 언니가 볼 때마다 자랑처럼 늘어놓는 바람에 이제는 본 것보다 더 자세히 알고 있는 이야기였다. 아무튼 그때 이후 언니는 심경의 변화를 일으킨 듯 여러모로 용감해졌단다.

그래 봤자 그녀가 보기엔 생쥐에서 토끼 정도쯤으로 사이즈만 커진 것 같지만. 생쥐나 토끼나, 한 마리 표범 같은 형부를 상대하기엔 지나치게 작은 사이즈가 아닌가. 물론 배를 채우기에도 턱없이 부족하고.

"윤미주!"

차에서 내리기가 무섭게 언니의 목소리가 귀를 찔렀다.

계속 정원에서 기다리고 있었던 듯 얼굴이 조금 창백하게 질려 있었다.

"어, 언니!"

"너어!"

"미안. 내가 회의하느라고 바빠서 전화가 온 줄도 몰랐었어. 진짜야."

"거짓말. 세 번이나 전화했었는데 그런 변명이 통할 것 같아? 일부러 안 받은 거지?"

"응? 그, 그게…… 어우, 피곤해. 나 그만 자러 갈게."

"어어. 너, 거기 안 서?"

"안녕히 주무세요, 형부."

붙잡힐세라 요리조리 피하다 미주는 냉큼 제 방으로 달아나 버렸다.

잡히면 등짝을 얻어맞고 뭘 하느라 전화도 안 받은 거냐고 밤새도록 잔소리를 들을지도 몰랐다. 문을 꼭 잠그고 가만히 문밖의 동정을 살폈다.

—너 당장 문 안 열어?

—윤미숙.

—앗, 깜짝이야. 으, 은후 씨?

—밤엔 아직 추우니까 밖에 나와 있지 말라고 했지?

—그지만 걱정됐단 말이에요. 전화도 없고, 들어오지도 않고, 그래서 무슨 일이라도 생긴 줄 알고……. 다시는 안 그럴게요.

언니의 목소리가 팍 죽었다.

역시 이렇게 될 줄 알아보았었다. 아무리 화가 났다고 해도 형부를 상대로 싸울 용기는 나지 않았으리라. 아무리 용감해져 봐야 언니는 그냥 언니였다.

"후우, 다행이다."

회심의 미소를 지으며 미주는 그제야 가방을 벗어 던졌다. 그때였다.

—아! 왜, 왜 이러세요?

—…….

—만지지 말아요. 아이참, 나 아직 화났단 말이에요. 그리고 바빠요.

—음? 이번엔 언제까지 바쁠 예정인데?

—미주한테 언니 전화는 꼭 받으라고 말해 줄 때까지요. 오늘은 먼저 주무세요. 흥!

이런! 미어캣 과인 언니가 표범 과인 형부를 용감하게 튕겨 냈다.

불쌍한 우리 형부, 이제 어쩌나.

약간의 죄책감을 느끼다 그녀는 곧 숨죽여 웃어 버렸다. 서로가 서로에게 약한 언니 부부의 모습이 조금 우스워 보였기 때문이다. 물론, 언니가 나름 당당하게 지내고 있다는 사실이 가장 마음에 들었다.

엄마가 일찍 돌아가시는 바람에 언니는 열 살이나 어린 그녀를 마치 딸처럼 키워야 했다.

고등학교를 졸업하기도 전부터 사과 농사를 짓는 아버지를 따라다니면서 밭일을 하고, 곧 본업이 된 마을금고 일도 하고, 거기에 집안일과 어린 동생들까지 챙기느라 서른이 다 되도록 시집도 못 가고 내내 환갑을 맞이하는 아줌마처럼 살았더랬다.

끼니 챙기는 일부터 동생들의 대학등록금 마련하는 일까지 몽땅 다 언니 차지였다.

꿈도 희망도 없어 보이는 언니의 모습을 볼 때마다 미주는 치미는 죄책감 때문에 남몰래 울기도 했었다. 돌아가신 엄마도 원망해 보고 무능력한 아버지를 증오해 보기도 했지만 다 소용이 없었다. 어떻게 해도 언니에게 도움이 안 되는 건 마찬가지였으니까.

그 즈음에 운명처럼 형부를 만나지 않았더라면 언니는 계속 그렇게 살고 있었을 거다.

하다하다 하필이면 학비가 비싸다는 사립대로 입학한 그녀 때문에 그야말로 허리가 휘었을지도 모른다. 아니, 아예 그녀가 지금의 학교에 입학하지 못했을 것이다. 뭐, 그녀인들 그러고 싶었을까마는 대학을 포기할 생각으로 얼마간 공부를 놓았더니 결국엔 언니가 가지 말라고 노래를 하던 사립대로 오고 말았지 뭔가.

"하여간에 청개구리 같은 윤미주. 너 앞으로 뭐가 되려고 이러니?"

침대 위에 대자로 뻗은 채 그녀는 스스로 머리를 쥐어박았다.

생각해 보니 연애 따위가 문제가 아니었다. 비싼 학비를 대고 있는 형부를 위해서라도 그녀는 더 열심히 공부를 해야만 하는 상황이었다. 그런 이유로 이번의 축제도 하루 빨리 지나가 주었으면 참 좋을 것 같았다.

[거기, '막내!']

평소보다 조금 늦게 집을 나섰을 때였다.

마침 옆집 쪽에서 나오던 차가 그녀를 발견하고 스르르 멈추어 섰다. 한눈에 보기에도 훤한 얼굴을 가진 외국인이 창문을 열고 그녀를 부르고 있었다. 루카스였다.

이제야 하는 말이지만, 형부에겐 남동생과 여동생이 하나씩 있다.

루카스는 그중 여동생의 남편이었다. 그러니까 매제다. 형부의 여동생이 두바이로 여행을 갔다가 사막에서 주워 온 남자라고 했다. 공짜로 주워 왔다고 하기엔 하도 잘생겨서 그 사막이 어디쯤인지 물어보기도 했었다. 아무튼 처음 만났을 때부터 그는 미주를 '막내'라고 부르고 있었다. 그게 이름인 줄 알고 언니가 하는 말을 따라 하다가 그냥 버릇으로 굳어버린 거다.

[타!]

[이 시간에 웬일이세요?]

앞자리 보조 좌석 쪽에서 비서가 후다닥 내려 뒷문을 열어주는 모습을 지켜보다 그녀가 물었다.

[비즈니스 약속이 있어.]

[은수 언니는요?]

[자. 아기랑 같이.]

[네에. 근데 어제 오신 거예요?]

[응. 태국 쪽 일이 끝나서 쉬러 왔어. 은수가 가족들을 많이 보고 싶어 했거든.]

[네에. 안 그래도 저도 언니 보고 싶었어요.]

그의 옆자리에 앉아 가면서 미주는 방글 웃었다.

언니 내외와 같이 살기 시작하면서 그녀에겐 두 명의 언니가 더 생겼다. 형부의 여동생인 은수 언니랑 제수씨가 되는 선주 언니가 바로 그들이었다. 처음엔 어색할 줄 알았는데 둘 다 성격도 털털하고 서글서글해서 금방 친해졌다. 이후, 그녀들은 미주를 마치 친동생처럼 여기며 '막내야' 하고 부르고 다닌다.

얼마나 예뻐하는지 집에 올 때마다 조그만 선물이나 간식 따위를 사다 주기도 하고 가끔은 용돈도 주었다.

둘 다 동생이 없이 자라서 그렇다며 그녀의 존재를 엄청 신기해했다. 특히 재벌가의 외동딸로 자란 선주 언니는 그녀에게 '언니'라고 불리는 걸 너무 좋아해서 심심할 때마다 일부러 데리고 다닐 정도였다. 은수 언니야 그녀처럼 막내로 자란 사람이라 금방 동지애가 싹텄고.

[아기 보러 가야겠어요. 라시드는 여전히 건강하죠?]

[물론이지. 죽순처럼 자라고 있어, 그 녀석. 그나저나 막내는 학교에 가는 중이겠지?]

[네. 요즘 축제 준비 중이라서 좀 바빠요.]

[축제?]

[네. 매년 봄마다 열리는 학교 축제예요.]

[오, 그거 재미있겠는데? 은수랑 구경 가도 돼?]

[물론이죠. 내일부터니까 저녁에 놀러 오세요. 유명한 가수들도 오고 맛난 것도 많아요. 저희 과에서 이번에도 막걸리 주점을 열기로 했거든요. 전 파전 담당이에요. 오셔서 많

이 팔아 주세요. 네?]

아직은 어설픈 영어로 덧붙이자 재미있는지 그가 소리 내어 웃었다.

이래 봬도 루카스는 억만장자 소리를 듣는 사람이었다. 전 세계에 지점을 둔 유명호텔 체인의 CEO다. 곳곳마다 별장이 있다는 소리를 들었는데 아직 가 본 적은 없었다. 그런 그가 은수 언니 먹이려고 자그마치 6개월 동안이나 리무진 타고 시장까지 가서 순대랑 떡볶이를 사다가 날랐단다. 일에 치이면서도 그랬다니 정말 대단한 정성이었다.

그 정성 덕분에 은수 언니는 루카스를 쏙 빼닮은 떡두꺼비 같은 아들 라시드를 낳았다. 아직 걷지도 못하는 아기임에도 불구하고 이목구비며 눈매가 얼마나 예쁜지 장래의 훈남 자리는 미리 맡아 둔 거나 다름없었다. 또한 그런 이유에서 미주는 은수 언니가 루카스를 주워 왔다는 그 사막의 위치가 정말로 궁금했다.

라시드 같은 아들을 낳으려면 아무래도 그녀 또한 사막에 가서 루카스 같은 남자를 주워 오는 게 좋지 않을까 싶어서. 혹시 아나? 그 사막에 가서 모래를 파 보면 딱 루카스 같은 남자가 발굴될지.

[‘형수님’은 잘 지내?]

잠깐 웃던 그가 먼저 언니의 안부를 챙기고 나섰다.

[네. 형부 성화에 못 이겨서 보약도 먹고 밥도 잘 먹고, 그래서 요즘 살도 토실토실 찌고 있어요. 그리고 잔소리도 늘

었고요.]

[하하.]

[웃을 일이 아니라고요. 어제도 좀 늦게 들어왔다고 얼마나 혼났는데요. 형부한테 전화까지 하고. 얄미워 죽겠어요.]

그 말에 루카스는 또 유쾌하게 웃었다.

입술을 귀엽게 삐죽 내밀고 어설픈 발음으로 투덜대는 그녀가 너무 귀엽다는 투였다. 자그마치 대학교 2학년씩이나 되는 어엿한 아가씨를 종종 초딩 대하듯 해서 기분이 상할 때가 있긴 하지만, 사실 그런 태도도 그리 싫지는 않았다. 레지던트랍시고 한 달에 한 번 얼굴을 볼까 말까 한 친오빠보다 백배는 더 친절한 그였으니까.

형부는 특유의 카리스마가 있어서 불편하고, 형부의 동생이자 선주 언니의 남편인 은준 아저씨는 성격이 나빠서 괜히 긴장이 되는데, 루카스는 그저 부드럽기만 해서 좋았다. 다만, 그녀의 짧은 영어 실력으로 인해 제대로 말이 안 통해서 슬플 뿐이었다. 물론, 그도 한국말은 조금씩 하는 편이었지만 역시 그녀의 영어처럼 그 실력이 아직은 짧은 편이었다.

[휴우, 우리 오빠도 루카스처럼 친절하면 참 좋을 텐데 말이에요.]

[오, 닥터 윤이 막내에게 친절하지 않아? 왜?]

[왜긴요. 수면 부족 때문이죠. 피곤에 절어서 한 달에 한 번씩 집에 와도 얼굴 보기도 힘들고 자는 거 깨우면 난리가 나요. 어쩌다 맨 정신일 때는 '공부 열심히 해라' 하는 잔소

리만 하고요. 미워요.]

[저런. 정말 나쁜 오빠인걸. 내가 혼내 줄까?]

[어떻게요?]

[음, 찰리에게 잡아 오라고 해서 꽁꽁 묶어 놓고 마음껏 때리게 해 줄게. 어때?]

그 소리에 이번엔 그녀가 소리를 내어 깔깔 웃었다.

찰리는 그의 보디가드이자 친구였다. 그리고 은수 언니 친구인 애심 언니의 남편이기도 하다. 그녀의 언니랑 2대 6으로 패싸움을 벌여서 이겼다는 바로 그 애심 언니 말이다.

완벽한 미모에 쭉쭉빵빵한 몸매의 소유자이기도 한 애심 언니를 처음 봤을 때 미주는 미스코리아가 온 줄 알았었다. 생긴 건 미스코리아인데 하는 짓은 딱 왈가닥 같아서 얼마나 놀랐는지 모른다. 말로는 외동딸로 자라서 그렇다는데, 같은 외동딸로 자란 선주 언니는 멀쩡한 것을 보면 아무래도 집안 내력이거나 그냥 천성이지 싶다.

덕분에 언니들이랑 다 같이 모이면 한시도 조용할 틈 없이 언제나 왁자지껄 요란했다.

이제 은수 언니가 왔으니까 조만간 집 정원에 모여 또 한바탕 시끄럽게 놀게 될 것이었다. 그러면 그녀도 모처럼 언니들에게 둘러싸여 잔뜩 예쁨을 받을 거다. 그날이 벌써부터 기다려지기 시작했다.

[그런데 찰리 아저씨, 요즘도 언니한테 맞고 살아요?]

[쿡. 물론. 그래도 절대로 떨어지지 않으려고 드는 걸 보면

아직 견딜 만한 게 틀림없어.]

그거야 당연한 이야기다. 덩치도 덩치지만, 자그마치 보디가드로 잔뼈가 굵은 사람인데 설마하니 조막만 한 여자의 손에 맞아 죽기야 할까. 더구나 이런 말하기는 좀 미안하지만 여풍이 센 애심 언니네 집의 가풍 탓은 둘째 치고 찰리는 일단 맞아도 싸다.

사람이 어찌나 음흉한지 결혼을 거부하는 언니를 졸졸 따라다니다 직장을 그만두게 만들고 결혼한다는 소문도 내고, 나아가 주위에 진을 치고 살면서 아버지 빼곤 다른 수컷들의 존재를 아예 접근 차단하기도 했었으니까. 특히, 무슨 이유인지 우리 형부를 그렇게 경계한다. 둘이 나란히 서 있기라도 하면 아예 도끼눈을 뜨고 바라볼 정도였다.

아무튼, 그렇게 어르고 달래서 마침내 결혼에 골인했는데 수완이 좋았는지 결혼하자마자 덜컥 임신을 시켜 놓았다. 결혼한 지 얼마 안 되었을 때 하도 언니를 떼어 놓지 않으려고 들어서 견디다 못한 언니가 어느 날은 친정 방문을 핑계로 가출까지 했더랬다. 그랬더니 당장 쫓아와서 납치하듯 도로 데려갔는데 그로부터 얼마 지나지 않아 쌍둥이를 임신했다는 소식이 들려온 거다. 덕분에 애심 언니는 벌써 몇 달째 꼼짝도 못하고 집에 갇혀 있는 중이었다.

[불쌍한 애심 언니. 제 대신 안부 좀 전해 주세요.]

[하하하. 그러지. 저녁에 집에서 봐.]

[네. 조심해서 다녀오세요.]

미주는 귀염성 있는 태도로 루카스를 향해 팔랑팔랑 손을 흔들어 주었다.

그의 차가 막 학교 앞을 떠나갔을 때였다.

"오늘은 다른 차네."

"헛! 까, 깜짝이야."

등 뒤에서 낯익은 얼굴이 하나 불쑥 튀어나오더니 마치 내던지듯 툭 한마디 했다. 현석이었다.

"어, 언제부터 거기 있었던 거예요?"

"방금 전부터. 근데 너 대체 정체가 뭐냐?"

"정체라뇨? 무슨 뜻으로 묻는 말인지 모르겠는데요?"

슬쩍 인상을 구기고 바라보자 현석은 조금 난감한 얼굴을 했다. 그래도 안 되겠던지 고갯짓으로 방금 사라진 차를 가리키면서 다시 말을 이었다.

"이건 내가 차 마니아라서 아는 일인데 저거 엄청 비싼 차다. 우리나라에 없는 거야."

"그래서요?"

"어제 본 차도 엄청 비싸. 지금 우리나라엔 달랑 두 대 들어와 있는 거지. 그중 한 대는 모 재벌 그룹 CEO가 타고 있고."

"그래서 하고 싶은 말이 뭔데요? 승차감이 어땠는지 말해 달라는 거예요?"

그녀의 물음에 현석은 몰래 한숨을 삼켰다.

도대체가 눈치가 빠른 건지, 아예 눈치가 없는 앤지 구분이 안 가려고 했다. 혹시 자신이 잘못 알고 있나 해서 오늘은 학교에 오자마자 후배들에게 그녀에 대해 다시 묻고 다녔다. 다행히 누구에게 물어도 그녀에 대한 대답은 다 똑같았다.

'아버지가 시골에서 사과 농사지으신대요.'
'시골에서 고등학교 졸업하고 바로 올라왔다던데요?'
'언니랑 오빠가 있는 집의 막내죠.'
'사과밭이요? 아담하고 예뻤어요. 땅 부자요? 절대 아니에요.'

그러니까 평범한 시골 과수원집 막내딸이 하루상간으로 국내에서 귀한 차를 얻어 타고 다니는 일이 얼마나 이상한 일인지 알고는 있느냐는 거다. 재벌집 딸쯤 된다면 모를까 적어도 시골 과수원집 막내딸의 입장에서는 거의 불가능한 일이 아닌가 말이다.

"너 혹시 재벌 딸이냐?"
"아닌데요."
"그럼 저런 차는 어떻게 얻어 탄 거냐?"
"……지금 기분이 나빠지려고 그러는데, 그거 무슨 뜻이에요?"

이제야 상황을 눈치챈 듯 토끼 같은 눈에 희미한 분노의 빛이 어렸다.

그것을 보자 이상하게 속이 뜨끔해지면서 속에 든 말을 꺼내는 일이 망설여지기 시작했다. 그에 말도 못하고 잠시 눈치만 보고 있자 문득 그녀가 팔짱을 끼더니 조금 짜증스럽게 말했다.

"왜요, 나 같은 시골뜨기는 저런 비싼 차를 얻어 타면 안 된다는 거예요?"

이 자식, 눈치 없는 거 맞다.

허탈감마저 느끼며 바라보자 그녀가 다시 덧붙였다.

"유감스럽지만 나 가끔 저런 차 얻어 타요. 그런데 내가 저런 차를 얻어 타거나 말거나 선배가 무슨 상관이에요? 어제 상처받고 떨어져 나간 것 아니었어요?"

"야! 넌 꼭 그렇게 노골적으로 말해야겠냐?"

"그럼 선배는 왜 그렇게 노골적으로 사람을 무시하는 건데요?"

"아니, 그게 난 그냥 좀 신경이 쓰여서……."

"하나도 안 고마우니까 앞으로는 제가 무슨 차를 얻어 타고 다니든 신경 쓰지 말아 주셨으면 좋겠네요. 흥!"

멍하니 선 그를 향해 가차 없이 콧방귀를 날려 주고 미주는 횡하니 돌아서 버렸다.

"하여간에 진짜 이상한 동네라니까. 시골에서 올라온 게 무슨 죄야? 심심할 때마나 무시를 하고 있어."

강의실로 올라가면서 미주는 조금 투덜거렸다.

뽀얗고 예쁘장한 얼굴만 보고 접근했다가 그녀가 시골에서 왔다고 고백하는 순간 눈빛이 변하면서 '아, 그래?' 하고 돌아서던 사람들이 가끔 있었다. 남녀를 가리지 않고 그러는 바람에 어린 마음에도 얼마나 상처가 컸는지 모른다.

작년에는 언니랑 같이 살기 전이라 기숙사에서 지내면서 간혹 아르바이트도 하고 그랬는데 덕분에 가난한 고학생이라는 별명까지 붙으면서 그녀는 본격적으로 별 볼 일 없는 시골 과수원집 막내딸 취급을 당하기 시작했다. 어찌 되었든 과수원집 막내딸이라는 건 사실이니까 별로 불만은 없지만 그래도 그렇지 꼭 사람을 앞에 두고 그렇게 노골적으로 비웃을 건 뭐냔 말이다.

"미주야!"

강의실로 들어서기가 무섭게 단짝친구 소희가 눈썹을 휘날리면서 달려왔다. 숨을 돌리기도 전에 그녀를 붙잡고 다짜고짜 물었다.

"너 어떻게 된 거야?"

"음? 뭐가?"

"너, 현석 선배랑 사귄다는 거 진짜야?"

다그치듯 묻는 말에 미주는 정말로 놀라 버리고 말았다.

세상에, 고작 어제 저녁에 있었던 일이 벌써 다 소문이 나 버렸나? 그런데 왜 결과는 반대로 알려진 것일까? 이게 바로 말로만 듣던 언론플레이라는 것인가. 어처구니가 없어서 헛웃음이 다 나왔다.

"아, 진짜냐고오?"

"아니."

"아니야?"

"응, 아니야."

"그렇지만 어제 저녁에 선배랑 같이 있는 거 누가 봤다고 그러던데?"

"그랬었지. 사귀자고 하더라. 근데 내가 싫다고 했어."

"뭐어? 왜?"

"내 취향이 아니야. 그런 사람 난 딱 질색이거든."

치를 떨듯이 말하자 소희는 웃는 대신 손을 내밀었다. 손바닥을 그녀의 이마에 척 붙이더니 다소 시큰둥하게 말했다.

"윤미주, 너 어디 아프냐?"

"말짱해."

"그럼 미쳤구나. 이 바보야, 대체 뭐가 부족해서 네가 선배를 차니?"

"내가 모자란 게 많아서 찼다고 생각해 주라."

"어, 그건 어쩐지 납득이 가려고 한다. 근데, 너 이제 큰일 났다."

"큰일이라니?"

대수롭지 않게 여기며 미주는 자리를 찾아 앉았다. 그런 그녀에게 뜬금없는 소리가 쏟아졌다.

"아까 정주 선배 다녀간 거 너 모르지?"

"현석 선배랑 사귀었었다는?"

"응. 와서 윤미주가 누구냐고 물었다지?"

"어, 그 선배가 날 왜 찾아? 두 사람 헤어진 거 아니었나?"

"헤어졌지. 명백히 헤어진 게 맞는 것 같은데, 다른 애들 말 들어 보니까 요즘 경주 선배가 현석 선배 주변에서 맴도는 걸 종종 봤다더라. 그래서 다시 시작하는 거 아니냐고 다들 궁금해하더라고. 그런 와중에 갑자기 네 이름이 들려서 나는 또 기겁을 했지 뭐야."

아, 귀도 밝은 마당발이여, 그대 이름은 박소희로세.

사소한 소문까지 일일이 다 듣고 다닐 수 있는 그녀의 오지랖에 미주는 진심으로 감탄했다. 하지만 감탄은 감탄이고 진실은 진실이었다.

헛소문 때문인지 혹은 다른 이유가 있는 것인지는 잘 모르겠지만 그녀를 찾아왔다는 선배에 대한 이야기는 그리 유쾌한 것이 되지 못했다. 마치 불륜 상대의 아내가 찾아왔다는 뉘앙스를 풍기는 것만 같아서 기분이 아주 더러웠다.

"기분이 좀 그렇네. 뭔지는 모르겠지만 원수지간이 된 게 아니라면 그냥 둘이 다시 잘해 볼 일이지."

"어, 진심이냐?"

"응. 그 사람들 3년이나 사귀었다면서? 그럼 서로에게 정도 많이 들었을 건데 좀 아깝잖아. 안 그래?"

"그거야 그렇지만. 너 아까 그 말 진심이었구나. 진짜로 현석 선배가 돌처럼 보이는 거야. 그렇지?"

"아니. 그 사람은 돌이 아니라 그냥 나에게만 별로 쓸모가 없는 남자 사람인 거야. 나 졸업할 때까지 연애는 꿈도 못 꾸게 생겼거든."

"뭐어? 왜?"

"우리 언니 때문에. 요즘 좀 늦게 다닌다고 난리가 났어. 통금 시간을 정할 기세야."

아침 밥상머리에서부터 '일찍 들어오라'는 소리를 입에 달고 다니던 언니 때문에 미주는 아직도 머리가 울리는 것 같았다.

아닌 게 아니라 이러다 곧 통금 시간을 정해 주고 그 시간을 어길 때마다 용돈을 깎아 나가는 비겁한 방법을 동원할까 봐 겁난다. 다행히 용돈 챙겨 주는 사람이 많아서 큰 걱정은 없지만 데미지가 클 거라는 점만은 사실이었다.

"아, 네 언니 생각보다 엄청 극성인가 보다."

"말하면 내가 입이 아플 지경이다. 그나마 형부 덕분에 살아, 내가."

진짜다. 요즘 늦게 들어가는 일로 형부의 신세를 더 지고 있다 보니 가끔은 형부가 친아빠처럼 느껴지고, 언니는 못된 계모 같았다. 그러니까 제발 조금 늦게 들어간다고 해서 당장 어찌 되는 게 아니라는 사실을 언니가 이제 그만 좀 알아주었으면 참 좋을 것 같았다.

"네가 윤미수니?"

어어, 찾아왔었다더니 진짜였나 보다.

수업을 마치고 강의실을 나서자마자 누군가가 앞을 탁 가로막았다. 놀라서 바라보니 소희 덕분에 먼발치에서 몇 번

본 기억이 있는 경주 선배였다. 그래, 현석 선배와 사귀다가 헤어졌다는 문제의 그 선배 말이다.

아담한 키에 청순하고 오목조목 예쁜 얼굴을 가진 그녀를 물끄러미 보다가 미주는 말없이 고개를 끄덕였다. 멀리서 보던 것보다 조금 더 순진하고 깨끗해 보이는 얼굴이었다. 그런 그녀가 조심스럽게 입을 열었다.

"최경주라고 해. 나 알지?"

"네, 알아요. 근데 저를 찾아오신 이유는 모르겠어요."

"당당하구나."

"제가 당당하지 못할 이유가 있나요?"

"말해 주고 싶은 게 있어서 왔어. 사실은 네가 아직 모르는 게 있어. 현석이랑 나 그렇게 쉽게 헤어질 만큼 가벼운 사이 아니었어."

아아, 싫다. 이런 드라마 같은 상황은.

언니가 보는 아침 드라마 같은 상황이 연출될 조짐을 보이자 다 듣기도 전에 울컥 짜증이 몰려왔다. 그에 미주는 저도 모르게 툭 내뱉었다.

"무슨 이야기를 듣고 오신 건지는 알겠지만 잘못 알고 오셨어요."

"뭐?"

"저 현석 선배한테 관심 없어요. 관심이 없으니까 두 분이 어떤 사이인지에 대해서 저한테 일일이 설명하실 필요도 없고, 저도 별로 알고 싶지 않아요."

"저, 정말이니?"

"네. 저언혀, 절대로 관심 없으니까 제발 저를 중간에 끼워 넣으려고 들지 말아 주셨으면 좋겠어요. 이런 일이 우리 언니 귀에 들어가면 저 다리몽둥이가 부러질 거거든요."

혹시라도 또 딴소리가 나올까 봐 미주는 미심쩍어하는 그녀에게 단호하게 못을 박아 주었다.

"진심으로 두 분이 다시 잘되길 바랄게요."

"응? 어. 고, 고마워."

조금 얼이 빠져서 바라보는 그녀에게 대차게 응원까지 해 주고 미주는 흐뭇한 얼굴로 돌아섰다. 짜증이 나긴 했지만 그래도 좋은 일을 한 것 같아 마음만은 후련했다. 적어도 그 순간에는 그렇게 생각하고 있었다.

"야아, 그렇게 안 봤는데 현석 선배도 정말 나쁜 놈이었구나."

곁에서 졸졸 따라오며 소희가 쑥덕거렸다.

"연애하다 헤어질 수 있다고 쳐. 그런 거 요즘엔 일도 아니니까. 그런데 아무리 그랬어도 그렇게 '가벼운 사이가 아니었다' 고 운운할 정도였으면 삼 년 수절까지는 못해도 적어도 반년 정도는 쉬어 주는 게 남자의 도리 아니야?"

"그런 도리도 있었니?"

"말이 그렇다는 거야. 아무튼 전 애인이 아직도 저러고 다니는데 새파랗게 어린 후배에게 들이대는 건 좀 아니라는 거지."

"에이, 새파랗게 어린 건 아니다."

"아유, 새파랗게 어린 거 맞아요, 미주 어린이. 저런 더러운 연애 따윈 관두고 언니가 정해 준 통금 시간이나 잘 지키시구려."

"너어!"

기어코 살살 놀려 먹는 소희를 쫓아 미주는 한바탕 뜀박질을 했다. 그러다 결국 놓치고서는 헉헉거리면서 소리쳤다.

"너 자꾸 그러면 점심이고 뭐고 안 사 줄 거야!"

"어우야, 치사하게. 백만 년 만에 한 번 사는 거면서."

"흥! 그래서 싫다고?"

"그럴 리가. 헤헤."

밥 안 산다는 소리가 무섭긴 했는지 소희가 헤헤 웃으면서 다시 다가왔다. 그러곤 농담처럼 물었다.

"비싼 거 먹어도 돼?"

"응. 비싼 거 먹어."

"어? 정말? 웬일이야, 짠순이 윤미주가? 너 나 몰래 아르바이트라도 했어?"

"아니. 사실은, 형부가 언니 몰래 용돈 주셨거든. 크크크."

"아항!"

미주의 대답에 소희가 기특하다는 듯 어깨를 툭툭 쳐 주면서 웃었다.

사실은 지난해 내내 얻어먹기만 한 게 미안해서 이번에 크게 한턱 쓰기로 마음을 먹은 거였다. 어차피 내일부터는 본격적인 축제 기간이기 때문에 바빠서 따로 시간을 내기도 어려울 테니까.

그렇게 해서 미주는 소희의 강력 추천 아래 평소라면 비싸서 엄두도 못 낼 이탈리아 레스토랑으로 들어가게 되었다.

"근데 너무 무리하는 거 아니야?"

피자와 스파게티를 시켜 놓고 소희가 조금 걱정스럽게 물었다.

"아까는 당기는 대로 열심히 주문하더니 이제 와 걱정되니? 걱정 마. 괜찮아, 이 정도는. 날이면 날마다 오는 날이 아니라는 사실만 알아 두셔."

"네에, 알아 모시겠습니다. 어?"

익살맞게 웃던 소희가 돌연 멈칫하더니 눈짓으로 그녀의 등 뒤쪽을 가리켰다. 거의 동시에 낯익은 목소리가 뒤통수를 후려쳤다.

"여기 있었냐?"

현석이었다.

홍길동처럼 불쑥 나타난 그는 앉는다는 말도 없이 그녀의 곁에 턱 주저앉았다. 그러더니 아직 손도 안 댄 피자를 한 조각 집어 들고 입에 넣으면서 말했다.

"경주가 찾아갔었다며?"

"그 피자 내 거거든요?"

"신경 쓰이게 해서 미안하다만…… 음, 이거 맛있다. 암튼, 다시 잘해 보라는 소리는 너무했더라. 연타로 상처가 너무 커. 어떻게 보상해 줄래?"

보상 대신 미주는 그의 손에서 한참 먹고 있는 피자를 빼앗았다. 있는 힘껏 눈을 부라리고 말했다.

"꺼지시지."

"헉! 미, 미주야아."

"이봐, 후배. 너 너무한다."

"선배야말로 너무하고 있는데 말이죠. 난 선배를 이 자리에 초대한 적이 없거든요. 다시 말하지만 너무 노골적으로 예의가 없어요. 재수 없다고요."

상처 난 자리에 소금까지 뿌려 주마.

미주는 보다 더 냉정하게 굴기로 작심했다. 적당히 말해도 순순히 포기하던 다른 남자들과 달리 현석은 아주 끈질기고 유들유들한 사람이었다. 예의 없고 불결하다. 안 그래도 당한 일이 있다 보니 불쾌함의 강도가 불쑥 올라갔다. 오냐, 아까 경주 선배에게 당한 일까지 해서 몽땅 다 갚아 주마, 이 더러운 남자야.

"무슨 생각을 하고 있는지 모르겠지만 난 선배를 더 이상 계속 보고 싶은 생각이 없어요. 누구 마음대로 나를 아침 드라마의 주인공으로 만들고 난리예요."

"……."

"한 번만 더 당신들 사이에 끼워 넣어 봐요. 절대로 가만히 있지 않을 거야. 선배 취급해 주고 싶은 생각까지 없어지기 전에 당장 일어나요."

쌀쌀맞게 다다다 쏘아 준 그녀는 마치 제 형부를 흉내 내듯 입술을 꼭 다물고 그를 노려보았다.

"후우, 정말 살다 살다 이런 일을 겪는 건 또 처음이다."

"더해 줘요?"

"됐어, 인마. 간다, 가. 가면 될 것 아냐."

다행히 그는 순순히 일어섰다. 그런데 아무래도 그냥 가기는 조금 섭섭했는지 가다 말고 다시 돌아오더니 그녀의 피자를 다시 빼앗아 들고 후다닥 튀는 거다.

"잘 먹으마."

"허! 뭐 저런 사람이 다 있어."

말마따나, 살다 살다 이런 일을 겪는 건 또 처음이다.

선배만 아니면 정말로 한 대 쳐 주고 싶을 정도로 얄미운 사람이었다. 분해서 속에서 열이 다 올라오려고 그런다. 그런 그녀를 향해 문득 소희가 말했다.

"난 네가 더 무섭다, 인간아."

"내가 왜?"

"어쩜 선배한테 눈 하나 깜짝 않고 그런 말을 퍼부을 수 있니? 아오, 진짜 난 간이 떨어질 뻔했어."

"크흠, 미안."

"에효, 밉이나 못하면. 얼른 먹기나 하자."

"응. 먹고 나서 내일 사용할 재료 확인해야지. 임원들이 시장을 봐 온다고 했는데 제대로 하려나 몰라."

신경이 다시 축제 준비하는 일로 쏠렸다.

집에서 해 본 가락으로 지난해에 파전 부치는 일을 했었는데 그게 대박이 나는 바람에 이번에도 미주는 파전을 담당하게 되었다. 덕분에 이제 앞으로 사흘 동안 파전만 부치고 있게 생겼다.

"그래도 난 네가 만든 파전 좋더라. 맛있어."

"어휴, 나야말로 말이나 못하면 밉지나 않겠다, 박소희."

벌써부터 한숨이 쏟아졌다.

사흘 내내 기름 냄새를 달고 살게 될 텐데 그걸 어찌해야 하나. 싫다고 발버둥을 쳤는데도 빠지지 못했다는 사실이 너무 억울했다. 공부할 시간도 부족한데 그렇게 시간 낭비에 체력까지 낭비하면 공부는 언제 한단 말인가. 볼이 터져라 스파게티를 밀어 넣으면서 미주는 그런 걱정을 하고 있었다.

"아까 남자분이 계산하고 가셨는데요."

"예에?"

영수증을 건네주면서 하는 점원의 말에 미주는 어안이 벙벙해지고 말았다.

무슨 생각을 한 건지 현석이 그녀들의 밥값을 다 계산하고 갔단다. 어처구니가 없었다.

"누가 밥 사 달라고 한 적 있나? 왜 자기 맘대로 계산을 하고 난리지."

돈이 굳었다고 좋아해야 마땅한 상황이었지만 이상하게 기분이 좋지가 않았다.

오히려 점점 더 짜증이 나기만 했다. 괜히 신세를 진 듯한 느낌이 들어서 더 그랬다. 그런 기분은 오후 내내 이어져 생각할 때마다 문득문득 그녀를 괴롭혔다.

"생각할수록 기분 나빠 죽겠네. 나도 돈 있는데. 웬 가난뱅이 취급이래."

결국 그녀는 현석을 찾아 나서기로 결정했다.

수업도 다 끝나고 축제 준비도 다 마친 후 물어물어 그가 똬리를 틀고 있다는 아지트로 찾아갔다.

—나가! 당장 나가!

—현석아, 제발.

—구역질 나니까 다시는 찾아오지 말라고 했지! 연기하고 있는 거 다 보이니까 애써 순진한 척하지 말고 그냥 꺼지란 말이야!

우당탕탕!

요란한 소리가 문밖에까지 쩌렁쩌렁 울려 퍼지고 있었다.

안으로 들어가지 못하고 미주는 문 앞에서 그대로 돌이 되고 말았다. 확신할 순 없지만 현석 선배와 경주 선배가 싸우고 있는 것 같았다. 아니다. 그냥 현석 선배가 일방적으로 난리를 치면서 경주 선배를 밖으로 밀어내는 중이라고 하는 게 더 정확하겠다. 아니, 그냥 발작이라고 하는 게 더 낫겠다.

—네가 뭔데 그 애를 찾아가? 너란 애는 이제 양심도 없는 거야?

—현석아, 나는…….

—닥쳐! 아무 말도 듣고 싶지 않아. 그냥 가. 가 버리란 말이야!

밖에서 듣기만 해도 살벌한 고함 소리가 점점 더 높게 울려 퍼지고 있었다. 더 듣고 있기가 민망할 정도로 모진 소리가 연이어 터져 나와 스스로도 '아차' 할 정도였다.

'때를 잘못 잡았구나, 윤미주.'

아무래도 그냥 돌아가는 게 낫겠다 싶어 그녀는 발소리까지 죽이고 천천히 돌아섰다. 그때였다.

벌컥!

예고도 없이 문이 열렸다. 그러더니 새파랗게 굳은 얼굴의 경주 선배가 뛰쳐나오고 뒤이어 돼지 모양을 한 살색 쿠션이 날아왔다.

"너, 너는!"

멍하니 서 있는 미주를 발견하고 경주가 눈을 부릅떴다.

낮에도 본 적이 있는 윤미주가 눈을 둥그렇게 뜨고 그녀와 안쪽을 번갈아 보고 있었다. 괜한 장면을 들켰다는 생각에 때아닌 수치심이 몰려와 그녀는 슬쩍 시선을 피하며 입술을 깨물었다. 그리고 물었다.

"네가 여긴 웬일이니?"

"볼일이 있어서요."

"현석이 보러 온 거지?"

"네."

"관심이 없다고 하지 않았었나?"

"관심 없어요."

대답과 함께 그녀가 허리를 굽혀 발치에서 뒹구는 쿠션을 집어 들었다. 손에 든 채 한동안 가만히 내려다보았다. 그 모습이 묘하게 거슬려서 뭐라 소리치려는 순간 쿠션이 경주의 얼굴 바로 옆을 지나 안으로 홱 날아갔다.

"윽!"

문을 나서던 현석이 정통으로 얻어맞고 인상을 쓰고 있었다.

"뭐야, 이거?"

"그쪽에서 날아온 것 같아서요."

"어라? 네가 여긴 웬일이냐? 다신 안 보고 싶다더니 그새 생각이 바뀌었냐?"

"그럴 리가."

가볍게 콧방귀를 날려 주고 미주는 미리 준비해 온 봉투를 내밀었다.

"뭐냐?"

"아까 점심값이요. 동전 하나까지 다 맞췄으니까 확인해 보세요."

"인마, 그건 내가 미안해서 그냥 사 준 거야."

"글쎄, 필요 없다고요. 아무리 생각해 봐도 선배한테 밥 얻어먹을 이유가 없는 것 같아서 도로 가져온 거예요. 그 정도는 제 돈으로 사 먹고 다닐 수 있거든요. 그럼 하던 일 계속 하세요들."

끝까지 냉정한 말과 함께 그녀가 돌아섰다.

너무 어이가 없어서 멍하니 서 있다 현석은 튕겨지듯 그녀를 쫓아 달리기 시작했다.

"현석아, 어디 가?"

등 뒤에서 비명 같은 경주의 고함 소리가 들렸지만 더 이상은 신경 쓰고 싶지 않았다. 긴 다리로 훌쩍 뛰어가 도도하게 걸어가는 미주를 잡아챘다.

"거기 서!"

"왜요?"

"이거 가져가."

"싫어요. 이젠 내 돈 아니에요."

"가져가라니까!"

싫다고 버티는 그녀의 주머니에 봉투를 강제로 넣어 주고 그는 미친 듯이 소리쳤다.

"무시하는 것 아냐. 고학생이라는 소리를 들어서도 아니고. 말 그대로 그동안 미안한 짓을 한 것 같아서 사과하는 기분으로 대신 계산한 것뿐이다. 그 정도는 그냥 받아라, 좀!"

"원래 미안하면 다 밥 사 줘요?"

"그건 아니고."

"그것 봐요, 무시하는 거 맞지. 어쨌거나 돌려 드릴 테니까 다른 후배에게 밥을 사 주시든지 내버리든지 마음대로 하세요. 그리고 계속 오해할까 봐 하는 소린데 저 고학생 아니에요. 용돈 빵빵하게 주는 언니, 오빠 다 있다고요."

칼 같은 말과 함께 그녀가 봉투를 다시 던져 주고 후딱 돌아섰다.

또 쫓아올까 봐 겁난다는 듯 죽어라 뛰다가 한참 떨어진 곳에서 멈춰 서더니 홱 돌아보면서 소리쳤다.

"우리 오빠가 의사다, 이 나쁜 놈아!"

아아, 그러십니까. 역시 눈치가 없다 못해 둔한 것 맞다니까.

가운데 손가락까지 척 날려 주고 돌아서는 모습이 너무 어이없어 현석은 한동안 그녀의 뒷모습만 멍하니 바라보고 있었다. 그런데 얼마 더 가기도 전에 웬 커다란 차가 곁으로 다가서더니 곧 그녀를 태워 가지고 사라지는 거다. 단언컨대, 어제의 그 차도 아니고 아침에 타고 온 차는 더더욱 아니었다.

"점점 더 수상하네. 대체 정체가 뭐지?"

아무리 오빠가 의사라지만 저건 일개 의사가 타고 다닐 수 있는 차가 아니었다.

"우리나라에 저런 차가 언제부터 이렇게 흔해졌지?"

어제 오늘에 걸쳐 비싼 차는 다 본 것 같아 정신이 다 아찔해졌다. 이제는 그녀의 정체마저 의심스러울 정도였다. 시골에서 올라온 애라고 하던 말도 더 이상은 믿을 수 없다.

늘 수수한 차림이긴 하지만 깨끗하고 예쁘장한 얼굴과 당당하게 빛나는 눈동자가 인상적인 애였다. 처음 본 이후 때때로 자꾸 눈길이 가곤 해서 충동적으로 고백했는데 기대와는 달리 단박에 차이고 말았다. 차인 것까지는 좋지만 그러고도 관심이 줄지 않는 게 진짜 문제였다. 갈수록 그녀의 정체가 점점 더 수상해지고 있다는 사실도 그렇고.

“고학생은 아니고 오빠는 의사. 그런데 때마다 비싼 차를 얻어 타고 다닌다? 거참, 뭘 하고 다니는 놈인지 진짜 궁금하네.”

“현석아?”

언제 왔는지 경주가 등 뒤에서 그를 보고 있었다.

그러거나 말거나 그는 횅하니 사라지는 차의 뒤꽁무니에서 오래도록 시선을 떼지 못했다.

“언니가 전화한 거죠?”

차에 타기가 무섭게 미주는 마치 따지듯 물었다.

“은준 아저씨가 아무 이유 없이 저 데리러 올 사람은 아니잖아요. 그죠?”

“알면 좀 일찍 다녀라, 꼬마.”

“또 꼬마래.”

“꼬마니까 꼬마라고 하는 거다. 근데 꼬맹이 너 벌써 연애하냐?”

“에엑?”

눈도 좋지.

이 거리에서 현석과 실랑이를 벌이는 모습을 다 보고 있었나 보다. 하루 종일 오해를 받고 다녔더니 이젠 설명하기 전부터 지치는 느낌이었다.

"후우, 아니에요."

"아니야?"

"절대 아니에요. 싫다고 했는데 안 떨어져서 짜증 나 죽겠단 말이에요."

시큰둥하게 중얼거리다 그녀는 문득 은준을 돌아보았다. 그러니까 이 양반이 결혼 전엔 못 말리는 바람둥이라고 그랬었다. 그래서 선주 언니도 오늘 그녀가 겪었던 것처럼 그의 전 여자와 마주해야 했단다. 본격적인 동병상련은 아니지만 어쨌거나 생각만으로도 화가 치밀었다.

"도대체 남자들은 다 왜 그래요?"

"응? 뭘?"

"왜 한 여자에게 만족하지 못하고 이 여자 저 여자한테 다 집적거리는 거냐고요."

"뭐야, 아까 그 새끼가 그럼 그런 새끼였단 말이야?"

자신의 과거 따윈 모른다는 듯 그가 현석만 걸고넘어졌다. 마지못해 고개를 끄덕였다.

"비슷한가 봐요. 3년이나 만난 여자 차고 저한테 집적거리는 중이니까."

"차 돌릴까?"

"왜, 왜요?"

"가서 그 새끼 박아 줄게."

정말로 그렇게 할 것처럼 은준이 열을 왈칵 내고 나섰다.

안 그래도 다혈질인 사람이 눈썹까지 추켜세우고 열을 내자 두려움이 몰려올 정도로 박력이 넘쳤다. 그에 미주는 투덜대던 것도 잊고 황급히 그를 말려야 했다.

"괜찮아요. 제가 스스로 해결했어요. 진짜예요."

"제대로 한 거 맞아?"

"네. 제대로 했어요. 다시는 저 보기도 싫을 걸요?"

"믿음이 안 가. 젠장, 형수 말이 맞았어. 축제다 뭐다 해서 늦게 다니기 시작할 때부터 이상한 거였다고. 너 앞으로 통금 시간 지켜라."

"네에? 갑자기 그게 무슨 말이에요?"

"시끄러워, 인마. 안 그러면 재인이 시켜서 날마다 데리고 다니게 할 거야."

"곰돌이 아저씨한테요? 싫어요!"

언니의 운전기사 겸 보디가드 아저씨까지 거론되자 미주는 발작적으로 소리쳤다. 그 아저씨가 생긴 건 곰이지만 속엔 여우가 백 마리나 들어 있는 사람이었다. 얼마나 용의주도하고 잽싼지 아무리 용을 써 봐도 절대로 이길 수 없는 상대였다. 처음엔 생긴 것만 보고 형부의 비서인 우인 아저씨랑 쌍둥이라는 사실을 믿을 수가 없었는데 직접 겪어 보고서야 '아, 진짜 쌍둥이 맞구나.' 했다. 취미만 빼고는 둘 다 하는 짓이 똑같아서.

"제가 무슨 재벌집 딸이에요? 진짜 재벌집 딸인 선주 언니도 안 데리고 다니는 기사까지 거느리고 다니게?"

"대학생쯤 되었으면 주제 파악 좀 제대로 하고 다녀라, 꼬맹이. 너는 재벌집 딸이 아니라 재벌집 처제다. 그것도 하나밖에 없는. 너 어떻게 되면 우리 형수가 숨 쉬고 살 수 있을 것 같으냐? 형은 또 어떻고?"

"그거야……."

"몸 약한 우리 형수 신경 쓰게 하지 말고 고분고분 말 들어, 인마."

그 와중에도 또박또박 '우리 형수'라고 하는 말에 미주는 얌전히 입을 다물었다.

성격은 무지 나쁜 사람이 답답하고 소심한 언니는 어떻게 그렇게 잘 챙기는지 신기할 정도였다. 인내심 강한 형부의 경우와 달리 그는 성격조차도 다혈질이라 언니와는 그야말로 상극이나 다름없는데 말이다.

"아저씨는 어쩌다가 우리 언니 편이 되었어요?"

반은 신기하고 반은 딱하다는 시선으로 미주가 그를 보았다.

"형부야 눈에 콩깍지가 씌어서 그런 거라지만 아저씨는 뭐에 낚인 건데요?"

"꼬맹이, 너 네 언니를 너무 무시하는 거 아니냐?"

"……?"

"네 생가보다 더 대단한 사람이다, 네 언니는. 자기를 희생해서 너랑 네 오빠를 키운 사람이야. 그 어린 나이에 자기 인생 포기하는 게 쉬웠을 것 같으냐? 나 같으면 절대 못해. 그건 아무나 할 수 있는 일이 아니었다고."

"알아요."

"혹시나 해서 하는 말인데, 너나 미준이 놈이나 머리에 먹물 좀 넣었다고 나중에라도 네 언니 무시하고 그러면 나 가만 안 있을 거다. 다리몽둥이를 분질러 놓을 거야, 인마."

그렇게 눈을 부라리고 말하지 않아도 충분히 그럴 사람처럼 보인다.

미주는 조금 목이 메는 기분으로 말없이 고개를 끄덕였다. 그녀라고 고마움을 왜 모를까. 평생을 갚아도 언니의 은혜는 다 갚지 못할지도 모른다. 미주는 진심으로 반성했다. 전에 없는 잔소리 좀 들었다고 투덜거린 일이 어쩐지 어리광처럼 느껴져서 더 미안해졌다.

"그리고 네가 뭘 몰라서 그러는데 형수가 요즘 우리 형까지 사육하고 있단 말이다. 맹수조련사처럼."

"에이, 설마요."

"설마가 아니라니까. 오죽하면 형이 나더러 너 데리고 오라고 전화를 다하냐? 우리 형 절대 그런 전화할 사람이 아니거든? 심지어 우리 은돌이한테도 그런 적이 없어."

"어라? 그럼 언니가 전화한 게 아니었단 말이에요?"

"그렇다니까. '처제 때문에 네 형수가 바빠서 짜증 나' 라고 하는데 난 내가 뭘 잘못 들은 줄 알았다."

이런! 어젯밤의 '바빠요' 하던 소리가 아직까지도 이어지고 있단 말인가.

토라진 언니가 오늘까지도 형부랑 안 놀아 주고 있는 게 틀림없었다. 그러면 형부는 또 어쩔 줄 모르고 언니의 치마 꼬리만 졸졸 따라다니고 있을 것이다.

"어떻게 해야 언니가 안 바빠질까요?"

자책감에 빠져 그녀가 멍하니 중얼거렸다.

"제가 정말 통금 시간을 지켜야 할까요?"

"10시."

"너무해요. 저 벌써 2학년인데 막차 시간까지는……."

"10시 반. 그 이상은 안 돼. 더 튕기면 미준이 불러서 아까 그 새끼 얘기를 다 털어놓는 수가 있어. 모르긴 해도 아마 수술을 하다가도 당장 쫓아와서 난리 좀 칠 걸?"

"헉! 치, 치사하게."

"치사한 거 좋아하시네. 사돈이라서 많이 봐준 거야, 인마."

말도 안 된다.

친동생인 은수 언니나 마누라인 선주 언니에게 통금 시간이 있다는 소리는 못 들어 봤는데, 사돈처녀에게는 많이 봐줘서 통금 시간을 정해 준 거란 말인가. 그럼 사돈의 팔촌에게는 금족령이라도 내린다는 건가.

"넌 나한테 고마워해야 돼. 안 그랬으면 정말로 재인이 데리고 다녀야 했을 거야. 형이 재인이한테 전화하려는 걸 내가 막은 거거든. 대학생 때는 다 그런 거라고 하면서 말이야."

"그 거짓말 진짜예요?"

"그렇다니까. 다행인 줄 알아. 그래도 축제 기간까지는 봐주기로 했으니까. 물론 그 이후는 안 되고. 학교 행사가 아니라면 다 큰 계집애가 밤늦게 다닐 이유가 없잖아? 아무튼, 언니 말 좀 고분고분하게 들어라, 꼬맹아."

아이고, 감사하기도 하여라.

울고 싶은 기분에 시달리며 미주는 울상을 짓고 말았다. 말은 한껏 위해 주는 것 같지만 결국은 싸돌아다니지 말고 일찍 다니라는 소리였다. 벌써 성인식도 치렀는데 모두들 애 취급을 너무 당연하게 하고 있었다. 이럴 땐 어린 것도 싫었다.

"어? 오늘은 일찍 들어왔네."

은준 아저씨에게 등짝이 떠밀려 집으로 들어서자 언니가 반색을 하고 달려왔다.

그런 그녀를 향해 미주는 마치 한숨처럼 말했다.

"후우, 어쩌면 나도 언니처럼 서른 다 된 나이에 선봐서 결혼하게 될지도 몰라."

"응? 왜?"

"통금 시간 지키느라고 앞으로 연애는 꿈도 못 꿀 테니까. 거기에 우리 집 남자들 때문에 어지간한 남자는 나한테 접근도 못할 거야. 연애한다고 남자라도 데려오면 모르긴 해도 다들 때려죽이려고 들걸."

정말이다.

당장 미준 오빠만 해도 'CC' 니 뭐니 하는 소리가 들리면 다리몽둥이가 부러질 줄 알라고 했는데, 그녀에게 친히 통금 시간까지 정해 주는 형부 이하 고씨 집안 남자들은 더하면 더했지 결코 덜하지 않을 것 같았다. 생각할수록 막둥이 신세가 이렇게 처량할 수가 없었다. 혹시 언니가 애를 가지면 과보호가 조금 덜해지려나?

"언니, 아기 소식은 아직 없어?"

"생뚱맞게 무슨 소리니?"

"그냥 나도 조카가 필요해서 그래. 그러니까 나를 위해서라도 노력 좀 해 주라. 공연히 바쁘다는 소리나 하지 말고 형부랑 잘 지내 봐."

긴 한숨과 함께 미주는 언니에게 그런 애틋한 한마디를 남겼다.

영문을 모르는 미숙이 고개를 갸웃거리고 있었다.

파전이 허공을 날았다.

뒤집고 또 뒤집고. 그렇게 부쳐 댄 것이 오늘만 해도 벌써 70장이 넘어간다. 어제도 부치고 그제도 부쳤다. 사흘 내내, 낮부터 밤까지 열심히 부쳐 대었더니 이제는 속옷에까지 기름 냄새가 밴 것 같았다.

"미주야, 미주야!"

막 시작한 유명한 가수의 공연을 보러 간다던 소희가 무슨 일인지 발갛게 상기된 얼굴로 달려왔다.

"왜 또 호들갑이니? 번지 일으키지 말고 얼른 어묵 꼬치나 만들어."

"내가 지금 꼬치나 만들고 있게 생겼냐? 너어, 내가 방금 무슨 소리를 듣고 온 줄 알아?"

"또 여기저기 다니면서 공기 중에 떠돌아다니는 어중이떠중이의 소문을 주워듣고 온 거겠지."

"얘가 날 무시하네. 어중이떠중이가 아니라 현석 선배랑 경주 선배가 헤어진 이유를 알아내 왔단다."

"뭐?"

"4학년에 아는 선배가 있어서 슬쩍 물어봤는데, 세상에 진짜 충격적인 거 있지."

뭐가 그리 충격적이었는지 와다다 떠들지도 못하고 갑자기 소리를 확 죽이더니 이번엔 아예 귓속말로 속삭였다.

"현석 선배가 군대 가 있는 동안 경주 선배 다른 남자랑 사귀었었대. 근데 상대가 하필이면 재벌 3세에 유부남이었단다. 몰래 만나서 모를 줄 알았는데 알고 보니 집안끼리 친해서 현석 선배랑은 어릴 때부터 알고 지낸 사람이더래. 현장에서 딱 걸렸다지? 완전 웃기지 않니?"

"좀 그렇다."

"그치? 때마다 비싼 외제차로 모시러 오고 그래서 다들 엄청 놀랐다고 그러더라."

"뭐? 외제차?"

외제차라는 소리에 갑자기 등골이 섬뜩해졌다.

'저런 차는 어떻게 얻어 탄 거냐?' 고 묻던 그의 말이 뒤늦게 뒤통수를 치고 지나갔다.

"그러니까 뭐야, 너도 똑같은 짓 하고 다니는 거냐고 물은 거였어?"

깨닫는 순간, 형용할 수 없을 만큼 강한 모멸감이 몰려왔다.

시골뜨기 주제에 웬 외제차냐고 비웃은 것인지 알았는데 알고 보니 그런 뜻이 숨어 있었단다. 뒤집개를 쥔 손이 부들부들 떨렸다. 그게 미안해서 기를 쓰고 밥값을 내주려고 들었다는 생각까지 했을 땐 속이 상하다 못해 거의 장이 꼬일 정도였다. 가끔 너무 모질게 대한 건 아닌지 반성했었는데 그 반성도 다 취소다.

"부침개 탄다."

원수는 외나무다리에서 만난다더니.

부침개를 부치고 있었다는 사실도 잊고 혼자 씩씩거리고 있는데 현석이 나타나 빤질빤질한 낯짝을 들이밀었다. 그래, 살인충동이라는 게 바로 이런 것이로구나. 풀방구리에 드나드는 생쥐처럼 사흘 내내 들락거리면서 주위를 맴도는 그를 보아 왔지만 오늘처럼 역겹게 보이기는 또 처음이었다.

"왜 그런 눈으로 보냐?"

"왜 왔어요?"

"왜긴, 팔아 주러 왔지. 나 어제도 오고 그제도 왔는데. 여기 파전 맛있다고 소문도 내줬는데. 근데 너 눈빛이 아주 불량하다?"

"그래요? 제가 요즘 간이 부었거든요. 아마 외제차를 얻어 타고 다녀서 그런가 봐요."

새꺄, 너에게도 예의라는 게 있기는 하냐?

현석의 얼굴이 조금 굳었다. 그 모습을 두 눈 똑바로 뜨고 봐 주면서 미주는 또 덧붙였다.

"외제차 얻어 타고 다니는 사람은 전부 다 재벌 3세랑 그렇고 그런 관계인 거죠?"

"너 어떻게…… 후우, 관두자."

"댁이야말로 관두시지. 멀쩡한 사람을 쓰레기 취급해 놓고도 뻔뻔하게 내 앞에 나타나다니. 당신 변태야?"

"인마, 그런 거 아니야."

"아니면?"

싸울 태세로 다짜고짜 덤벼들자 그는 조금 당황해서는 말도 못하고 한동안 그녀를 빤히 바라보기만 했다. 이상한 분위기를 간파하고 주위에 있던 친구들이 슬금슬금 모여들고 있었다.

"그래, 솔직히 오해한 건 사실이다. 날마다 그런 굉장한 차들을 얻어 타고 다니는 거 충분히 이상해 보였으니까. 그런데 '그렇고 그렇다는 거' 그건 정말 아니야."

"얼씨구!"

"너 정말……. 따라와. 조용한 데 가서 이야기하자."

"난 여기가 좋아요. 왜요? 여기서 얘기하면 안 될 이유라도 있어요?"

오란다고 넙죽 따라갔다가 한 대 맞으면 그땐 어쩔 건가.

미주는 뒤집개를 들고 꿋꿋하게 버텼다. 놀란 소희가 곁에와 착 달라붙었다.

"가, 가 보지 그래. 여긴 내가 맡을 테니까. 응?"

"그럴 필요 없어. 얘기 다 끝났어. 저런 쓰레기 같은 인간하고는 더 이상 엮이고 싶지 않아."

분노의 크기가 어느새 불쑥 커지는 바람에 필터링도 없이 말이 막 나왔다.

마음 같아서는 욕이라도 마구 퍼부어 주고 싶은 심정이었는데, 어릴 때부터 나쁜 말을 사용하면 그 즉시 언니한테 혼나 버릇했더니 정작 필요할 때조차 입 밖으로 나오지 않았다.

"너 이리 와."

"어어, 이거 안 놔?"

버티고 선 그녀를 현석이 기어이 잡아끌었다.

조금 떨어진 한적한 나무 밑 벤치로 질질 끌고 가서는 팽개치듯 놓아 버렸다. 그러더니 성난 발걸음으로 주저앉은 그녀의 앞을 오락가락하는 거다.

"그래, 처음엔 오해했어."

우뚝 멈추어 서면서 그가 마치 외치듯 말했다.

"전날 밤은 그렇다 치고 아침에도 그러고 왔는데 가슴이 섬뜩했어. 뭐 보고 놀란 가슴 뭘 보고도 놀란다더니 내가 딱 그랬어. 아, 쟤 뭔가 이상하구나. 혹시, 혹시 경주처럼 그런 건 아닌가. 그렇다면 도와줘야 한다."

"……."

"경주는…… 도와줄 수 없었으니까. 학비 마련하겠다고 술집 나가는 것도 모르고 있었으니까. 그래서 그런 거였어. 혹시나 하면서도 쉽게 마음을 놓을 수가 없어서 네 주변을 맴

돌았어. 아니라는 거 알고 주저앉을 정도로 안심했다고."

어라, 유부남 재벌 3세랑 사귀었다더니. 그게 아니라 술집에 다닌 건가?

소희가 물어다 준 이야기와의 갭이 심해 미주는 조금 당황했다. 그래서 멍청하게 바라보고만 있자 이해를 못했다고 생각했는지 그는 구구절절 설명을 덧붙였다.

"원래는 그런대로 살 만한 집 애였어. 그런데 아버지가 쓰러지셔서 형편이 갑자기 어려워졌대. 몇 학기는 학자금을 대출해서 학비를 댔는데 그것도 한계가 있었던 거야."

학자금을 갚을 때는 다가오고, 당장 필요한 학비는 마련할 길이 없어서 그랬던 것 같다고 그는 어렵사리 털어놓았다. 면회를 와서도 그런 이야기를 하지 않았다고, 그래서 더 화가 난다며 소리소리 질렀다. 토하듯이 뱉어 놓은, 아프다 못해 증오스럽다는 말이 가슴을 찔렀다. 그런 모습을 멍하니 보다 미주는 불쑥 소리쳤다.

"아무리 그래도 선배 멋대로 날 판단할 권리는 없었어요."

"알아. 그건 내가 미안해. 하지만……."

"그리고 지금 그 얘기를 들어야 할 사람은 제가 아니라 경주 선배 아니에요?"

"뭐?"

날카로운 말에 그는 조금 멍청한 표정을 지었다.

예기치 못했던 곳에서 크게 한 방 맞은 사람처럼 한껏 멍해 있다가 곧 충격받은 얼굴로 그녀를 보았다.

"그러니까 뭐예요. 선배가 참견하고 싶은 사람은 제가 아니라 경주 선배라는 소리잖아요. 비슷해 보이는 애에게까지 신경을 쓸 정도로 걱정하고 있잖아요. 도와주지 못해 미안하다고 말하고 싶은 거잖아요. 이제라도 도와주고 싶은 거잖아요. 그런 말을 하고 싶은 거잖아요, 지금!"

"그건……."

"그럼 그렇다고 솔직하게 말하지 왜 사람을 가지고 놀아요? 당사자에겐 화만 내고 아무 상관없는 나만 가지고 놀면 속이 편해질 줄 알았어요?"

이 남자는 바보다.

자기 마음도 몰라서 도망만 다니던 멍청한 사람이다. 사랑하는 사람에게 아무 도움도 되어 주지 못했던 스스로에게 화가 난 거였으면서 공연히 엉뚱한 사람을 붙잡고 용을 쓴 불쌍한 남자였다.

"좋아하지도 않으면서 왜 사귀자는 소리를 해요? 원래 그렇게 가벼운 사람이었어요? 찼는데 왜 안 떨어져요? 내가 그렇게 만만하게 보였어요? 그런 것도 모르고 나는……."

"……."

"멍청해서, 바보라서 자기 문제가 뭔지도 깨닫지 못한 건 그렇다 쳐요. 하지만 당신들 문제는 당신들끼리 해결해야 하는 거잖아요."

분위기도 모르고 사랑하는 사람들 사이에 끼어 이리저리 굴려진 것처럼 기분이 아주 처참했다. 겨우 그런 거였으면서, 애초부터 그렇게 될 거였으면서, 도대체 사람을 왜 그렇게 달달 흔들어 댔느냔 말이다.

"그, 그런 거 아니야. 다시 시작하고 싶은 건 아니라고! 다 정리했어, 인마!"

"아니긴 뭐가 아니에요? 혼자만 정리하면 다 정리되는 건 줄 알아요? 사랑이 그렇게 우스워요? 도대체 왜 이렇게 어리고 멍청한 건데요? 선배 때문에 나까지 짜증 나 죽겠단 말이에요!"

여전히 충격받은 얼굴로 서 있는 그를 향해 미주는 있는 힘껏 빽 소리쳐 주었다. 그러곤 간다는 말도 없이 그대로 돌아서서 그 자리를 떠나 버렸다.

"미주야아!"

열 받은 얼굴로 씩씩대면서 돌아오자 새파랗게 질린 소희가 그녀를 목 놓아 불렀다. 눈짓으로 맹렬하게 앞을 가리켰다. 그래서 무심히 돌아보자 키가 훤칠하게 큰 남자가 파전을 굽는 그녀의 불판 앞에 우뚝 서 있었다. 형부였다.

"어? 형부!"

"혀, 형부?"

소희를 중심으로 잔뜩 숨을 죽인 채 오글오글 모여 있던 일당들 틈에서 문득 깨달음의 탄성이 흘러나왔다. '형부래, 형부래, 형부래.' 하는 소리가 마치 메아리처럼 빠르게 주위로 번져 가고 있었다. 정체는 궁금한데 분위기가 살벌해서 차마 묻지도 못하고 있었나 보다. 근데 왜 갑자기 눈물이 나려고 하지?

"흑, 형부우!"

스스로도 알 수 없는 이상한 감정에 사로잡혀 미주는 왈칵 울음을 터뜨리고 말았다.

뭔지는 모르겠지만 아주 서러운 일을 당한 것만 같아 치미는 울음을 참을 수가 없었다. 아버지가 재혼하던 날보다 기분이 더 이상했다. 그래서 형부의 품에 코를 박고 그녀는 한동안 세상이 떠나가라 엉엉 울었다.

하루 종일 기름 냄새에 절어 가면서 일한 덕분에 얻은 피로와 며칠 동안 그녀를 괴롭혔던 현석의 행동들이 한꺼번에 떠올라 그녀를 달달 흔들어 대고 있었다. 지쳐 버렸다. 심지까지 다 타 버린 초가 된 기분이었다.

"괜찮아, 괜찮아."

상황을 알지 못하면서도 형부는 다행히 그녀를 안고 말없이 등을 쓸어 주었다. 괜찮다고, 다 괜찮을 거라고 위로해 주었다. 그 다정한 위로 덕분에 그녀의 울음은 한참이나 더 길어지고 말았다. 형부의 품에 매미처럼 달라붙어 계속 끅끅거렸다.

"꼬맹이, 너 우냐?"

[막내, 울어?]

언제 나타난 건지 멀뚱한 얼굴로 그녀를 요리조리 살피는 두 남자의 존재를 깨닫기 전까지.

"어, 언제…… 흐끅. 오신 거예요?"

"우리? 아까부터 있었는데."

태연하게 대답하면서 은준이 한쪽에 내다 놓은 간이 테이블을 가리켰다.

"어, 우리 여기 있어."

"음, 이 파전 진짜 맛있다, 동생."

"언니, 좀 천천히 드세요."

애심 언니랑 선주 언니에 은수 언니까지!

한자리를 차지하고 앉아 그녀들은 열심히 파전을 먹고 있었다. 놀러 온다는 소리를 하긴 했지만 설마하니 한꺼번에 다 몰려와 판을 펼 줄은 미주도 미처 몰랐었다. 언제 온 건가. 역시 우는 것 다 봤겠지?

"언니는요?"

눈물도 마르지 않은 얼굴로 그녀가 미숙을 찾았다.

"잠깐, 손 닦으러."

"네에."

"자, 닦아."

은후가 머리를 쓰다듬어 주다 말고 불쑥 손수건을 내밀었다.

말없이 받아 젖은 눈가를 닦았다.

"코도 풀고."

"네."

시키는 대로 얼굴도 닦고, 코도 풀고 나니 속이 조금 휑했다. 그리고 아주 많이 쪽팔렸다.

"미리 말 좀 해 주지."

쪽팔림에 사무쳐 미주의 입이 툭 튀어나왔다. 그리고 남자들은 웃었다.

팡!

"좋아했니?"

밤하늘을 수놓는 불꽃을 보면서 문득 미숙이 물었다.

"아니야, 그런 건."

"그럼?"

"그냥 조금 관심이 생길까 말까 그랬나 봐."

"크으, 첫사랑이구먼."

연애에 달관한 사람처럼 애심이 덧붙였다.

"원래 첫사랑이라는 게 사랑인 줄도 모르고 지나가는 경우가 많거든. 나아~중에 돌아보고서야 '아, 그게 첫사랑이었구나.' 하고 깨닫는 거지."

"좋았던 건 아니라니까요? 가슴이 두근거리지도 않았어요, 뭐."

"그래그래, 다 그런 거야."

"그럼 우리 막둥이 차인 건가?"

핫바를 물고 있던 선주가 안타깝다는 듯 중얼거렸다.

"들어 보니까, 그 남자는 아무래도 여자 친구에게 돌아갈 것 같은데 말이야."

"차이긴 누가요? 제가 찼어요! 처음부터 취향이 아니라고 그랬다고요."

“하긴, 취향 따라 남편감이 결정되는 게 아닌 것처럼 첫사랑도 그런 거겠지. 사실, 찰리도 내 취향이 아니었거든. 그리고 원래 첫사랑은 이루어지지 않는 거야.”

“에이, 아니에요. 난 우리 은준 씨가 첫사랑인데요?”

“아, 은준 오빠는 복 터졌네. 오빠가 아무래도 전생에 나라를 구했나 봐요.”

은수의 말에 여자들이 한꺼번에 까르르 웃음을 터뜨렸다.

다시 머리 위에서 불꽃이 터졌다.

“허무해요.”

금방 사그라지는 불꽃을 보며 미주가 멍하니 중얼거렸다.

“터질 땐 예쁘고 화려해서 시선을 몽땅 끄는데 금방 사라져 버리니까. 허무하고 안타깝고.”

“축제의 뒤끝이라는 게 원래 다 그런 거지.”

“이루어지지 못한 사랑의 뒤끝이 그런 것처럼.”

나란히 앉아서 한마디씩 늘어놓는 말이 바람을 타고 멀리까지 퍼져 나갔다.

축제가 끝났다.

에필로그 1

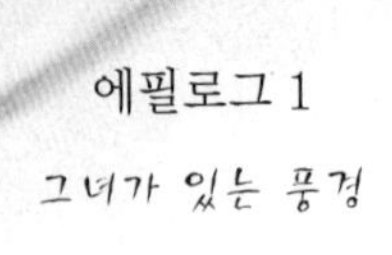

"윤미주!"

허리에 두 손을 턱 올린 채 미숙이 버럭 소리쳤다.

"너 빨리 안 일어날래?"

"아우, 언니이. 나 새벽에 잤어. 제발 조금만 더 자자."

"아침 먹어야지."

"안 먹어. 안 먹어도 돼."

"안 먹어도 되는 게 어디 있어? 빨리 일어나. 네 형부 기다린단 말이야."

형부라는 소리가 나오자 애벌레처럼 이불 속에 숨어 꿈틀거리던 미주가 돌연 움직임을 뚝 멈추었다.

"히잉, 졸려 죽겠는데."

우는 소리를 하면서도 이불을 뒤집어쓴 채 어기적거리며

몸을 일으켰다. 팔짱을 끼고 서서 그 꼴을 가만히 보다가 미숙은 소리 죽여 픽 웃었다.

"빨리 세수하고 나와. 너 기다리다가 네 형부 지각하겠다."

"아이씨. 알았어, 알았다고."

졸려 죽는다고 엉엉 울면서 욕실로 사라지는 모습까지 확인한 다음 미숙은 잰걸음으로 별채로 향했다. 미주를 깨웠으니 이젠 미준이 차례였다. 올해부터 레지던트로 일하고 있는 미준이는 자그마치 백일 만에 집에 돌아왔다. 그러더니 달랑 하룻밤 자고 새벽 일찍 또 병원으로 가서는 다시 열흘 만에 얼굴을 비추었다.

그러면서 하는 말이 레지던트 1년차는 사람이 아니라는 거다. 사람이 아니면 기계라는 건가? 웃기는 소리였다. 요즘은 기계도 밥 먹고 똥 싸나? 거기다 사람을 대체 어떻게 부려먹기에 일주일에 한 번도 제대로 집에 보내 주지 않는 건가. 인턴 때는 이보다 더했다고 하는데 그건 너무 끔찍해서 도저히 눈뜨고 들어 줄 수가 없었다. 도대체 거기가 병원인지 합숙소인지 구분이 안 가려고 한다.

"의사가 되기도 전에 말라죽겠다. 어머, 벌써 일어났니?"

별채로 들어서기가 무섭게 벌써 제대로 씻고 차려입은 미준이가 모습을 드러냈다.

"일찍 들어가 봐야 돼."

"오프라고 하지 않았어?"

"12시간이나 잔 게 어디야. 동기들은 아직도 눈뜬 좀비처럼 돌아다니고 있을 텐데. 아마 여기서 더 자고 들어가면 날 죽일 놈 취급할걸?"

"세상에, 무슨 일을 그렇게 한다니?"

이번엔 걱정으로 얼굴이 일그러졌다.

간간이 갈아입을 옷이랑 특별식을 병원으로 보내 주고 있는데도 불구하고 먹는 시간보다 건너뛰는 시간이 더 많은 동생이었다. 그나마 잤다고 얼굴빛이 조금 좋아지긴 했지만 역시나 만족스럽진 않았다. 환자 본답시고 제 몸 알기를 돌처럼 여기다가 환자보다 제가 먼저 쓰러지면 어쩐단 말인가.

"보약이라도 한재 먹자."

그녀의 말에 미준이 인상부터 찡그렸다. 그러더니 기가 막혀 죽겠다는 듯 앓는 소리를 했다.

"누나, 나 의사야."

"누가 아니래? 왜? 의사는 보약 먹으면 안 된대?"

"안 되는 건 아니지만 그래도 좀 그래. 차라리 건강기능식품을 챙겨 먹고 말지. 더구나 그거 일일이 챙겨 먹을 시간도 없고."

"그럼 보약도 먹고 건강기능식품도 먹자. 전에 네 매형이 사다 준 보약이 있었는데 그거 효과 되게 좋더라. 식욕이 막 돌게 하더라고. 응?"

"에이, 관둘래. 귀찮아."

기어이 싫다는 소리가 나오자 미숙이 뾰로통하게 입을 내밀었다. 마음에 안 드는 상황이라 이거다. 총총거리는 걸음으로 그녀는 냉큼 방으로 향했다.

"은후 씨이, 여보오."

이미 출근 준비를 마친 은후가 삐쳐서 들어오는 그녀를 보고 눈썹을 꿈틀거렸다. 넥타이를 내밀면서 다정하게 물었다.

"무슨 일 있었니?"

"으응, 아무것도 아니에요."

"말해 봐."

"별건 아닌데…… 있잖아요, 내 동생들이지만 정말 못돼먹었어요."

"음?"

그가 관심을 보이자 그녀는 넥타이를 착착 매 주면서 재빨리 떠들었다.

"어제 미주가 몇 시에 들어왔는지 알아요? 또 축제니 뭐니 하면서 11시도 넘어서 왔어요. 요즘 세상이 얼마나 무서운데 어린 여자애가 그 시간까지 막 돌아다니고 그런대요? 전화도 안 받고 그래서 나는 얼마나 걱정했는데."

"그랬어?"

"그랬다니까요? 거기다 미준이는 더 나빠요."

"처남은 또 왜?"

"오랜만에 집에 왔으면 같이 밥도 먹고 시간을 좀 보내다 가면 좋잖아요. 근데 달랑 잠만 자고 가면서 보약 해 준다니까 싫대요. 그러다 탈이라도 날까 봐 나는 걱정돼 죽겠는데 귀찮대요. 정말 이럴 수 있어요?"

그녀는 마치 하소연을 하듯이 고자질을 했다.

남들이 들으면 공연히 신경 쓴다고 타박을 할 만한 일이었지만 이미 단련이 된 은후는 희미한 미소까지 지은 채 그녀의 이야기를 찬찬히 다 들어 주었다. 원래 오지랖도 태평양만큼이나 넓고 사서 걱정을 하는 타입이라 그녀는 평소에도 그를 향해 이런저런 고민을 털어놓고는 했었다.

개중 절반 이상은 고민거리도 되지 않았고 나머지는 이야기를 하다가 저절로 풀어지기도 했다. 한마디로 진짜 문제가 되는 문제는 거의 없는 편이라는 소리였다. 애초에 문제가 생기도록 놔둘 만큼 그가 무신경한 타입도 아니고.

"어떻게 해 줄까?"

그녀의 허리를 안고 그가 속삭이듯 물었다.

"아이참, 왜 이래요?"

슬금슬금 엉덩이를 더듬는 손을 톡 쳐 내며 그녀가 앙탈을 부렸다. 그러면서 슬쩍 몸을 비틀더니 말했다.

"그냥 미주가 좀 일찍 들어오고, 미준이는 보약도 먹고 집에도 좀 자주 들어왔으면 좋겠어요. 걱정된단 말이에요."

"알았어."

"해결해 줄 거예요?"

"음, 대신 약속해. 집안일 하는 거 줄이기."

"그건…… 안 되는데. 아, 알았어요. 줄여요, 줄일게요."

그의 입매가 단단하게 달라붙기 전에 그녀가 냉큼 항복을 선언했다. 안 그래도 가을이라고 몸이 점점 늘어지고 있어서 조금 쉬고 싶기도 하고 그랬었다. 다만, 집안일이라면 일일이 확인해야 직성이 풀리는데다 같이 살고 있는 동생들에 아가씨며 동서까지 챙기느라 부러 부지런을 떨어서 문제였을 뿐이었다.

고민거리가 해결될 조짐이 보이자 그녀가 좋다고 해죽 웃었다.

그 예쁜 입술에 은후가 냉큼 입을 맞추었다. 다시 엉덩이로 손을 가져갔다. 이번엔 쳐 내지 않았다. 이마를 마주하고 끌어안은 채 서로 무어라 속삭이다가 깔깔 웃기를 한동안 반복했다.

그의 팔짱을 끼고 천천히 방에서 나오자 간신히 세수하고 옷만 갈아입은 미주가 다 죽어가는 얼굴로 방에서 나오고 있었다. 말마따나 잠을 못자긴 했는지 눈 밑에 다크서클이 시커멓게 자리를 잡았다. 그러게 일찍 좀 들어오면 좀 좋단 말인가.

"안녕히 주무셨어요, 형부?"

"음. 잘잤어, 처제?"

"네에, 후우."

대답 끝에 긴 한숨이 따라붙자 그가 피식 웃었다. 어린 처제가 하는 모양이 퍽 귀엽다는 투였다.

"일어나셨습니까, 매형?"

미리 자리를 잡고 있던 미준이 녹즙 같은 것을 앞에 두고 고사를 지내고 있었다. 하여간에 좋다는 걸 해 줘도 제대로 먹지 않아서 문제였다. 둘러앉아 밥을 먹기 시작했다. 그러다 마치 그제야 봤다는 듯 은후가 밥알을 깨작거리는 미주를 보고 물었다.

"입맛이 없나, 처제?"

"예? 아니요. 그냥 그래요, 형부."

"늦게 잤다지?"

"예, 새벽에 잠들어서 졸려 죽을 것 같아요. 더 자고 싶은데……."

그녀가 눈을 가늘게 뜨고 미숙을 노려보았다.

자고는 싶은데 언니의 고집에 의해 그녀는 싫어도, 졸려 죽을 것 같아도 반드시 같은 시간에 눈을 떠야만 했다. 같이 살고 있다고 해도 얼굴 보기가 힘들다며 언니가 아침만은 다 같이 먹자고 고집을 부렸기 때문이었다. 언니가 고집을 부리면 형부는 또 당연히 언니 편을 들어주었다.

그래서 결국엔 형부의 출근 시간에 맞춰 밥을 먹게 된 것이다.

형부가 나가는 것도 못 보고 잠만 자는 것이 미안하긴 해서 그러마 했지만 워낙 이른 시간이다 보니 힘이 드는 것도 사실이었다. 특히 오늘 같은 날은 정말 울고만 싶은 심정이었다.

"그러게 일찍 잤으면 됐잖아."

미숙이 얄밉게 한마디 했다. 그에 신경질이 나서 미주는 빽 소리쳤다.

"늦게 들어왔는데 어떻게 일찍 자니?"

"처제."

"네! 네, 형부."

돌연 나직하게 부르는 소리가 들리자 그녀는 흠칫 긴장해 은후를 바라보았다.

"언니가 그러는데 요즘 또 늦게 다닌다고?"

"그, 그게요. 제가 늦고 싶어서 그런 게 아니라 가을 축제 준비 기간이라 바빠서요. 이것저것 준비할 것도 많고 또 시장도 봐야 하고……."

"그래?"

"네. ……그래도 최대한 일찍 다닐게요, 형부."

"음, 아무래도 그러는 게 좋겠어."

찍소리도 못하고 꼬리를 내리자 은후가 만족스럽게 고개를 끄덕였다. 그리고 덧붙였다.

"요즘 언니가 몸이 조금 안 좋다 보니까 집에 혼자 두기가 그래. 가능하면 일찍 들어와서 같이 시간을 보내 줬으면 좋겠는데."

"네, 네. 그럴게요, 형부. 제가 그 생각을 미처 못했어요."

"그래, 혹시 늦게 되면 전화하는 것도 잊지 말고. 재인이 보내 줄 테니까 차 타고 들어와."

"아니에요, 그렇게까지는 안 하셔도 돼요. 제가 언니처럼 길이나 잃고 다니는 사람도 아니고요."

"너어!"

조그만 복수에 미숙이 당장 쌍심지를 켰지만 소용없었다.

혀를 쏙 빼물며 미주가 배시시 웃었다. 그런 그녀의 밥 위에 맛난 반찬을 올려 주면서 은후가 다시 덧붙였다.

"그래도 차 보낼 테니까 타고 들어와. 밤에 혼자 들어오는 거 걱정돼."

"예, 형부."

이렇게 될 줄 알아보았다.

제 형부의 말이라면 그저 깜빡 죽는 동생인 만큼 일은 쉽게 풀렸다. 미숙이 은후를 향해 해죽 웃어 보였다. 그러자 그의 시선이 이번엔 미준에게로 향했다. 말도 꺼내기 전에 미준이 대뜸 눈부터 치켜떴다.

"……보약 먹으라고요?"

"음, 먹어 두어서 나쁠 건 없으니까."

"매형, 좀 봐주세요. 일일이 챙겨 먹을 시간도 없다고요. 더구나 1년차가 보약 달고 살면 저 정신 빼놓고 산다고 맞아 죽습니다."

"조그만 팩 타입이라 한 모금밖에 안 된다는군. 영양제랑 같이 먹어도 괜찮고."

"끄응."

아무래도 물러서야 하나 보다.

잠깐 버텨 보았지만 난공불락 같은 매형의 시선 때문에 미준도 결국 두 손을 들고 말았다. 여기서 더 버티면 또 무슨

수를 써서든 먹게 만들 것이 틀림없었다. 다른 건 몰라도 매형이 하는 제안만큼은 절대로 거부해서는 안 되었다.

처음에는 뭣도 모르고 싫다고 했다가 병원장님 방에까지 불려가 원장님 이하 각 과 교수님들은 물론이고 담당 치프가 지켜보는 자리에서 매형이 직접 건네준 누나의 도시락을 꾸역꾸역 먹어야 했었다. 그것 먹고 제대로 체해서 진료까지 받는 것으로 톡톡히 대가를 치렀다. 그 이후, 미준은 매형에게만큼은 절대로 반항하지 않기로 결심했다.

"먹겠습니다."

울며 겨자 먹는 심정으로 고개를 끄덕이자 미숙의 얼굴이 단박에 환해졌다. 미준의 얼굴도 미주 못지않게 뾰로통해졌다. 처음부터 이 모든 게 다 누나의 수작인 줄은 알아보았지만 꼭 그렇게 티를 내야 하느냔 말이다. 제 누나를 향해 눈을 부라려 주고 미준은 한숨을 푹 내쉬었다. 그래도 매형이 누나를 끔찍이 위해 주는 것만큼은 천만다행이다 싶었다.

아버지가 재혼을 한 이후 매형은 그와 미주를 집으로 불러들여 함께 데리고 살기 시작했다. 그것도 누나의 입김 때문이라는 걸 알지만 그래도 눈물 나게 고마웠다. 특유의 카리스마로 매형이자 보호자 노릇을 톡톡히 하면서 누나 몰래 시골에 계신 아버지도 챙기고 있어서 더 그랬다.

아버지가 재혼을 하면서 미주를 아예 내보내고 새 식구들을 데리고 살기 시작하자 뿔이 난 누나는 아버지와 담판을 짓고 땅문서를 가져왔다. 미준이는 대학 갈 때 한 번 팔아먹었으니 되었다며 미주 앞으로 땅을 돌려놓고 아버지는 사과 농사지어 먹고살면 된다면서 용돈도 보내지 말라고 으르렁거렸다.

그런 누나 몰래 매형은 마치 집안의 장남처럼 때마다 아버지에게 용돈을 보내고 생신이며 명절도 챙겼다. 그런 사실이 너무 고마워서 미준은 할 수만 있다면 그를 위해 뭐든 해 주고 싶은 심정이었다. 여차하면 신장이나 간도 떼어 줄 수 있을 것 같았다.

"많이 드세요, 매형."

"음."

아침 식사를 마치기가 무섭게 가족들은 또 제각각 흩어졌다.

미주는 더 자기 위해 방으로, 미준이는 병원으로, 그리고 고 사장은 출근을 하기 위해 현관으로 나섰다.

"다녀올게."

"네, 일찍 오세요."

"음. 밥 잘 챙겨 먹고 일 적당히 하는 것 잊지 말고. 알았지?"

"네에."

"자, 우리 아기도 잘 지내야 한다."

아직 밋밋한 미숙의 배를 향해 그가 다정하게 속삭였다.

결혼한 지 2년 만에 가진 소중한 아기였다. 아기가 생겼다는 사실을 알았을 때 얼마나 감격했는지 그는 전 직원에게 보너스와 함께 사과를 한 박스씩 돌리고 감사 기도까지 했었다. 요즘도 거의 날아다니고 있을 정도였다.

뿐만 아니라 미숙에게도 때마다 전화해 잘 먹어라, 잘 자라, 무거운 건 절대 들지 마라 등등 일일이 챙기고 나섰고 집에 들어와서는 취미생활도 접어 두고 태교를 핑계로 오로지 그녀의 곁에서 시간을 보냈다. 아기가 나올 때까지 계속 그렇게 할 태세였다.

"자, 이제 뭘 할까?"

고 사장이 출근하자 미숙은 슬슬 집안을 돌아다니다 창가에 놓인 흔들의자에 주저앉았다.

"사모님, 전화."

자리에 앉기가 무섭게 안성댁 아주머니가 수화기를 들고 달려왔다.

"어딘데요?"

"모임. 하는 말을 들어 보니 또 나와 달라고 사정할 건가 봐. 쯧쯧, 번번이 거절당하면서도 아주 끈질기네. 이번엔 선심 써서 한번 나가 주는 게 어때?"

"그럴까요, 그럼?"

착착 죽이 맞은 두 사람이 동시에 웃어 젖혔다.

패싸움 소동 이후에도 그녀는 열심히 모임에 참석하고 각종 봉사활동에도 참여해 왔다. 달라진 거라면 전과 달리 그녀가 아주 용감해졌다는 사실이었다. 모임이 있을 때마다 아주 적극적으로 행동하자 이제는 총무 일당도 그녀의 눈치를 보고 있었다.

동서랑 가끔씩 들어오는 아가씨는 물론이고 애심 씨도 함께 다니다 보니 그녀의 주위엔 영향력 강한 사람들이 저절로 모여들었다. 그녀가 참석하는 날이면 기부금의 액수가 달라질 정도였다. 그에 다들 그녀에게 줄을 대지 못해 안달을 했다.

"형수!"

전화를 끊고 일어서는데 서방님이 부랴부랴 달려 들어왔다. 그녀가 태연하게 물었다.

"오늘은 뭐래요?"

"감자탕이랍니다."

"다행이다. 재료 있어요."

또 임신을 한 동서가 요청한 음식이었다.

곧 출산일을 앞두고 있다 보니 동서는 요즘 짐승 같은 식욕을 보이며 때마다 그녀에게 각종 요리를 주문하고 있었다. 입맛이 길들여져서 다른 건 못 먹겠단다.

"그냥 전화로 하시지 그것 때문에 일부러 오신 거예요?"

"아닙니다. 이것 때문이에요."

그러면서 서방님이 쑥 내민 건 큼직한 꽃게로 만든 게장이었다.

언젠가 지나가는 말로 게장이 당긴다고 했었는데 그걸 귀담아 들었던 모양이다.

"어머, 저 주려고 사 오신 거예요?"

"아니 뭐…… 다 제 조카 생각해서 그런 겁니다. 크흠, 그리고 산 거 아니에요. 우리 장모가 하신 겁니다. 그분이 그래도 게장 하나는 잘하셔서."

슬며시 얼굴을 붉히면서 하는 말에 그녀는 좋다고 환하게 웃었다.

체면 불구하고 직접 꽃게를 사다가 장모님한테 게장 만들어 내라고 졸라 댔을 그의 모습이 안 봐도 눈에 훤했다.

"감사해요. 잘 먹을게요. 안 그래도 계속 생각났었는데."

"그랬습니까? 거참, 임신했을 땐 먹고 싶은 건 다 먹어야 하는 건데. 형이 신경 안 쓰는 겁니까?"

"그런 건 아니고요. 그 사람 성격 아시면서. 정말 정말 감사해요, 서방님. 저 감동했어요."

"뭐, 감동씩이나. 아, 그리고 그 친구라는 여자도 일 잘하고 있습니다. 또 쓸데없이 걱정할까 봐 말해 주는 겁니다. 갑니다."

부러 시큰둥하게 말하고 그가 잽싸게 사라졌다.

도망간 지 채 한 달도 안 되어서 붙잡혀 온 영은이를 그녀는 경찰서에서 만났다.

'미안해, 속일 생각은 없었어. 네 돈만은 꼭 다 갚아 주고 싶었는데.'

그렇게 말하면서 영은이는 울었다.

어디에서 어떻게 지낸 건지 꼴이 말이 아니었다. 미숙은 피해 사실이 없다고 진술했지만 다른 사람들에게도 고소를 당한 상태라 빼내 올 방법이 없었다. 그때 두말없이 도와준 사람이 바로 서방님이었다.

빚을 대강 청산해 준 다음 마침 빈자리가 나온 계열사의 하청업체에 취직을 시켜 주었다. 그곳에서 일하면서 빚을 갚는 동안엔 주식이니 뭐니 하는 것들에 대해서는 일체 금지를 당하고 있었다. 그리고 주말엔 풀 뽑기 아르바이트도 한다. 동서의 친정집 정원이 제법 넓다고 들었는데 서방님의 명령으로 그곳에서도 일을 하게 된 모양이었다.

"그래도 겨울엔 풀을 안 뽑아도 될 테니까 힘들지는 않겠지."

가볍게 고개를 끄덕이고 미숙은 방긋 웃었다.

지금은 뒤늦게 사건의 전말을 알게 된 고 사장 때문에 제대로 만날 수도 없지만 곧 그를 설득해 한 번쯤 집으로 초대를 하고 싶었다. 아무튼 그런 영은이를 제외하고는 요즘 그녀의 주변은 두루두루 평온한 상태였다.

동생들도 곁에서 잘 지내고 있었고 바라던 아기도 생겼다. 고 사장은 그녀를 금이야 옥이야 하며 다루고 아가씨랑 동서는 여전히 친동생인 미주보다 더 살가웠다. 거기에 서방님도 그녀를 끔찍이 위해 주고 있어서 그녀는 정말로 하루하루가 행복했다.

"세상에, 저 성질 나쁜 양반이 이렇게 살갑게 챙기고 다닐 줄 누가 알았대. 하여간에 우리 사모님 팔자가 임금님 팔자라니까."

아주머니의 부러움 섞인 핀잔이 마치 노랫소리처럼 들렸다.

미숙은 기분 좋게 웃으며 텃밭으로 나갔다. 구름 한 점 없이 맑은 하늘이 그녀를 향해 웃고 있었다.

에필로그 2

일상

"다리가 좀 부었는걸."

열심히 마사지를 해 주던 고 사장이 문득 미간을 찌푸리면서 물었다.

"혹시 또 집안일 때문에 신경 쓴 거 아닌가?"

"아, 아니에요."

"……."

"진짜 아니에요."

압박하듯 즉시 날아오는 시선 앞에서 미숙은 열심히 도리질을 쳤다. 그 몰래 간간이 챙기고 있는 것은 사실이지만 달수가 늘어 가면서 안 그래도 몸이 힘들어 전처럼은 손을 대지 못하고 있는 것도 사실이었다.

솔직히 그녀는 요즘 먹고 자고 태교하는 일 말고는 거의 하는 일이 없었다. 쓸고 닦는 일부터 텃밭 일까지 진즉에 금지를 당한 상태에다 최근엔 모임에 참가하는 일까지 잠정 정지를 당했기 때문이다. 뿐만 아니라 긴 외출도 안 되고 정기검진 때 말고는 미준이가 일하는 병원에도 출입할 수 없다. 위험하단다. 처음 하는 임신도 아닌데 이번에도 고 사장은 지나치게 예민하게 굴고 있었다.

"동면을 준비하는 곰처럼 먹고 자고 태교만 하고 있으니까 아무 걱정 마세요. 당신이 텃밭 풀도 다 뽑아 줘서 이젠 제가 할 일도 없다고요."

"정말인가?"

"그렇다니까요."

불만스러운 듯 입을 삐죽 내밀고 하는 말에 은후는 한 번 봐준다는 마음으로 선선히 고개를 끄덕여 주었다. 다만 마사지를 위해 열심히 움직이던 손길이 저도 모르게 불순한 의도를 품고 조금 더, 아니 사실은 조금 많이 은근해진 것뿐이었다.

"흡! 뭐, 뭐하는 거예요?"

임신으로 몸이 예민해진 덕분인지 미숙이 금방 눈치를 채고 바르작거렸다.

"아이참, 힘들단 말이에요."

"으음, 조금만."

"무리하지 말라더니."

"응, 무리하지 마."

그냥 가만히 누워 있기만 하면 되니 절대 무리하는 건 아닐 것이다.

적어도 은후의 생각으로는 그랬다. 가슴을 매만지는 손길에 불끈 힘이 들어갔다. 임신 초기 때 못한 게 쌓였는지 요즘은 미숙의 맨다리만 봐도 발정을 한다. 그 사실을 아는지 모르는지 그녀는 때때로 아무 사심 없는 행동(엎드려 물건을 줍는다거나 오늘처럼 그에게 마사지를 해 달라고 하는 것 등등)으로 그를 자극하고 있었다. 그러니 오늘은 좀 봐줬으면 좋겠다.

"조심히, 천천히 할게."

"그, 그런 게 아니라니까요. 아기가 놀라면 어떻게 해요."

"괜찮아. 태교에도 좋다고 그랬어."

"누, 누가요?"

"의사가."

허걱. 대체 의사에게 그런 이야기는 언제 물어본 것인가!

무서울 만큼 점잖은 얼굴로 의사와 진지한 상담을 하는 그의 모습을 상상하며 미숙은 남몰래 떨었다. 어쩐지 의사가 종종 안쓰러운 시선으로 바라보곤 하던데 그게 사실은 다 고 사장 때문이었나 보다. 고 사장은 다 좋은데 가끔 의외의 방향에서 허를 찌르는 남다름을 실천하곤 해 그녀를 당혹시키고 있었다. 보나마나 스스로의 금욕적인 자태는 저 너머에 두고 의사에게 '그래서 방법은?' 이라고 명령 아닌 명령을 했을 거였다.

"몸이 많이 예민해졌어."

모로 누운 그녀의 몸을 등 뒤에서 끈적한 손길로 훑어 내리며 은후는 벌써 열기를 내뿜고 있었다. 적어도 자극에 솔직하게 반응한다는 점에서는 임신한 그녀가 좋다. 수없이 많은 밤을 함께 보내고, 그의 아이까지 낳고 다시 아이를 가졌음에도 불구하고 그녀는 언제나 스스로의 욕망에 대해 부끄러워했다. 그래서 애써 억누르기도 전에 반응하는, 그럴 수밖에 없는 그녀의 호르몬이 사랑스럽다.

"아! 자, 잠깐만요."

"쉬잇, 가만히."

"헉!"

미숙이 다급하게 숨을 들이켰다.

등에도 촉수가 있는지 퍼부어지는 그의 뜨거운 숨결 하나에 몸이 물을 벗어난 물고기처럼 퍼덕거리고 있었다. 머릿속에서 뎅뎅 종소리가 울린다. 미친 호르몬 때문인지 아니면 점점 발전만 하고 있는 고 사장의 테크닉 때문인지 미숙은 금방 달아올랐다.

그 사실을 눈치챘는지 모로 누운 그녀를 끌어안고 그가 뒤에서부터 천천히 들어오고 있었다. 어깨 위로, 목덜미와 여린 귓가로 키스의 비가 쏟아졌다. 정신도 못 차리게 달아오르는 와중에도 쪽쪽거리는 그 소리가 왜 그렇게 야하던지 이제는 그에게 점령당한 가슴까지 다 벌렁거렸다.

"아흣!"

결국은 참지 못하고 미숙은 신음을 터뜨리고 말았다.

그의 손이 베개를 쥐어뜯는 그녀의 손을 찾아내 깍지를 끼고 단단하게 마주 잡았다. 그러고는 애초에 그가 장담한 대로 천천히, 아주 천천히 움직이기 시작했다. 깊은 밤도 박자를 맞추듯 그렇게 천천히 흘러가고 있었다.

충동적인 행동은 때로 예기치 못한 부작용을 동반한다.

부작용은 대체로 좋은 경우가 없어서 반드시 수습을 해 줘야 한다. 그 아침의 그도 사고를 치고 나서 뒷수습에 골몰하는 바보가 되어 있었다.

"사모님은 아직 못 일어나고 계시고요. 유모는 갑자기 집안에 일이 생겨서 달려갔고, 저는 당장 시장에 가 봐야 해요. 예약해 놓은 고기가 나왔다고 해서요."

"으음. 처제는……."

"아가씨는 출근했죠. 마의 금요일이잖아요. 오늘 야근이라고 하더라고요."

끄응. 저도 모르게 한숨이 터져 나왔다. 즐길 땐 좋았는데 엉뚱하게 이런 일이 발생하다니. 그의 시선이 한참이나 아래로 향했다. 좋아하는 원피스를 차려입은 딸내미가 만날 끌고 다니는 담요를 안고 곰돌이인형 가방까지 메고 서서 기대에 가득 찬 시선으로 그를 하염없이 올려다보고 있었다.

"아빠, 현주도…… 찌퍼요. 응?"

아아, 이런 예쁘고 영악한 녀석 같으니.

아빠가 저한테 약한 줄 뻔히 알면서 놈은 더 애처로운 척 그의 다리에 매달려 애원을 한다. 여차하면 당장이라도 눈물을 뿌릴 기세였다. 이놈을 어찌해야 하나. 유모도 없고, 도우미 아주머니는 바쁘고, 미숙은 한낮까지 깨어나지 못할 가능성이 크고, 처제는 야근이다. 아무리 생각해도 방법이 없었다. 이래서 아이가 생기면 여직원들이 회사를 그만두는 거였구나.

"혼자 있으면 현주는 외로워. 이따가 아빠 보고 찌프면 어떻게 해?"

"휴우. 알았어, 알았어. 우리 공주는 아빠랑 가자. 대신 얌전하게 굴어야 한다."

"네! 아빠 사랑해요. 꺄아, 너어무 신나!"

언제 울 것처럼 굴었냐는 듯 딸내미는 팔짝팔짝 뛰면서 좋아했다. 그러더니 얼른 저를 안으라며 성급하게 두 팔을 내미는 거다. 그에 꼼짝도 못하고 안아 들자 앙증맞은 두 팔로 그의 목을 꼭 끌어안고 뽀뽀 세례를 해 주었다. 누구 딸내미인지 정말 예뻐 죽겠다. 1,000%의 성장률을 달성했을 때보다 어쩐지 더 뿌듯해지는 기분마저 느끼며 그도 같이 딸내미를 끌어안고 그 여린 볼에 몇 차례나 뽀뽀 자국을 남겨 주었다. 아침부터 유별난 애정 표현을 일삼는 두 부녀를 보고 도우미 아주머니가 피식 웃으면서 자그마한 가방을 내밀었다. 공주님 먹일 간식이란다.

"헛! 뭐, 뭡니까?"

나란히 나서는 그들을 재인이 식겁한 얼굴로 바라보았다.

"이 녀석도 출근하는 겁니까?"

"그렇게 됐다."

체념 어린 동작으로 은후가 간식 가방을 내밀었다. 그리고 차에 오르자마자 이 말괄량이 아가씨가 재인을 꼬이고 나섰다.

"아저찌, 현주가 앞에 앉으면 안 돼?"

"절대 안 돼, 인마!"

"왜요? 현주도 운전할 줄 아는데."

그거야 장난감 차 얘기고.

놀라서 돌아보는 재인을 다독이며 은후가 재빨리 놈을 안아다 어린이용 카시트에 앉혔다. 아무래도 긴 하루가 될 것 같은 불길한 예감이 몰려오고 있었다.

"예에? 그 사람이 현주를 데리고 출근했다고요?"

미숙이 경악한 얼굴로 소리쳤다.

은후의 예상처럼 그녀는 한낮이 훌쩍 지나서야 간신히 정신을 차리고 집안일을 시작할 수 있었다. 그런데 대강 정리를 마치고 나서야 무언가가 허전하다는 사실을 깨달은 거다. 현주가 없다는 사실을 깨달은 것은 오후 간식 준비를 다 마쳤을 때였다.

"어쩌다가 그렇게 된 거예요? 아니, 아직까지 연락은 없고요?"

"네. 오늘은 저도 바빠서 신경을 쓸 수가 없었거든요."

"아아, 맙소사. 당장 연락을 해 봐야겠어요."

너무 놀라 손까지 덜덜 떨면서 미숙이 다급히 전화기를 잡았다. 그런데 무슨 일이 있는 건지 그의 사무실에서도, 핸드폰으로도 전화를 받지 않았다. 몇 번씩이나 전화를 해 봐도 마찬가지였다. 심지어는 재인이나 그녀가 특히 무서워하는 우인에게까지 전화를 했는데 그쪽도 불통이기는 매한가지였다.

"어쩌면 좋아요. 무슨 일이 생겼나 봐."

울고 싶은 기분에 시달리며 그녀는 결국 주저앉고 말았다.

부른 배를 안고 그의 회사까지 찾아가 봐야 하나 말아야 하나 고민도 해 보고 하다하다 서방님에게 도움을 요청할까도 생각해 보았지만, 그때마다 극성이라며 아주머니가 말리고 나섰다. 그녀는 걱정이 되어 죽겠는데 다들 한없이 태평하기만 했다.

"아무래도 가 봐야겠어요!"

그녀의 걱정이 점점 더 극을 향해 치닫다 마침내 정점을 찍었을 때였다.

"다녀와즙니다!"

이른 저녁 무렵, 너무나도 멀쩡한 모습으로 현주가 제 아빠의 품에 안겨 돌아왔다.

고 사장의 퇴근 시간치고는 확실히 이르긴 했지만 적어도 겉모습만은 둘 모두 아무 이상이 없어 보였다.

"도대체 엄마 허락도 없이 어딜 따라갔다가 온 거니? 당신도 그래요, 왜 애를 데리고 출근을 하세요? 게다가 하루 종일 전화는 또 왜 안 받고? 걱정할 거 알면서!"

모두 무사하다는 사실을 확인하기가 무섭게 그녀는 이제 불같이 화를 내기 시작했다. 하루 종일 동동거리느라 진을 뺐는데 정말로 뭐하느라 연락도 없었느냔 말이다. 그런 그녀를 향해 고 사장은 특유의 쿨한 얼굴로 물었다.

"식사는 했나?"

"지금 밥이 문제예요?"

"응. 윤미숙, 오늘 하루 종일 밥 안 먹은 거 맞아?"

응? 그걸 어떻게 알았지? 혹시나 싶어 아주머니를 바라보았더니 그녀는 또 움찔 놀라서 부엌으로 도망을 쳐 버렸다. 역시 안성댁은 고 사장의 스파이였다. 어물어물 변명을 늘어놓았다.

"글쎄, 밥이 넘어가게 생겼냐고요."

"……."

"거, 걱정되어서 밥 생각도 못했단 말이에요."

꼬르륵.

지적을 당하고 나서야 뒤늦게 허기가 몰려왔다. 두 사람을 걱정하느라 정말로 하루 종일 뭘 먹을 생각도 못하고 있었는데 이제야 뱃속에 든 아기가 보내는 신호가 감지된다. 어쩌다가 아기를 깜빡했을까. 그건 그것대로 속상해서 눈물이 날 것 같았다.

"밥부터 먹지."

충격과 죄책감으로 한없이 멍해지는 그녀를 고 사장이 잡아끌었다. 세 가족이 옹기종기 모여앉아서 저녁을 먹었다.

"금요일이라 바쁜 일이 연속으로 터졌지. 급하게 회의실을 도는 동안 비서실에 맡겨 놨는데, 비서가 애를 데리고 건물을 한 바퀴 돌았더라고."

"저런! 바쁘게 일하는 사람들 다 방해하고 다닌 거 아니에요?"

"재인이 말로는 방해를 한 건지 당한 건지 구분이 안 간다고 하던데."

"그게 무슨 말이에요?"

"전 직원들의 손을 한 번씩 다 거쳤대. 거기다 점심 먹이러 직원 식당에 갔었는데 난리도 아니었지."

밥을 먹던 직원들이 그를 알아보기가 무섭게 인사를 하려다가 품에 안겨 있는 현주를 보고는 우르르 모여들었었다. 그러더니 다들 한 번씩 안아 보고 과자와 장난감을 사다 나르고, 특히 여직원들은 아이의 주변에서 떠나지를 않았다. 직원 식당에 그렇게 사람이 넘치기는 창사 이래 처음이었을 것이다.

"낮잠도 안 자고 엄청나게 놀았어, 이 녀석."

"계란 주세요."

밥을 퍼서 내미는 딸내미의 조그마한 숟가락 위에 계란을 얹어 주면서 은후가 긴 한숨을 내쉬었다. 저 좋다는 사람은 찰떡같이 알아보는 요 여우 같은 놈 때문에 오늘 하루 시달린 생각을 하면, 벌써부터 앞날이 걱정될 지경이었다.

"아무래도 놀이방에 보내야 할까 봐요."

"놀이방에?"

"네. 저렇게 나가고 싶어 하는데 계속 집에만 두기도 그렇고, 또 태어날 아기한테도 미안하고요. 현준이랑 현우가 다니는 곳이 괜찮다고 동서가 그랬는데 알아봐야겠어요."

괜찮을까?

당장 부정적인 생각이 앞섰지만 은후는 애써 털어 버렸다. 오늘 같은 일이 또 벌어지지 않는다고 장담을 할 수 없었기 때문이다. 거기다 둘째까지 나오면 그땐 점점 더 손을 쓸 수 없는 상황이 벌어지겠지. 그렇다고 애 보자고 사람을 무한정 들일 수도 없는 일이었다.

"생각해 보지."

결국은 고개를 끄덕일 수밖에 없었다.

문득 미숙에게도 쉴 시간이 필요하다는 생각이 들어서다. 가뜩이나 몸도 힘든데 둘째가 나오면 더 쉴 시간이 없을 터였다. 그렇게 되면 당연히 그에게 올 관심도 줄어들 것이다. 그건 상당히 손실이 큰 품목이었다. 주식으로 치면 폭락장이다. 그렇다면 놀이방에 보내는 것도 그리 나쁘지 않은 대안이었다. 비록, 그곳에 사고뭉치 조카 놈들이 자리를 잡고 있다고 해도 말이다.

"현금…… 수표오…… 주식…… 채에껀!"

어눌한 발음으로 현주가 낮에 주워들은 말들을 떠들고 있었다. 우인이 잠깐 붙잡고 무어라 교육을 시키는 듯하더니 결국은 돈 버는 법에 대해서 강의를 했나 보다. 하긴, 평소의 행동으로 보아 계좌라도 만들라며 영업이나 안 했으면 다행이었다.

미숙이 쉬는 동안 직접 안고 욕실로 들어가 말끔하게 씻겨 놓자 제 엄마가 하는 걸 봤는지 현주가 어느새 조그만 제 화장대 앞에 앉아 베이비 로션을 잔뜩 쏟아 놓고는 고사리 같은 손으로 볼이랑 이마에만 처덕처덕 발라 놓았다. 잘했다고 방글방글 웃으면서 물었다.

"아빠, 현주 예뻐?"

"당연히 예쁘지."

"공주님이니까?"

"그럼, 우리 현주는 아빠의 공주님이잖아. 세상에서 제일 예쁜 공주님."

높이 안아 주면서 하는 말에 아이는 까르르 웃으며 자지러졌다.

잠옷으로 갈아입는 동안 해도 해도 질리지 않는 공주님 안기 놀이도 하고 비행기 타기도 했다. 그리고 자기 전에는 요즘 늘 그러듯 면사포 쓰고 결혼식 놀이도 한다. 그러고 나서야 간신히 자리에 눕힐 수 있었다.

"아빠가 매일매일 머리도 말려 주고 공주님 드레스도 사

주고 다해 줄 테니까 우리 공주는 시집가지 말자. 응?"

"응. 현주는 나중에 아빠랑 결혼할 거야."

하품을 하면서 딸내미가 그렇게 말했을 때 은후는 저도 모르게 울컥 감동까지 했다. 한두 번 듣는 말이 아님에도 불구하고 때마다 감동하는 스스로가 너무 어이없었지만 하는 수 없었다. 어떻게 해도 이 작은 공주님을 향한 애정을 멈출 수 없었으니까.

"놀이방이라."

좋아하는 인형을 안고 잠든 모습을 보자 잠시 미루어 두었던 고민이 다시 찾아왔다.

요 예쁜 녀석을 과연 내놓아도 좋을 것인지, 다른 놈들이 괴롭히지는 않을지, 혹은 사고뭉치 조카들과 어울려 놀다가 같이 사고를 치는 것은 아닐지, 벌써부터 걱정이 많았다. 서른이 되기 전에는 시집보낼 생각이 없는데 일찌감치 연애라도 시작한다면? ……상상만으로도 충분히 끔찍하다. 원래 이런 성격이 아니었는데 미숙을 닮아 가려는 건지 요즘 들어, 특히 딸내미 문제에 대해서만큼은 쓸데없는 걱정이 늘었다.

고 사장이 샤워를 하면서 아직 벌어지지도 않은 사건사고를 상상하며 수습에 골몰하는 사이, 미숙은 미숙대로 기함을 하고 있었다.

"이, 이게 다 뭐지?"

낮잠을 안 잔 덕분에 눕기가 무섭게 잠든 딸내미의 머리맡에서 그녀는 소리 없이 경악에 빠져 버렸다. 안고 나간 담요가 까무잡잡해진 채 돌아온 건 문제가 아니었다. 진짜 문제는 애가 메고 나갔던 곰돌이인형 가방 안에서 발견되었다. 제멋대로 접어놓은 지폐 더미가 낙엽처럼 우수수 쏟아지고 있었다. 끝도 없이 쏟아져 나오는 그것을 발견하고 아주머니가 놀라서 물었다.

"세상에, 이게 다 웬 돈이래?"

미숙이 울먹이면서 그녀를 마주 바라보았다. 또다시 안 좋은 상상이 뇌리를 스쳐 갔다.

"어쩌면 좋아요. 애가 제 아빠 은행을 털어 왔나 봐."

고 사장, 당신 딸내미한테 털렸소.

건물을 한 바퀴 도는 동안 한 사람 한 사람을 만날 때마다 약속이나 한 듯 넣어 준 과자값이라는 사실도 모르고 미숙은 돈의 출처와 딸이 언제부터 돈을 좋아하기 시작했는지에 대해 진지하게 고민을 하기 시작했다. 그런 엄마, 아빠의 애타는 고민도 몰라주고 아이는 그저 달게 자고 있을 뿐이었다.

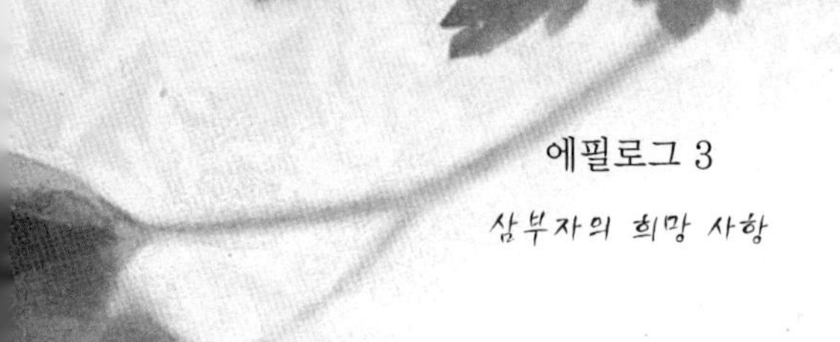

에필로그 3

삼부자의 희망 사항

"앙앙앙."

"그래도 이 녀석이!"

집 안으로 들어서기가 무섭게 어린놈의 울음소리가 귀를 찔러 왔다.

슬쩍 관자놀이 신경이 곤두섰다. 뭔 일이기에 또 초저녁부터 애를 잡고 있나.

"무슨 일인데 이렇게 시끄러워?"

부러 발소리를 내면서 은준이 소리치듯 물었다.

그러면서 보니 큰아들은 제 엄마 앞에 반듯한 자세로 무릎을 꿇고 앉아 있었고, 작은 놈은 그 옆에서 대자로 엎어져 앙앙거리고 울고 있었다. 그의 시선이 뿔이 잔뜩 나 있는 마누라에게로 향했다.

"무슨 일인데?"

"저 녀석은 당신을 닮은 게 틀림없어요."

"음?"

"현우가 저보다 나이도 많은 놀이방 친구를 때려서 코를 깨 놨다고요. 쌍코피가 터졌는데 병원에 데려가 보니 코뼈에 금이 갔대요. 덕분에 치료비 물어 주고 그 집 엄마한테 손이 발이 되도록 빌고 왔어요."

"뭐, 어린놈들이야 다 싸우면서 크는 것 아냐?"

"그게 아니라니까요. 그렇게 사고를 쳐 놓고도 저 녀석이 글쎄 잘못했다는 소리를 끝까지 안 했다고요."

생각할수록 분통이 터지는지 선주가 발까지 쿵쿵 굴렀다.

아하, 그러니까 누가 부자 사이 아니랄까 봐 고집 세고 못되어 먹은 성격이 그랑 딱 판박이라는 소리렷다.

"나 잘못 안 했쪄!"

"너어!"

바닥에 코를 박고 엎어져 있는 놈이 빽 소리치자 선주가 다시 팔을 둥둥 걷어 올리면서 회초리를 찾아 나섰다. 그런 것을 뜯어말린 것은 다름 아닌 은준이었다.

"다들 그만!"

"은준 씨!"

"알아, 알았어. 내가 해결할게."

흥분한 마누라를 고이 들여보내 놓은 다음 그는 그제야 외투를 벗어 소파 위에 던져 놓았다. 팔짱을 끼고 척하니 앉아 명령했다.

"고현우, 일어나 똑바로 앉아."

제 엄마 말에는 꼼짝도 안 하고 고집을 피우던 놈이 슬그머니 일어나 앉았다. 흐트러진 꼴을 하고 있기에 싸우다 한 대 맞은 건가 싶었는데 얼굴이 지나치게 말짱한 걸 보면 그것도 아니었나 보다. 그렇다면 보나마나 제 성질에 겨워 앙앙 울면서 바닥을 굴러다닌 게다.

"설명해, 왜 싸웠어?"

"나 잘못 안 했져! 병준이가 나빠! 내 동생이야!"

그게 대체 무슨 소리냔 말이다.

제멋대로 소리치고 씩씩거리는 놈을 물끄러미 보다 그는 한숨을 푹 내쉬었다. 뭔지는 모르겠지만 저보다 나이가 많다는 녀석에게 죽어도 형이라고 안 부르는 것을 보면 조그만 놈이 삐쳐도 단단히 삐친 거다. 설명을 바라듯 이번엔 큰아들을 바라보았다. 단정한 자세로 앉은 큰아들은 다행히 그의 뜻을 알아차렸다.

"낮잠 자는 시간에 현주를 놓고 병준이랑 서로 옆에서 자겠다고 싸웠대요."

"내 동생이야! 근엄마가…… 응응, 현우 동생이니까 잘 데리고 다니라고 했쪄! 내가 데리고 잘 건데 병준이가 끼어들었쪄. 나빠!"

"그래서 코를 깨 놓았다는 거야?"

"병준이가 먼저 때렸단 말이야!"

한 마디도 안 지고 작은 놈이 앙칼지게 소리쳤다.

이것도 그를 닮았다. 도통 지기 싫어하는 성미 말이다. 하여간에 나쁜 건 다 닮은 것 같다. 그 사실에 대해 깊은 책임감을 느끼며 은준은 사건을 정리했다.

현주는 그의 형이 애지중지하는 하나뿐인 딸내미였다.

아직 뱃속에 든 놈이 나오지 않아서 확신할 순 없지만 어쨌든 아직은 하나뿐인 딸이었다. 즉, 하나뿐인 그의 조카딸이다. 근데 이놈이 여간 귀엽지가 않은 것이다. 아직 어린것이 얼마나 앙증맞고 예쁜지 어쩌다 밖에 한 번 데리고 나가기라도 하면 어지간한 사람들은 다들 한 번씩 돌아볼 정도였다.

특히 웃는 모습이 예술이었는데 벌써 그 살인미소 하나로 고씨 집안은 물론이고 그의 장인까지 정복했다. 그냥 내버려두면 우주까지 정복할 놈이었다.

아무튼 그렇게 대단한 놈을 형은 거의 품에 끼고 살았다.

물고 빠는 것은 물론이고 걸음마 배울 때 말고는 바닥에 내려놓지도 않을 것처럼 지극정성으로 안아 키웠는데, 문제는 다른 사람들도 다 마찬가지라는 사실이었다. 물론 은준 자신도 그중 하나였다. 솔직히 고백하자면 그는 요즘 그 녀석을 보는 재미로 살고 있었다. 무뚝뚝한 아들만 둘이다 보니 당연했다.

아장아장 걸어와 품에 폭 안겨서 뽀뽀도 해 주고 맛난 거라며 그의 입에 제가 먹던 사과 쪼가리도 넣어 주는 기특한 녀석인데 안 예쁠 리가 있나. 생판 남의 아기라도 예쁠 텐데 자그마치 조카딸씩이나 되다 보니 아주 예뻐서 죽을 지경이었다. 할 수만 있다면 몰래 훔쳐 오고 싶다는 생각이 들 정도였다.

그런데 그런 녀석을 탐내는 건 그뿐만이 아니었다.

그의 두 아들놈들도 툭 하면 데려오자고 난리를 치고 있었다. 한동안 여동생을 만들어 달라고 졸라 대더니 이젠 거의 포기지경인지 방향을 바꿔 아예 현주를 납치할 기세였다. 한마디로, 그는 딸이 가지고 싶어 안달이 났고, 아들놈들은 현주 같은 여동생이 가지고 싶어 정신이 나갔다는 소리다.

"형수가 무슨 생각으로 애를 놀이방에 보낸 거지?"

품에 고이 안아 키워도 부족할 판에 밖으로 내놓은 그녀의 강심장에 대해 은준은 조금 회의적인 반응을 보였다. 세상은 넓고 범죄는 많았다. 그렇게 예쁜 녀석을 노리는 놈들이 지천으로 깔려 있는 세상인데, 뭘 믿고 밖에 내놔 남의 눈 호강을 시켜 주느냔 말이다. 당장 벌어진 일만 해도 그렇다.

조그만 녀석들이 예쁜 건 알아 가지고 벌써부터 그 녀석 옆에서 자겠다며 싸움질을 해 댔지 않나. 현우 놈이야 제 동생이자 똘마니가 생겼다고 생각하는 단순한 놈이니 그렇다고 치지만 그 병준인지 뭔지 하는 녀석은 틀림없이 불순한 생각을 품고 있었던 게 틀림없었다.

"그냥 밀친 건데 넌 다리를 걷어차고 머리로 박았잖아."

"그래도 잘못 없쪄."

"바보야, 애기가 놀라서 울었잖아. 그리고 병준이 코에 '호' 도 해 주게 만들고. 그건 잘못한 거야."

"……."

"그럴 땐 병준이를 조용히 불러내서 혼내 준 다음 애기한테는 절대로 같이 놀지 말라고 말해 줬어야지. 같이 놀면 나쁜 병균이 옮을지도 모른다고."

"병균이 뭐야?"

"더러운 이물질 같은 거야."

"이물질은 뭔데?"

"네 코딱지 같은 거."

제 형의 말에 현우는 알았다며 넙죽 고개를 끄덕였다.

그 모습에 은준은 또 아들들에 대한 깊은 책임을 통감했다. 한 놈은 무대포의 쌈꾼이고 다른 한 놈은 지능적인 악당으로 자라나고 있는 것만 같아서.

"제가 잘못했어요, 아버지."

큰놈이 불쑥 말했다.

"현우를 말렸어야 했는데 제가 그 자리에 없었어요. 있었다면 때리기 전에 막았을 거예요. 그런데 병준이가 현주한테 사귀자고 했는데 그냥 둘까요?"

"그냥 둬?"

"하!"

어처구니가 없어서 저도 모르게 콧방귀를 끼고 말았다.

요즘은 놀이방에서부터 연애질을 시작한다더니 그게 정말이었던가? 어이가 없는 동시에 한편으로는 역시 마음에 들지 않았다. 조그만 놈이 뭐라고 감히 내 조카딸을 노린단 말인가.

"치료비 대 줄 테니까 다리도 분질러 놔."

"네."

"응!"

두 놈이 넙죽 고개를 끄덕였다.

순간 아차 했지만 이미 늦었다. 두 놈은 벌써 단단히 작심을 한 눈치였다.

'이러니 나쁜 건 다 날 닮았다고 하지.'

그는 깊이 반성했다. 물론 이미 뱉은 말을 취소했다는 뜻은 아니었다.

그때였다.

"집에 있었냐?"

무슨 바람이 불었는지 형이 현주를 안고 놀러 왔다.

"애기야!"

"현주야아!"

"엉아!"

이산가족이 상봉을 했다.

제 큰아버지는 놔두고 두 놈이 현주만 붙잡고 뱅글뱅글 돌았다. 사내 녀석들 틈에서 자라 그런지 현주도 오빠들한테 '엉아' 라고 부르면서 좋다고 졸졸 따라다닌다. 하나씩 안고 뽀뽀를 해 주더니 은준에게도 '아빠아빠' 부르면서 얼굴 여기저기에 앙증맞은 뽀뽀를 해 주었다. 누구 조카딸인지 정말 볼수록 예뻐 죽겠다.

"이거."

"뭡니까?"

은후가 묵직한 보따리를 내밀었다.

"네 형수가 가져다주라더라. 찬거리랑 애들 먹일 간식이랑 제수씨가 좋아하는 떡도 좀 했다고."

"재인이 편에 보내지 형이 이런 걸 왜 직접 들고 다녀요?"

"저 녀석이 나가자고 보채서 바람도 쐬어 줄 겸 나왔다. 그나저나 현우 녀석 사고 쳤다고?"

"아아, 뭐 별건 아니고. 싸움질을 했나 본데 애들이야 다 싸우면서 크는 거지."

남의 집 애들도 그러고 크는지는 모르겠지만 어쨌거나 그의 아들들은 그랬다. 아직 유치원도 못 들어간 놈들이 교통사고에 싸움질까지. 벌써부터 골치가 지끈지끈 아팠다. 지금까지만으로도 이렇게 골치가 아픈데 더 크면 무슨 일을 저지를지 벌써부터 걱정이 될 정도였다.

"뱃속에 있는 녀석은 잘 큰답니까?"

아이 생각을 하는 척하며 그가 형수의 안부를 챙기고 나섰다.

"응, 건강하단다. 곧 나오겠지."

"또 딸은 아니겠지?"

"글쎄, 나올 때까지 안 물어볼 거라고 하니 나와 봐야 정확히 알 수 있을걸."

딸이었으면 좋겠다.

그러면 둘 중 하나는 어찌 훔쳐 올 수 있을지도 모르니까. 울컥 치미는 욕심에 은준이 슬그머니 입을 열었다.

"형, 만약에 말이에요."

"……?"

"또 딸이면 하나는 우리 주지? 하나씩 바꿉시다."

농담처럼 은준이 툭 던졌다.

화를 낼 줄 알았는데 형이 피식 웃었다.

"그러든지."

"어, 정말인가?"

"그렇다니까. 네 형수를 달래는 데 성공한다면."

"좋아, 까짓 못할 것 없지."

정말로 그게 가능할 거라고 여긴 듯 은준이 고개를 크게 끄덕였다. 그 모습에 또 피식 웃다가 은후는 딸내미를 안고 집으로 돌아왔다.

"네에? 서방님이 정말로 그러더란 말이에요?"

잠자리에 누워 아내에게 그 소리를 들려주었더니 그녀가 눈을 크게 뜨고 웃었다. 그리고 말했다.

"당신 못됐어요, 정말."

"후후."

은후는 말없이 웃었다.

뱃속의 아기가 아들이라는 사실은 당분간 비밀이었다.

—fin—

후기 1

별로 안 궁금할 근황

하나) 시골로 다시 내려왔다. 이상하게 시골만 오면 글이 호러가 되려고 한다. 꼭 산이 많아서 그런 건 아닐 텐데…… 앞산 무덤도 다시 보니 멋지다.

둘) '참 잘했어요.' 도장을 샀다. 시험 삼아 한 번 찍어 봤는데, 우연인지 아니면 운명의 장난인지 토끼 귀를 쓴 어린이 두 명이 서로를 보며 웃고 있는 그림과 함께 '참 잘했어요.' 라는 글이 찍혔다. 그런데 이상하게 내 눈엔 그 두 어린이가 둘 다 소년으로 보였다. 자세히 보려다 도장을 떨어뜨렸다. '참 잘했어요.' 와 토끼 귀를 쓴 변태 어린이들이 방바닥에 찍혔다. 일주일째 안 지워지고 있다.

셋) 모진 옵션을 달고 있는 넷북을 샀다. 자그마치 24개월 할부에 반품 절대 불가지만 '와이브로' 내장이라고 해서 과감하게 질렀다. 예쁘다. 데스크탑보다 느리긴 하지만 방바닥에 붙어 있을 때는 쓸 만했다. 그런데 와이브로가 안 터진다. 아, 우리 지역은 시골이라 원래 안 터지는 지역이었단다. 슬프다.

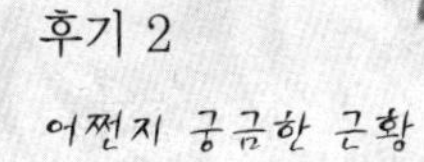

하나) 과거 언급한 적이 있는, 엉덩이가 터진 새로 산 레깅스의 행방에 대해 궁금해하고 계신 분들께…….

사건이 벌어진 당시, 일단 손수 바느질을 해서 급히 봉합을 한 다음 입어 보았더니 어쩐지 처음보다 천이 아주 많이 부족한 느낌이 들어 다시 벗어서 옷장 맨 아래에 암매장해 놓았습니다. 살이 빠지는 날 다시 발굴할 예정입니다. 그렇다고 해서 제가 다이어트 중이라는 말은 절대 아닙니다.

둘) 이 책이 개정판이 된 이유에 대하여.

원래는 증판을 할 계획이었는데 '표지 바꿔 주세요' 라는 한마디가 화를 불러오는 바람에 번외가 붙고 에필로그가 붙고 수정에 들어가는 대참사가 벌어졌습니다. 모쪼록 너그러운 이해를 부탁드립니다.

by 단영

선본남자

1판 2쇄 찍음 2012년 1월 2일
1판 2쇄 펴냄 2012년 1월 5일

지은이 | 단 영
펴낸이 | 정 필
펴낸곳 | 도서출판 **뿔미디어**

기획총괄 | 이주현
기획 | 손수화
편집장 | 이재권
편집책임 | 주종숙
편집 | 심재영, 문정흠, 이경순, 이진선
관리, 영업 | 김기환, 임순옥

출판등록 | 2002년 9월 11일 (제1081-1-132호)
주소 | 부천시 원미구 상3동 533-3 아트프라자 503호 (우)420-861
전화 | 032)651-6513 / 팩스 032)651-6094
E-mail | BBULMEDIA@daum.net
카페 | http://cafe.daum.net/scarletR

값 8,500원

ISBN 978-89-6639-249-0 03810
ISBN 978-89-6639-246-9 03810 (세트)

※파본은 구입하신 서점에서 교환하여 드립니다.

Scarlet

스칼렛

Scarlet
스칼렛